C000173540

HISTOIRE DE LA GUERRE D'INDÉPENDANCE ALGÉRIENNE

Sylvie THÉNAULT

HISTOIRE
DE LA GUERRE
D'INDÉPENDANCE
ALGÉRIENNE

Champs histoire

À Kahina.

INTRODUCTION

(2012)

Avec le XXIe siècle, la France et les Français ont découvert – redécouvert ? – leur histoire coloniale, ou, à tout le moins, son épisode le plus marquant par sa durée, son intensité et sa portée : la guerre d'Algérie. Et ce, dans un rapport placé sous le signe de la culpabilité ; en témoigne le transfert, pour désigner cette guerre, des métaphores nées de la dénonciation du régime de Vichy, « heures sombres », « pages noires » de l'histoire de la France contemporaine.

Le retour sur ce passé a débuté, en 2000-2001, avec la publication à la une du *Monde* du témoignage de Louisette Ighilahriz. Cette militante de l'indépendance algérienne, qui fut torturée mais sauvée par un médecin dont elle connaissait le nom, voulait le retrouver pour lui dire, enfin, sa reconnaissance. Le débat a ensuite été ponctué par les regrets du général Massu, la reconnaissance de l'usage courant de la torture par le général Aussaresses et les déclarations du général Bigeard, évoquant cette pratique comme « un mal nécessaire » dans cette guerre [1]. Ont suivi quantité de livres, dont les retentissants Mémoires de Paul Aussaresses, des documentaires – notamment *L'Ennemi intime*, de Patrick Rotman, diffusé en *prime time* sur France 3 –, et même des poursuites judiciaires pour « apologie de crimes de guerre » contre le général Aussaresses, à défaut de qualification juridique plus pertinente pour sanctionner des actes, au-delà des mots.

La société a fait écho. Les Français ont été touchés par ce déferlement de questions, d'accusations, de récits et d'images, bien au-delà des cercles directement concernés. Au-delà des milieux militaires et des officiers, dont les quatre cents généraux qui, en janvier 2002, ont fini par signer un manifeste pour justifier l'usage de la torture, placé en introduction d'un *Livre blanc de l'armée française en Algérie*[2] ; au-delà, aussi, des militants qu'honore leur combat de toujours contre la torture. Parmi eux figurent les douze signataires – dont les regrettés Madeleine Rebérioux et Pierre Vidal-Naquet – d'un appel demandant une reconnaissance officielle de la torture pratiquée pendant la guerre, par une « déclaration publique » des plus hautes autorités de l'État. Lancé dans *L'Humanité* le 30 octobre 2000, cet appel des Douze a recueilli sept mille signatures en deux mois. Les journaux ont été inondés de lettres d'anciens soldats, les éditeurs ont reçu quantité de manuscrits proposant des journaux tenus à l'époque ou des mémoires rédigés *a posteriori*, et les historiens ont vu venir à eux des témoins sortant de leur réserve, surpris, touchés que ce passé intéresse, et soucieux de trouver une oreille attentive pour – enfin – en parler, faire savoir.

Parallèlement, les pouvoirs publics français ont répondu, par différents gestes symboliques, aux revendications qui les appelaient à reconnaître les souffrances des victimes de la guerre. Parmi d'autres : le 25 septembre 2001, est décidée une journée d'hommage aux harkis ; le 17 octobre de la même année, une plaque est posée sur le pont Saint-Michel en mémoire des Algériens

tués en 1961 ; le 5 décembre est choisi, en 2003, comme
« journée nationale d'hommage aux "morts pour la
France" pendant la guerre d'Algérie et les combats du
Maroc et de Tunisie » – à défaut d'accord sur une date
plus pertinente, celle du cessez-le-feu, le 19 mars 1962,
ayant été rejetée par des anciens combattants au motif
qu'elle n'avait pas vu cesser, loin s'en faut, les violences
en terre d'Algérie. « Guerre d'Algérie », oui : le
18 octobre 1999, une loi introduit l'expression dans les
textes officiels, alors que, pendant la guerre elle-même,
elle valait dénonciation du conflit et à ce titre était pros-
crite, même si le langage courant l'avait déjà agréée.

Le débat ne connut pas de pause. Les tenants de la
« nostalgérie », pour reprendre ce terme forgé pour désigner la « nostalgie » de l'Algérie française, ont organisé
leur revanche [3]. En 2005, c'est l'article 4 de la loi du
23 février qui a fait polémique. Selon cet article, les pro-
grammes scolaires devaient reconnaître « en particulier le
rôle positif de la présence française outremer, notamment en Afrique du Nord ». Une « place éminente »
devait aussi être faite aux « combattants de l'armée française issus de ces territoires » – aux harkis, donc. Ces
préconisations concernaient également la recherche universitaire. L'année 2005 a été celle de la bataille – victorieuse – pour le retrait de ce fameux article 4, au nom
de l'indépendance de l'enseignement et de la recherche.
Or cet article résultait d'un amendement parlementaire,
proposé par des élus que des associations avaient sensibi-
lisés à l'idée qu'il fallait corriger l'image sombre de la
France aux colonies, véhiculée par le débat des
années 2000-2001. En cette même année 2005, l'émergence du mouvement des Indigènes de la République a
aussi placé le fait colonial au cœur du débat public français. Il s'agit en effet de proposer une nouvelle analyse

des discriminations contemporaines, présentées comme les stigmates du passé colonial dans la société française.

Inscrit dans la longue durée et soucieux de s'abstraire de la demande sociale, le temps des historiens n'est pas celui du débat public. Les livres explorant l'histoire de la guerre d'Algérie, consacrés pour certains aux questions les plus épineuses – songeons aux livres de Pierre Vidal-Naquet sur la torture –, ne manquent pas. À la suite de Charles-Robert Ageron, le plus éminent spécialiste de l'histoire de l'Algérie, nombre d'historiens, fouillant des pans entiers de ce passé, ont travaillé, écrit, publié… Sur l'Algérie et sur la guerre. Certes, dans les années 1960-1970, la guerre d'indépendance restait exclue des sujets de thèse ; mais elle a intégré le champ des sujets de recherche légitimés à l'université à partir des années 1980. Outre les travaux universitaires, l'importance des publications sur la guerre d'indépendance a permis à Gilles Manceron et Hassan Remaoun d'en livrer un bilan remarquable, en 1993 ; ils y démontraient bien le passage de cette période « de la mémoire à l'histoire »[4]. Le mouvement s'est poursuivi depuis, encouragé par l'ouverture des archives de l'armée de terre. Pendant dix ans, de 1992 à 2002, en effet, le Service historique de l'armée de terre (SHAT)[5] a opté pour une politique d'ouverture de ses archives, avant de faire machine arrière face à l'émoi provoqué dans les milieux militaires par les polémiques sur la torture. Pendant cette période, les documents de l'armée de terre ont représenté une source privilégiée, que sont venus compléter, depuis, les documents des centres civils, rattachés aux Archives nationales de France, dont les Archives nationales d'outre-mer (ANOM), à Aix-en-Provence. L'accélération de l'historiographie de cette guerre, ainsi que l'inté-

rêt soudain qu'elle suscitait, justifia qu'en 2005,
Raphaëlle Branche en propose une nouvelle analyse[6] ;
c'est à la même époque que parut, en grand format, la
première édition de cette *Histoire de la guerre d'indépendance algérienne.*

Logiquement, avec l'ouverture des archives de l'armée,
la connaissance des aspects purement militaires du
conflit a très largement progressé, tandis que l'implication du pouvoir politique et des autorités civiles restait
en retrait[7]. Le militaire était en passe de devenir, côté
français, le protagoniste majeur du conflit. En face, à la
suite des travaux pionniers de Mohammed Harbi, le
FLN était exploré dans ses tréfonds les plus sombres par
Gilbert Meynier, dans sa gigantesque somme *Histoire
intérieure du FLN*[8]. Les violences de la guerre civile algérienne ont en effet suscité un retour sur celles du passé,
par une interrogation rétrospective : c'est en partie
comme sources lointaines de la violence contemporaine
que les violences de la guerre d'indépendance sont revisitées. Ces dernières parsèment les analyses de Gilbert
Meynier, qui donnent à voir un camp algérien miné par
les rivalités, les conflits et les déchirements, jusqu'à
l'implosion de 1962 et la prise du pouvoir par la frange
militaire du mouvement nationaliste, fondatrice du pouvoir actuel.

Pourtant, l'histoire de cette guerre ne peut être réduite
à l'affrontement des deux forces principales en action,
armée française et FLN. Leur confrontation directe
n'explique pas l'issue de la guerre : c'est bien connu – et
c'est même une rengaine chez les militaires qui n'ont pas
digéré le règlement du conflit –, la France a perdu alors
que la domination militaire sur l'ennemi était acquise.
La tendance à l'écriture d'une histoire autour de ces deux

pôles centraux masque par ailleurs l'importance des tensions et divisions internes aux camps français et algérien, fondamentales pour comprendre le déroulement et le dénouement de ces huit années de conflit. Cette tendance masque enfin la participation d'hommes venus à la guerre depuis d'autres horizons : ils en complexifient l'histoire en l'éclairant sous divers angles, en la déclinant de différents points de vue. Ainsi, les pages qui suivent tentent de restituer, dans la mesure du possible et à partir des travaux existants, la participation des autorités civiles à la guerre ; et elles interrogent la relation entre le pouvoir politique français et l'armée, qui n'a pas été que conflictuelle, bien au contraire, pour la IVe République comme pour les deux premières années de la Ve.

Dès lors, c'est un nouveau regard que veut signifier, d'emblée, le titre choisi. L'expression « guerre d'indépendance algérienne » marque la volonté de s'affranchir des expressions en usage de part et d'autre de la Méditerranée pour inclure toutes les facettes de cet événement. Ses dénominations usuelles le restituent en effet toujours d'un point de vue partiel : « guerre d'Algérie » désigne cette guerre comme une vaste campagne militaire, la « campagne d'Algérie » ; « guerre de libération » en fait le moment de résurrection d'une nation algérienne que la colonisation aurait étouffée pendant plus d'un siècle ; « révolution » la présente comme une transformation radicale du pays et de sa société. « Guerre d'indépendance algérienne » tente d'exprimer au mieux la portée historique de l'événement. Il s'agit d'une guerre dont l'indépendance de l'Algérie était l'enjeu, entre le combat nationaliste et celui de la France pour maintenir l'Algérie sous sa tutelle.

Au-delà, l'expression dit une préoccupation centrale, celle de trouver un équilibre dans l'analyse de cette

histoire, pour en éclairer les deux versants, français et
algérien. Les Algériens devaient dès lors figurer dans ce
livre et y trouver la place qui leur revient. La réintroduction du point de vue algérien permet d'aborder autrement les causes de la guerre. Elle permet de substituer à
l'interrogation sur la viabilité de l'Algérie française – ah !
si les gouvernements avaient osé la réformer ! – le constat
de son impossibilité. Car même si elle ne fut pas
d'emblée nationale, l'identité collective des Algériens
était irréductible à l'identité française. L'histoire de cette
guerre est aussi celle de la participation des Algériens à
la lutte pour l'indépendance. Les stéréotypes coloniaux
les ont trop longtemps enfermés dans un rôle passif de
masse manœuvrable à merci, alimentant l'interprétation
de leur soutien au nationalisme comme le résultat d'une
simple mais redoutable coercition, qu'une contre-
manipulation efficace suffirait à anéantir. La victoire
algérienne repose en réalité sur l'engagement des Algériens. L'issue de la guerre résulte de la persévérance de
tous ceux qui ont pris le relais des militants arrêtés pour
faire renaître les réseaux du FLN, au fur et à mesure
de leur démantèlement par les forces françaises, et pour
maintenir une pression constante. Grâce à eux s'est
imposée la conviction selon laquelle rien ne pourrait plus
enrayer l'engrenage déclenché. Dans cette résistance opi-
niâtre se jouait la restauration d'une dignité collectivement bafouée par la domination coloniale. Car « le
colonialisme, d'après Jacques Berque, c'est le père vaincu
et le moi humilié [9] ». La victoire algérienne, cependant,
doit aussi beaucoup au choix des nationalistes de porter
leur cause sur la scène internationale – stratégie neuve,
appelée à faire école auprès d'autres mouvements de libération nationale – pour contrebalancer leur défaite dans
les maquis.

Cette volonté d'équilibre entre versants français et algérien du conflit a buté sur de nombreux obstacles, au premier rang desquels l'appartenance de l'auteur au champ historiographique français. Or il est patent que la répartition des productions historiques reste, à de nombreux points de vue, très inégale : c'est en France que les historiens publient le plus, en langue française, et sur les aspects français du conflit. En Algérie, après Mahfoud Kaddache, formé à l'Université française avant 1962 et considéré comme le « Charles-Robert Ageron algérien », la période postérieure a été suivie par la formation d'une génération d'historiens francophones, arrivant aujourd'hui à la retraite. Les conditions politiques, économiques et sociales du pays ont cependant contraint leurs activités. Les débats sur l'histoire demeurent très politisés, et les acteurs de la guerre d'indépendance restent les principaux protagonistes. Leurs mémoires occupent la production éditoriale. L'enseignement de l'histoire à l'Université et la formation d'une nouvelle génération de chercheurs en a évidemment pâti. Ils ont aussi souffert du manque de moyens – pauvreté des bibliothèques et des moyens informatiques, en particulier – et des conditions dans lesquelles l'arabisation a été entreprise. L'Algérie peine à dégager une nouvelle génération d'historiens qui pourraient prendre la relève de leurs aînés.

L'écriture de cette histoire, cependant, tend à s'affranchir de ce partage bilatéral. La classification rigoureuse de l'historiographie entre historiographie française d'un côté, algérienne de l'autre, pèche par excès de simplicité. Non seulement de nombreux Algériens inscrivent leurs travaux dans le champ académique français, en soutenant leurs thèses en France ou en venant y exercer, mais les binationaux brouillent encore plus cette catégorisation binaire. Ils la rendent caduque. Il faut ajouter que l'historiographie de la guerre d'indépendance s'enrichit de travaux écrits dans d'autres pays ; certaines productions anglo-saxonnes sont mêmes traduites en français [10]. Enfin, bien sûr, le point de vue adopté par les chercheurs dépend bien plus de leurs protocoles de recherche que de leur ancrage national : quelles sources consultent-ils ? Quelle exploitation en font-ils ? Quelles langues parlent-ils ? Certes, les points de vue sur cette histoire dite commune sont bien socialement configurés, tant en France qu'en Algérie ou ailleurs ; mais les chercheurs peuvent s'en émanciper. Il n'existe pas de versions française et algérienne, au sens d'interprétations nationalement déterminées, indépassables, qu'il suffirait de concilier pour arriver à une voie moyenne. L'histoire, internationalisée et partagée, est en avance sur le temps politique, où l'on est toujours en peine, cinquante ans après la fin de cette guerre, d'un traitement serein de ce passé.

I

1954 DANS LA LONGUE DURÉE

1

L'ALGÉRIE FRANÇAISE,
UNE OCCASION MANQUÉE ?

Sonnant le glas de la présence française en Algérie, la nuit de la « Toussaint rouge [1] » résulte-t-elle d'un engrenage fatal ? L'absence d'assimilation des Algériens aurait été, dans ce cas, la véritable cause de l'éclatement de l'insurrection algérienne. Car, fermant tous les recours à l'expression collective des Algériens colonisés, au progrès de leur condition politique, économique et sociale, la France ne leur aurait pas laissé d'autre choix que celui de la lutte armée pour se faire entendre, ni d'autre solution que l'indépendance pour espérer s'émanciper. L'histoire de la politique française outre-Méditerranée résonne alors comme une longue litanie d'« occasions manquées [2] », par la métropole, de construire une Algérie française stable et durable ou, au moins, d'éviter que tout se termine par une guerre longue et meurtrière.

Cependant, cette explication privilégie le versant français d'une histoire commune, ainsi qu'une approche exclusivement politique. Au-delà, l'exploration de la société coloniale révèle des relations complexes, certes, mais où la domination a été le lot quotidien des Algériens. Plus que l'échec d'une colonisation qui aurait pu réussir, si l'assimilation avait été réalisée, la guerre sanctionne le projet colonial lui-même, qui reposait sur une

conquête dans la violence et sur le maintien d'une
dépendance jamais acceptée.

Être « musulman », « juif » et « français » en Algérie

C'est avec la république qu'est née l'assimilation, cet
idéal français de la colonisation : pendant la période
révolutionnaire, à l'issue d'âpres débats, il fut décidé que
les colonies seraient « soumises aux mêmes lois constitu-
tionnelles » que la métropole[3]. S'il avait été appliqué
intégralement, ce principe aurait dû aboutir à une assimilation territoriale, les colonies devenant des départements, et à une assimilation juridique de leurs habitants,
qui auraient accédé à la nationalité et à la citoyenneté
françaises. Conciliant valeurs républicaines et colonisation, cet idéal a constitué, pour l'Algérie, un objectif
dont la réalisation était perçue comme indispensable par
tous ceux qui se souciaient de la pérennité de la présence
française ; son échec, au contraire, rendait inéluctable
une rupture violente. Cette perception repose cependant
sur un « quiproquo » qui dura « à travers toute l'histoire
de l'Algérie française », selon Charles-Robert Ageron[4].
Au contraire de ce que crurent les métropolitains, en
effet, les colons d'Algérie ne concevaient pas l'assimilation pour les sujets coloniaux. Elle n'était pensée que
pour le territoire et ses habitants venus d'Europe.

De fait, si l'assimilation territoriale de l'Algérie eut bien
lieu, celle de ses populations demeura une fiction. En
1848, en effet, après la reddition de l'émir Abd el-Kader,
la constitution de la IIᵉ République divisa l'Algérie en trois
départements – ils ne couvraient cependant qu'une très
maigre portion du territoire, correspondant aux premières
poches de peuplement européen. L'essentiel de la colonie

restait encore sous administration militaire. Puis, en 1865, ses habitants furent déclarés français par un sénatus-consulte de Napoléon III, qui rêvait de construire un royaume arabe lié à la France : « L'indigène musulman est français », mais, précisait le texte, « il continuera à être régi par la loi musulmane [5] ». Échappant ainsi aux règles du code civil, il conservait ses coutumes en matière de mariage, de filiation et de succession, pratiquant la polygamie, le mariage sans consentement, la répudiation et le partage inégal de l'héritage entre garçons et filles [6]. Dans l'acte de capitulation signé en 1830, la France s'était d'ailleurs engagée à ne pas porter atteinte aux coutumes des populations conquises.

Ce statut spécifique, par lequel l'autorité coloniale disait respecter les coutumes locales, justifia l'assimilation incomplète des Algériens ; en contrepartie, ils étaient titulaires d'une nationalité « dénaturée, vidée de ses droits [7] », une nationalité sans citoyenneté [8]. Membres d'un collège électoral distinct des Français pleinement citoyens, ils n'élisaient que des représentants locaux, et c'est seulement en 1945, à l'occasion de la désignation de l'Assemblée constituante, qu'ils participèrent à une élection nationale. De même, jusqu'en 1944, tous les emplois publics ne leur étaient pas accessibles : dans le domaine judiciaire, par exemple, ils pouvaient être greffiers mais la magistrature leur était interdite, au point que, localement, la justice s'incarnait dans le couple formé par le juge français et son greffier algérien. Enfin, les Algériens furent soumis à un régime pénal de l'indigénat, comprenant des mesures de répression spécifiques : internement, séquestre des biens, amendes collectives et pouvoirs disciplinaires. Ces derniers permettaient de punir, par des amendes et des jours de prison infligés sans procédure aucune, une liste

d'infractions spéciales. Celles-ci visaient l'insoumission à
l'autorité française : « propos contre la France et le gouvernement », « dissimulation de la matière imposable »,
« refus de comparaître devant l'officier de police judiciaire », « ouverture sans autorisation de tout établissement religieux ou d'enseignement »... Les mesures
d'exception frappant les Algériens ne furent totalement
abolies qu'en 1944 [9].

Pour devenir pleinement citoyen et jouir d'une totale
égalité des droits, le « musulman » devait abandonner
son statut personnel, suivant une procédure dite de
« naturalisation ». Le terme, pourtant, est impropre,
puisque, théoriquement, il était déjà français. En fait,
il s'agissait pour lui, « Français musulman », de devenir
simplement « français », sans qualificatif l'assignant à une
sous-catégorie de la communauté nationale. La nécessité
de renoncer au statut personnel pour se soumettre au
code civil, combinée à la sévérité de l'administration
dans l'examen des demandes, explique le faible nombre
des « naturalisations » enregistrées : un peu plus de six
mille sur toute la période coloniale [10].

Cette législation témoigne d'un doute sur le fait qu'on
pût être, en même temps et pleinement, musulman et
français. L'assimilation a buté sur ce blocage. C'était le
mot « musulman » qui désignait couramment les colonisés d'Algérie. « Algérien » existait pourtant bien dans la
langue française. Il avait servi de longue date pour désigner les habitants de la Régence d'Alger, avant la
conquête française. Mais ensuite, « musulman », moins
significatif d'une identité collective algérienne, fut privilégié ; et ce d'autant plus que les Européens, notamment
les autonomistes de la fin du XIXe siècle, se disaient eux
aussi « algériens ». Or cet usage du terme « musulman »
traduit un glissement de sens : s'il s'impose d'évidence

dans son sens premier, celui de l'appartenance religieuse, il renvoie aussi à un statut personnel, définissant la loi à laquelle l'individu était soumis en droit civil, et à sa citoyenneté tronquée. Désignant alors une population divergeant de la communauté nationale par sa religion, son statut et ses droits, « musulman » prend une acception plus large, ethnique et politique, pour nommer le peuple des colonisés d'Algérie.

Il est vrai, cela dit, que les colonisés étaient presque exclusivement des musulmans. En effet, les juifs présents en Algérie en 1830 et leurs descendants furent « déclarés citoyens français » et soumis au code civil par le décret Crémieux du 24 octobre 1870, à l'exception de ceux vivant dans la région du M'Zab, qui n'était pas encore conquise à cette date. Cette assimilation totale répondait aux vœux des militants de l'émancipation des juifs de tout statut minoritaire, en faveur d'une pleine égalité des droits. Adolphe Crémieux, premier président de l'Alliance israélite universelle, ministre de la Justice dans le gouvernement de Défense nationale formé le 4 septembre 1870, était l'un des éminents représentants de ce mouvement d'émancipation. Ainsi les juifs intégraient-ils la catégorie des Français, avec les colons et leurs descendants. Leur intégration demeura cependant limitée, dans les faits, par les flambées d'antisémitisme au début du siècle et dans l'entre-deux-guerres ; et quand le régime de Vichy abrogea le décret Crémieux, le 7 octobre 1940, les juifs d'Algérie, redevenus « indigènes », furent exclus trois ans durant jusqu'au rétablissement du décret des professions auxquelles ils avaient pu accéder en tant que Français, et virent leurs biens séquestrés. Une commission d'aryanisation fut en outre créée à Alger et un *numerus clausus* imposé dans tous les établissements scolaires [11].

Troisième composante humaine, les colons comptaient en majorité des Français, venus des régions méridionales de la France, au sud d'une ligne Bordeaux-Genève [12]. Ils furent rejoints par des Espagnols, des Italiens, des Maltais, mais aussi, dans une moindre proportion, par des Allemands, des Suisses et des Belges, dont les descendants furent tous naturalisés par la loi de 1889. Fondatrice du droit français de la nationalité, elle permettait à tout enfant né de parents étrangers en terre française et y résidant de devenir pleinement français à sa majorité. L'Algérie était donc concernée. L'application du droit du sol au profit des colons étrangers fondait en un seul groupe tous les Européens, de France ou d'ailleurs. C'était là l'« acte de naissance du peuple européen d'Algérie [13] ».

Les populations de l'Algérie coloniale étaient ainsi soumises à des statuts juridiques différents, fondateurs d'une hiérarchie à trois degrés : les « musulmans » qui étaient soumis à l'arbitraire de l'indigénat et privés de l'égalité des droits avec les autres Français ; les « juifs » qui en bénéficiaient tout en restant exposés au racisme et à l'exclusion ; les « Français », enfin, à qui l'égalité des droits, réelle et totale, fut accordée. Trois catégories de populations dont le statut juridique traduit bien le regard porté sur elles ; le droit donne à voir la stratification de la société coloniale.

Des réformes impossibles

Dès le tournant du siècle, la discrimination envers les « Français musulmans » suscite des revendications favorables à une assimilation intégrale. S'inspirant du mouvement moderniste des Jeunes-Turcs de l'Empire ottoman, le mouvement des « Jeunes Algériens » dénonce cette citoyenneté tronquée. Rejoints par l'émir Khaled Bel Hachemi, petit-fils d'Abd el-Kader, le héros de la résistance à la conquête française, ces assimilationnistes réclament l'égalité des droits, par l'octroi d'une nationalité française pleine et entière, sans renoncement à leur statut personnel. Ferhat Abbas devient leur figure de proue dans l'entre-deux-guerres. Attaché aux principes républicains, le pharmacien de Sétif est loin, à l'origine, du nationalisme. « L'Algérie en tant que patrie est un mythe », écrit-il en février 1936, dans un article du *Temps* qui lui valut maints reproches. « Je ne l'ai pas découverte. J'ai interrogé l'histoire ; j'ai interrogé les morts et les vivants ; j'ai visité les cimetières : personne ne m'en a parlé[14]. » Rallié au FLN (Front de libération nationale) en 1956, il est devenu le symbole d'une frange modérée de la vie politique algérienne, radicalisée par le refus ou l'incapacité des gouvernements français d'accorder l'égalité aux Algériens. Son évolution s'explique par la fin de non-recevoir opposée aux revendications qu'il formula pendant la Seconde Guerre mondiale.

Régulièrement, en effet, une réforme semblait nécessaire ; mais, invariablement, elle avortait ou s'avérait insuffisante. Ainsi, en 1919, après la participation des Algériens au premier conflit mondial, une loi élargit les possibilités de « naturalisation », en ajoutant à la procédure administrative une procédure judiciaire, passant par le tribunal administratif. De même, en 1936, un projet de l'ancien gouverneur général Maurice Viollette, ministre d'État dans le gouvernement de Léon Blum, prévoit l'accès à la pleine citoyenneté de vingt-cinq mille Algériens, sans abandon de leur statut personnel, mais il y renonce sous la pression des Européens. Enfin, la refonte de l'empire colonial français après la Seconde

Guerre mondiale aboutit en 1947 à la création d'un statut particulier pour l'Algérie, dotée d'une Assemblée propre. Mais, avec soixante représentants pour chaque collège, son élection reposait sur une flagrante inégalité. Le premier collège comprenait en effet les Français pleinement citoyens, hommes et femmes, ainsi qu'une toute petite minorité de « Français musulmans » autorisés à voter dans le premier collège – 65 000 au maximum. Le second collège comprenait uniquement la composante masculine des « Français musulmans », les femmes n'obtenant le droit de vote qu'en 1958. Surtout, le premier collège désignait les représentants de la population européenne et le second ceux des Algériens, soit, en 1954, respectivement, 984 000 et 8 455 000 personnes. En outre, la fraude massive organisée par le gouverneur général Marcel-Edmond Naegelen, lors du scrutin de 1948, priva les Algériens du libre choix de leurs élus.

Seule l'ordonnance du 7 mars 1944 avait contredit cette tendance de longue durée où, entre nécessité d'une réforme et obstructions locales, les Algériens restaient privés de l'égalité des droits. Le général Catroux, gouverneur général nommé par le Comité français de libération nationale (CFLN), sous la conduite du général de Gaulle, avait présidé à l'élaboration de cette ordonnance, qui abrogeait toutes les « dispositions d'exception applicables aux Français musulmans ». Elle les libérait ainsi définitivement du régime pénal de l'indigénat et leur ouvrait tous les emplois civils et militaires. Surtout, fait unique dans toutes les réformes envisagées ou adoptées, elle déclarait « citoyens français », sans perte de leur statut personnel, les anciens officiers, les diplômés du supérieur, les fonctionnaires et agents des administrations ou services publics, les titulaires de l'ordre de la Libération, de l'ordre national de la Légion d'honneur...

65 000 Algériens pouvaient ainsi intégrer le premier collège d'électeurs, et l'ordonnance prévoyait la généralisation de cette mesure.

Ce texte croyait répondre aux revendications assimilationnistes, ainsi qu'au *Manifeste du peuple algérien* rédigé par Ferhat Abbas un an plus tôt. Mais dans son *Manifeste*, dépassant l'assimilationnisme dont il avait déjà enregistré l'échec, Ferhat Abbas en était arrivé à réclamer une « constitution propre » et un « gouvernement », soit une Algérie fédérée à la France, sur le modèle du *Commonwealth*. En outre, parmi les Européens, l'ordonnance fut décriée, comme l'avait été le projet Blum-Viollette et comme allait l'être le statut de 1947. Ceux-ci rejetaient toute extension des droits politiques des Algériens : l'égalité signifiait la perte de leur prépondérance, les millions de voix des « musulmans » emportant nécessairement la majorité. Alimentant les clichés racistes jusqu'à nos jours, le thème du péril démographique que ces derniers représentaient pour la minorité européenne constitua le leitmotiv de l'opposition aux réformes métropolitaines.

L'itinéraire de Ferhat Abbas, passant de l'assimilationnisme au fédéralisme puis à l'indépendantisme, l'opposition constante des Européens à toute réforme et l'incapacité des gouvernements à agir produisent ensemble un récit téléologique, entièrement tourné vers la rupture violente et finale qu'a été la guerre. Suivant cette lecture de l'histoire de l'Algérie coloniale, la guerre aurait pu être évitée, si les gouvernants avaient trouvé l'audace d'imposer leurs réformes à des Européens arc-boutés sur leurs privilèges, en s'appuyant sur la frange modérée et francophile de l'opinion algérienne. Cette interprétation suggère que l'indépendance de l'Algérie aurait peut-être pu prendre une voie pacifique. Mais elle peut aussi signifier que l'Algérie française aurait pu

perdurer, si l'égalité avait été accordée aux Algériens.
Jouant le mauvais rôle, les Européens porteraient la responsabilité de l'exacerbation des tensions et de leur
explosion finale. Il manque cependant à ce scénario un
acteur essentiel, sur qui tout repose : les Algériens.
Auraient-ils accepté cette assimilation, discutée sans eux
pendant des dizaines d'années ?

Des « musulmans » aux Algériens

L'existence d'une identité collective algérienne, dis-
tincte de celle du colonisateur, s'est manifestée par le
rejet de l'idéal français d'assimilation. Au contraire, les
Algériens colonisés trouvèrent dans l'islam un ciment
puissant. Des indicateurs aussi divers que la prégnance
de la référence ottomane, les migrations vers des pays
arabes ou le succès des oulémas, les « docteurs de la foi »,
témoignent de leur sentiment d'appartenance à l'*umma*,
la communauté des croyants. Au-delà de l'islam, cependant, dans la « panoplie, constamment changeante, des
identifications [15] » qui soudent ensemble les hommes s'y
reconnaissant, l'attachement au sol natal et la célébration
de héros mythifiés ont aussi joué leur rôle, au cours du
temps, pour que cette identité collective donne enfin
naissance à la nation algérienne.

Le rejet de l'assimilation se mesure au faible nombre
des « naturalisations », qui témoigne de l'attachement
des Algériens à leur statut personnel, signe d'un mode
de vie étranger à celui du colonisateur. Autre indice, ce
néologisme par lequel le langage populaire marquait la
désapprobation envers une assimilation destructrice de
l'identité algérienne : *m'tourni*, arabisation de « il s'est
retourné », désignait celui qui avait tourné le dos à sa

culture pour se franciser. Fait également symptomatique de leurs réticences à accepter la fusion dans la nation française, seuls 32 248 Algériens, sur les 65 000 qui pouvaient y prétendre après l'ordonnance du 7 mars 1944, s'inscrivirent dans le premier collège [16]. Les slogans nationalistes scandaient d'ailleurs que « voter, c'est trahir », ou plus exactement, en arabe, *man intakhaba kafara* : « celui qui vote est un apostat [17] ».

Que la trahison envers ses semblables s'exprime comme une trahison envers l'islam révèle à quel point l'appartenance religieuse était centrale dans l'identité collective algérienne. En ce sens, la colonisation française fut vécue comme une dépersonnalisation, rendue plus douloureuse encore par la violence de la conquête et la dépossession foncière qui concrétisait la perte symbolique du sol natal. Les Français étaient des *roumi*, prononciation arabe de « romain », mot qui désigne tout envahisseur venu d'Occident, depuis l'Antiquité. Jugurtha, roi de l'ancienne Numidie, figure d'ailleurs au panthéon mythique des résistances algériennes. La violence de la conquête, quant à elle, resta gravée dans les mémoires. Mohammed Harbi raconte que, lorsqu'il était enfant, ses parents le menaçaient d'appeler « Bijou » : le maréchal Bugeaud, vainqueur sanguinaire d'Abd el-Kader, prenait ainsi « le visage d'un ogre [18] ».

Il est significatif, du reste, que l'occupation turque, du XVIe au XIXe siècle, même si elle fut combattue, n'ait pas produit un sentiment semblable. Tant que l'Empire ottoman exista, et notamment pendant la Première Guerre mondiale, le sultan de la Sublime Porte resta une référence populaire, appelé au secours des Maghrébins contre le colonisateur français. Son allié allemand, ennemi de la France, Guillaume II, fut même rebaptisé pour y être associé, avec un titre honorifique réservé aux

musulmans ayant accompli leur pèlerinage : *Hadj*
Guillaume [19]. C'est qu'au sein de l'Empire ottoman les
Algériens étaient dans l'*umma*.

Les départs vers le Maroc, la Tunisie et la Syrie, desti-
nations privilégiées des mouvements migratoires algériens avant la Première Guerre mondiale, attestent aussi
cette réticence à vivre dans un pays aux mains du colonisateur occidental et chrétien. Contrairement aux migrations postérieures, qui virent les hommes partir seuls et
revenir fréquemment au pays où demeuraient leurs
proches, ces migrations ont concerné des familles
entières, parties s'installer définitivement hors d'Algérie.
L'exemple le plus connu reste celui, en 1910-1911, des
cinq cent huit familles de Tlemcen qui prirent le chemin
du Maroc pour échapper à la conscription [20]. L'administration coloniale, dont plusieurs rapports exprimèrent
l'inquiétude à ce sujet, ne s'y trompait pas. Phénomène
démographique aux racines socio-économiques, la
migration prend ici un sens politique ; elle devient un
indicateur de l'opinion des Algériens. Mieux que l'étude
des mouvements politiques, animés par des minorités
actives, elle est un fait social révélant le rejet de l'autorité française.

Dans l'entre-deux-guerres, la prégnance de l'islam se
manifesta par le succès du mouvement des oulémas, les
« docteurs de la foi », dont la devise alliait religion,
langue et sol natal pour définir l'identité algérienne :
« L'islam est ma religion ; l'arabe est ma langue ; l'Algérie
est ma patrie. » Autour de leurs leaders, Abdelhamid Ben
Badis et Tayeb Al-Uqbi, formés notamment à la Grande
Mosquée du cœur de la médina tunisoise, la Zeytuna,
les oulémas assuraient localement par leurs cercles, leur
enseignement et l'animation d'un mouvement scout
musulman, une source de résistance à l'acculturation occi-

dentale. Ils renforçaient la composante arabo-musulmane de l'identité collective algérienne [21].

Cette identité, partagée par les Algériens colonisés, permet-elle de postuler, dès l'époque de la conquête, l'existence d'une conscience nationale ? Celle-ci suppose que le sentiment d'appartenance collective se déployait à l'échelle du territoire, siège de la nation. Or, si la Régence d'Alger, pour reprendre la dénomination en usage en 1830, se présentait bien comme un territoire unifié, en tant que province de l'Empire ottoman dotée d'une administration centrale et autonome, ses autorités ne contrôlaient que la partie septentrionale du pays [22]. En outre, à cette structure étatique répondait une organisation sociale aujourd'hui décrite comme segmentaire [23]. Suivant cette théorie, la société algérienne reposait sur des liens de proximité tissés entre les hommes, formant une société composée de segments locaux juxtaposés, alliés ou ennemis, et correspondant à des espaces enclavés géographiquement, par le relief naturel. L'individu appartenait au cercle de sa proche parentèle, puis à un réseau familial élargi, ensuite à une communauté clanique, avant, éventuellement, de se rattacher à une collectivité de plus grande envergure, comme l'*umma*. Il se plaçait donc au centre d'une série de cercles concentriques d'appartenance collective, dont le segment local était considéré comme prioritaire et déterminant.

Or, c'est pendant la colonisation que le cercle national s'est progressivement dessiné. La conscience nationale algérienne elle-même s'est manifestée après la Première Guerre mondiale, période au cours de laquelle l'Algérie s'est « révélée [24] ». Sa formation s'est accélérée avec le démantèlement de l'Empire ottoman, que le traité de Sèvres partagea entre les Alliés vainqueurs du premier

grand conflit du siècle. Ainsi disparaissait de l'horizon
collectif toute perspective de libération se traduisant par
un retour dans l'*umma*. L'émancipation de la tutelle
coloniale pouvait alors être envisagée dans un autre
cadre, maghrébin ou national. Le premier mouvement
réclamant l'indépendance apparaît ainsi en 1926 :
l'Étoile nord-africaine (ENA), fondée dans l'orbite des
communistes français, et dont Messali Hadj était le
secrétaire général. Symboliquement, cette date témoigne
de l'aboutissement d'un long processus mené sous la
colonisation, et dans lequel la confrontation avec le colonisateur occidental a joué son rôle. C'est en opposition
à la tutelle française, en effet, qu'une identité collective
a pris son sens à l'échelle nationale, pour fondre en un
ensemble une population aux liens familiaux et tribaux
puissants, sans que ceux-ci disparaissent forcément. La
construction du national, qui ajoute un niveau d'appartenance supplémentaire, ne détruit pas les autres, d'où la
persistance des rivalités anciennes dans l'Algérie en lutte
pour son indépendance ou même dans l'Algérie contemporaine. Le national se superpose aux autres degrés à un
rythme lent et de façon non uniforme dans l'espace, au
point que, même s'il est incontestable, le processus n'est
pas achevé partout en 1954. À cette date, le massif de
l'Ouarsenis notamment reste enclavé, à l'écart de ce phénomène centralisateur, ce qui explique comment le
bachaga Boualam, chef de la tribu des Beni Boudouane,
a pu lever des hommes, parmi sa clientèle, au profit des
Français [25].

L'évolution du vocabulaire désignant la nation permet
de retracer cet avènement d'une conscience nationale, se
détachant d'un sentiment d'appartenance à une communauté unie par la religion. Dans un premier temps, en
effet, le terme *umma* a été récupéré et utilisé dans un

sens profane par les nationalistes : c'est le nom que l'Étoile nord-africaine a donné à son premier journal. Par ce glissement, *umma* désigne ici une communauté nationale, alors que, dans son sens originel, *umma* était synonyme de la communauté des croyants, transcendant les barrières territoriales et linguistiques, englobant toutes les populations musulmanes, y compris celles qui ne sont pas arabes. « Nation algérienne » se dit bien *umma el djazaïra*. Cependant, les nationalistes ont aussi recouru au terme séculier *watan*, qui désigne la nation dans sa dimension territoriale et qui s'est imposé dans les années 1940-1950 [26]. Le FLN s'appelle ainsi, en arabe, *jabhat et tahrir el watani*. C'était la terre natale, le pays, qu'il fallait libérer de la colonisation, pour que la nation algérienne pût exister, en tant que communauté humaine unie par la religion, la langue, l'opposition au colonisateur et un passé mythifié [27].

Cette identité collective algérienne irréductible à l'identité française, qui avec le temps a pris la forme d'une conscience nationale, est à la source de la décolonisation de l'Algérie. L'assimilation n'y apportait aucune réponse : outre qu'elle était vécue comme une trahison, elle ne prévoyait qu'une émancipation politique individuelle, écartant toute représentation collective. L'Algérien colonisé était pensé comme un citoyen potentiel, une fois l'œuvre de civilisation accomplie ; aucune place n'était laissée à l'expression collective, par la voie, par exemple, d'une autonomie sur le modèle du *Commonwealth*. Les modalités du vote, en deux collèges distincts et inégalitaires, expriment les craintes françaises à l'égard de la collectivité algérienne, de même que le truquage des scrutins électoraux.

À travers cette construction d'une conscience nationale, l'opposition collective à la colonisation peut se lire dans la longue durée, en dehors des moments de révolte qui sont traditionnellement retenus comme les indicateurs d'un refus de la souveraineté française. Des soulèvements qui répondirent à la conquête française, au XIXᵉ siècle, jusqu'aux manifestations de mai 1945, les révoltes ont ponctué l'histoire de l'Algérie coloniale, contredisant l'image d'un pays pacifié, forgée après coup, dans la nostalgie d'un temps révolu. Plutôt qu'une histoire en trois temps, de la conquête à la décolonisation en passant par une période où l'ordre colonial a régné, cette histoire est celle d'une conquête jamais acquise, qu'il a fallu réaffirmer et maintenir à chaque nouveau soulèvement. Du point de vue français, d'ailleurs, la guerre d'indépendance algérienne prit elle-même des allures de reconquête.

Cohabiter sans se mélanger

La mémoire des Français d'Algérie livre une version plus nuancée de l'Algérie coloniale que l'exploration sous un angle politique révèle dans toute son iniquité. Elle regorge de ces amitiés qui, à l'école, au travail ou dans leur quartier, les ont liés à des Algériens. Les Français d'Algérie s'opposent également à une représentation caricaturale d'eux-mêmes à travers l'archétype du grand colon, tel Henri Borgeaud : arrivé en Algérie au lendemain de la Première Guerre mondiale, devenu le maître du domaine agricole de la Trappe, ce financier et négociant qui investissait dans de multiples secteurs économiques est devenu le symbole d'une Algérie riche et prospère [28]. Loin de ce modèle, en effet, le niveau de vie des Français d'Algérie était inférieur, en moyenne, à celui des métropolitains, et seuls 12 % d'entre eux vivaient dans les campagnes où ils géraient des propriétés employant des ouvriers agricoles algériens, sous l'encadrement d'un contremaître sorti de leurs rangs.

En outre, à l'interface entre les communautés, la nébuleuse du « monde du contact », pour reprendre l'expression d'Annie Rey-Goldzeiguer, permettait des échanges, même s'ils touchaient des milieux restreints : les enseignants, les militants syndicalistes, les communistes ou les chrétiens progressistes... chez les Français, et « les agents d'autorité, les intellectuels, les politiques formés par la France et les jeunes des écoles » chez les Algériens [29]. À leur image : Mouloud Feraoun, fils d'une pauvre famille de Kabylie, devenu instituteur puis directeur d'école, écrivain lauréat du prix littéraire de la ville d'Alger, décerné pour la première fois à un Algérien, en 1950, ami d'Albert Camus et d'Emmanuel Roblès [30].

Pourtant, les relations interpersonnelles, pas plus que les conditions de vie modestes des Français d'Algérie dans l'ensemble, ou encore l'existence d'un « monde du contact », n'invalident la domination produite par la colonisation. L'inégalité politique se doublait d'une division sociale des tâches plaçant les Algériens en situation d'infériorité : « L'Algérie des Européens », analyse Daniel Rivet, s'est constituée en « société coloniale au sens classique du terme, c'est-à-dire en minorité de commandement qui encadre la société indigène [31] ». Sans jugement de valeur, cette définition dit à la fois l'inégalité entre les populations et le développement du pays réalisé par les Français, au titre, précisément, de son encadrement : la construction des infrastructures routières, médicales, scolaires, la mise en valeur agricole ou industrielle, l'établissement d'une administration ont été accomplis dans le cadre d'une prise de possession active du territoire. Cette division des tâches entre la minorité européenne et le

reste de la population se traduit dans la froideur des statistiques ventilant chaque groupe dans des catégories
socioprofessionnelles significatives du rôle assigné à
chacun : si la quasi-totalité des fonctionnaires et des
cadres supérieurs se recrutait parmi les Européens, à
l'inverse, la quasi-totalité des manœuvres et l'immense
majorité des ouvriers spécialisés étaient des Algériens[32].
Les niveaux de vie s'en ressentaient : les catégories les
plus aisées ne comptaient que des Français ; les plus
pauvres, exclusivement des Algériens[33].

La « minorité de commandement » et la « société indigène » cohabitaient la plupart du temps sans se mélanger.
L'extrême rareté des mariages entre Algériens et Français
en témoigne. Dans une littérature qui échappe à tout
engagement nationaliste, Mouloud Feraoun en raconte
l'échec. Dans *La Terre et le Sang* et *Les Chemins qui
montent*, publiés en 1953 et en 1957, il choisit de
dépeindre les malheurs d'un couple formé d'un Kabyle
et d'une Française rencontrée en métropole, qui, après le
décès de son mari, vit recluse au village sous l'autorité
de sa belle-mère ; leur fils, héros du second volume, finit
par se suicider. L'écrivain décrit aussi une société rurale,
où vivaient les trois quarts des Algériens, dont le colonisateur est absent : le village, le marché, la récolte des
figues… autant d'activités inscrites en dehors du temps
colonial, suivant des traditions ancestrales et un rythme
naturel immuable. À l'inverse, Mouloud Feraoun consta-
tait que les Algériens étaient bien absents des livres, de
son ami Albert Camus notamment[34].

Les comportements démographiques montrent également, à l'échelle de la famille, que la société algérienne
continuait à vivre selon ses propres règles, nonobstant les
bouleversements liés à la colonisation[35]. Ainsi, l'extension du salariat et l'exode rural, qui auraient pu libérer

les jeunes hommes de la dépendance familiale, ont peu influencé les pratiques matrimoniales, la composition et le mode de vie des familles. La polygamie était de toute façon très limitée : 6,4 % des unions selon Kamel Kateb [36]. Mais les mariages demeuraient précoces, tandis que les femmes ont continué à vivre confinées. Malgré une progression après la Seconde Guerre mondiale, celles-ci demeurent maintenues à l'écart d'une scolarisation déjà faible : en 1954, elle concerne 15 % seulement des enfants chez les colonisés d'Algérie. Les femmes sont aussi absentes du milieu du travail et elles bénéficient peu de l'implantation des infrastructures médicales : leur surmortalité, dès l'enfance, en raison d'un traitement discriminatoire entre les sexes au sein des familles, est accentuée à l'âge adulte par un suivi défaillant, voire inexistant dans les zones rurales, pendant leurs grossesses. En 1954 toujours, la moitié des Algériennes qui vivent en ville accouchent sans suivi, contre 7,8 % des Européennes. Avec un taux de natalité en hausse, les familles algériennes comptent deux fois plus d'enfants à charge que les autres, dont la natalité, au contraire, diminue.

Les descriptions de cette société coloniale comme une société multiculturelle avant l'heure, par le partage, notamment, de traditions culinaires ou musicales nées dans cette Algérie, ne doivent pas faire illusion. Les mécanismes de l'acculturation ont joué, en particulier avec l'ascension sociale des Algériens formés à l'école française, comme Mouloud Feraoun précisément, qui, pendant la guerre, incarna l'espoir d'une troisième force francophile et favorable à l'union de toutes les populations ; mais ils n'ont pas gommé les déséquilibres économiques, sociaux et politiques marquant ces populations vivant sur un même sol. Au-delà de relations interpersonnelles sincèrement amicales, deux sociétés vivaient

côte à côte, dans l'inégalité. La défiance ou le mépris
étaient d'ailleurs inscrits dans le langage : *m'tournis* pour
les uns, les Algériens francisés étaient des « évolués » pour
les autres. Ainsi marquée par un clivage raciste, cette
société a pu être comparée à l'Apartheid sud-africain ou
au sudisme américain, alors que la séparation ne reposait
sur aucun régime juridique interdisant le mélange et que
la division sociale ne provenait pas d'un statut d'esclave
ou d'homme libre [37]. Ce fut une société coloniale formée
de deux groupes humains inégaux dans leurs statuts juridiques, dans leurs droits politiques, dans leurs professions et dans leurs revenus ; deux groupes humains à
l'identité, aux pratiques sociales et culturelles bien différentes. C'est cette réalité, celle d'une Algérie française
aux fondements précaires, qui est à la source de la guerre.

2

1945-1955 : DIX ANS D'ENTRÉE EN GUERRE ?

Le 8 mai 1945, le soulèvement de Sétif lance aux autorités françaises un premier « avertissement [1] » sérieux. À partir de cette date, entretenant le souvenir de sa répression, la poésie populaire appelle la « jeunesse » à « clamer le parti nationaliste » et à « saluer le Nord-Africain », en hommage aux « Sétifiens », « morts pour l'amour de la liberté », et aux « jeunes gens et jeunes filles » de Guelma, tués « avec les avions ». La France est responsable de ce deuil qui est celui de tous et de chacun : « mon » deuil, dit le texte [2].

S'il est « aux origines de la guerre d'Algérie [3] », le 8 mai 1945 n'en est cependant pas le début. Il marque en effet une étape dans la dégénérescence de l'Algérie française ; mais il ne peut être substitué au 1er novembre 1954 comme événement déclencheur de cette guerre, car il ne fut pas suivi d'une série ininterrompue d'affrontements s'enchaînant les uns aux autres, dans une accélération du temps propre aux périodes de conflit ; en 1945, en outre, le protagoniste du camp algérien, le FLN, n'existe pas encore.

C'est donc au matin du 1er novembre 1954 que l'engrenage de la guerre se met en branle. Pendant la nuit, quelques dizaines d'attentats, qui ont fait dix victimes, ont été commis, et l'opinion accueille cette nouvelle avec stupeur. Rien n'a filtré des avertissements que les services de renseignement locaux avaient adressés au gouvernement. La mort d'un instituteur, Guy Monnerot, tué involontairement, frappe les esprits et cautionne d'emblée la qualification criminelle du combat politique qui prend naissance. La proclamation du FLN, sigle nouveau dans le paysage du nationalisme algérien, affiche un programme ambitieux, rien moins que l'« indépendance nationale [4] », sans commune mesure avec la faiblesse de ses troupes et la modestie de son entrée en action : quelques centaines d'hommes au plus, en Kabylie et dans les Aurès (voir la carte), régions les plus actives ; quelques dizaines ailleurs [5]. Personne n'est alors en mesure d'anticiper leur portée : huit ans de guerre.

Dans une logique activiste, ces attentats ont également été conçus comme une solution éventuelle à la scission menaçant le mouvement nationaliste. Ils sont une action contre le colonisateur autant qu'une fuite en avant pour clore les débats divisant les militants algériens : pour les activistes, en effet, l'urgence de l'action impose de taire les clivages. L'entrée en lice de la population, elle, se produit quelques mois après, à l'été suivant, lorsque le soulè-vement du 20 août 1955 rejoue le 8 mai 1945 : émeutes populaires, tueries, répression, bilan disproportionné entre les communautés. Ce n'est qu'au terme de cette séquence événementielle que le conflit atteint un point de non-retour. En dix ans, l'Algérie est passée de la révolte à la guerre pour l'indépendance.

La révolte du Nord-Constantinois

À Sétif, le 8 mai 1945, plusieurs milliers de manifes-tants s'associent à la célébration de la victoire alliée, interprétée comme celle de la liberté. De fil en aiguille, les slogans relient la victoire aux mots d'ordre nationalistes : « Vive la charte de l'Atlantique », « À bas le colonialisme », « Vive l'Algérie libre et indépendante ». Un jeune scout, Saal Bouzid, arbore un drapeau algérien reproduisant l'emblème de l'Étoile nord-africaine : vert, blanc, rouge, comme aujourd'hui. Les policiers, qui ont reçu l'ordre de s'en saisir, tirent. La mort de Saal Bouzid transforme la manifestation en affrontement, puis en émeute contre la population européenne [6]. Au fur et à mesure que la nouvelle se répand dans les environs, des gardes forestiers, des Européens vivant dans des maisons isolées ou même des centres de colonisation sont attaqués, tués, leurs corps mutilés. Appelant à « la guerre sainte au nom de Dieu », *el djihad fisabil Allah*, et à l'indépendance, *houria*, les paysans se révoltent de façon spontanée et désordonnée, mus par l'hostilité envers la France et par les frustrations engrangées sourdement depuis des années. La mutilation des cadavres, « acte lucide », mais pratiqué sans ordre, exprime « la volonté de rendre publique une vengeance personnelle, ou collective [7] ».

Ailleurs dans le nord du Constantinois, autour de Sétif et de Guelma, les manifestations, les révoltes et leur répression ont aussi fait des victimes, les mêmes causes produisant les mêmes effets. L'interdiction des emblèmes nationalistes est à l'origine de l'engrenage des violences. Brandis publiquement, ils sont plus qu'une contestation provocatrice de la souveraineté française ; ils manifestent l'existence d'une alternative à la situation coloniale : celle de la nation algérienne. Des témoins algériens racontent d'ailleurs que c'était la première fois qu'ils voyaient leur drapeau [8].

Les nationalistes n'ont pas appelé au soulèvement et se sont gardés de l'encourager, en raison de l'ampleur de la répression. À Guelma, l'action des milices, autorisées par le sous-préfet André Achiary, décuple les exécutions sommaires, qui se comptent par centaines. L'appartenance à la milice transcende les clivages politiques et sociaux chez les Européens : hommes de gauche ou de droite, employés et employeurs s'y retrouvent. Ils se livrent à ce que Jean-Pierre Peyroulou appelle un « politicide », en tuant sciemment, après les avoir identifiés et arrêtés, des Algériens engagés dans la contestation de la colonisation. Il faut l'intervention du ministre de l'Intérieur, Adrien Tixier, pour que les tueries cessent, fin juin seulement [9]. Parallèlement, dans les zones insurgées, sous la conduite du général Duval, l'armée ratisse les villages, l'aviation mitraille la région, bombarde le *bled*. Le déséquilibre du bilan reflète celui de l'affrontement : le soulèvement fait une centaine de victimes, quatre-vingt-six civils et seize militaires, dont deux prisonniers de guerre italiens employés dans les champs et en forêt. Du côté algérien, une fois écartées les évaluations largement sous-estimées ou surestimées, qui vont de mille cinq cents à quarante-cinq mille morts, suivant les déclarations respectives du ministre de l'Intérieur français et des nationalistes, le bilan se situerait dans une fourchette de quinze à vingt mille victimes [10]. Le caractère massif de la répression explique cette imprécision. Il rend très aléatoire, en effet, le décompte des morts, sans compter que des corps ont été détruits : au sud de Guelma, par exemple, de nombreux cadavres ont été déterrés et brûlés dans les fours à chaux de Marcel Lavie, entrepreneur, pour être camouflés [11]. Établir un bilan précis s'est révélé impossible à l'époque même des faits, y compris pour les autorités, comme le commissaire Bergé chargé par le gouverneur général Yves Chataigneau de rédiger un rapport sur la répression. Aujourd'hui encore, les estimations restent incertaines.

L'événement du 8 mai 1945 a été rattaché, *a posteriori*, à la chronologie de la guerre d'indépendance, comme un événement précurseur. Pourtant, en amont, il s'inscrit dans la droite ligne d'une agitation nationaliste consécutive à l'essor et à la déception des revendications suscitées par la Seconde Guerre mondiale. La défaite de la France en 1940, en effet, a anéanti le prestige de la puissance coloniale, et les principes défendus par les Américains ont encouragé la contestation de la colonisation : ces derniers diffusent massivement, en Algérie, le texte de la Charte de l'Atlantique dont le point 3 reconnaît le droit des peuples à choisir leur gouvernement et condamne toute souveraineté imposée par la force [12]. Ferhat Abbas a ainsi rédigé son *Manifeste* pour profiter d'une conjoncture qu'il pensait opportune, en comptant sur le soutien de l'envoyé de Roosevelt à Alger, Robert Murphy. Déçu, il a créé, une semaine après l'ordonnance du 7 mars 1944, un mouvement revendicatif : les Amis du manifeste et de la liberté (AML). Héritiers d'un courant modéré, les AML ont localement recruté parmi les indépendantistes.

En effet l'Étoile nord-africaine, dissoute en 1937, s'est reformée sous l'appellation de Parti du peuple algérien (PPA). Or, en 1944-1945, les militants du PPA ont investi les cellules des AML qu'ils utilisent comme un outil de propagande et de mobilisation. En réaction à la déportation de Messali Hadj, leur leader, à Brazzaville, en avril 1945, ils ont déclenché une série de protestations et décidé de manifester à l'occasion du 1er Mai. Ce jour-là, dans dix-huit villes d'Algérie, d'importants cortèges ont défilé, se heurtant parfois aux forces de l'ordre. Il y

a, déjà, des morts : un à Oran et deux à Alger. Entre le
3 et le 6 mai, les autorités ont multiplié les arrestations
au sein des AML, et le 8 mai la libération de Messali
Hadj figure parmi les slogans [13]. Les manifestations du
8 mai répondent donc à une double conjoncture : celle
d'un nationalisme actif et celle de la victoire alliée, suscitant les espoirs les plus irréalistes. Un rapport de l'administrateur de la commune mixte de Djidjelli raconte que
la foule prit les premiers avions français venus la
mitrailler pour des appareils américains venus l'aider [14].
Ainsi mis en perspective, à l'aboutissement de la Seconde
Guerre mondiale, le 8 mai 1945 n'est plus une explosion
soudaine et imprévisible.

En aval, par ses effets, le 8 mai 1945 porte un coup
sérieux à l'Algérie française. L'événement déclenche un
processus de repli et de radicalisation des communautés :
le deuil resserre les liens de ceux qui pleurent leurs morts
et attise la haine pour les assassins. Les Européens, comprenant qu'ils ne sont plus en sécurité dans les campagnes de l'est du pays, où ils sont traditionnellement
très minoritaires, se regroupent en ville. S'il est vrai que
ce mouvement s'inscrit dans la longue durée, les révoltes
de mai 1945 ne l'accélèrent pas moins. Ainsi, depuis
1941, les transferts de propriété foncière se faisaient au
bénéfice des Algériens, qui, achetant plus qu'ils ne ven-
daient, récupéraient des terres ; trop marginal pour
inverser l'écrasante domination des Européens dans la
possession foncière, ce mouvement n'en révèle pas moins
leur départ du *bled*, qui s'est accéléré dans le Constantinois après 1945. Moins de dix ans plus tard, en 1954,
la géographie de l'Algérie française révèle un profond
déséquilibre : la population est repliée en ville, sur le
littoral [15]. C'est pourquoi l'armée en guerre contre le
FLN « vise à une reconquête de l'espace algérien et à la

mise en place d'un nouvel encadrement, plus serré, des populations [16] ». C'est pourquoi, aussi, vers la fin de la guerre, alors que le phénomène a pris de l'ampleur et que l'indépendance de l'Algérie est négociée, la création de zones réservées aux Français dans le nord du pays, enclaves autonomes donnant sur la Méditerranée, peut être envisagée.

Entre 1945 et 1954, les milices ont été maintenues dans les centres de colonisation du Constantinois [17]. De fait, l'ordre règne difficilement. Les armes circulent. Le massif des Aurès échappe au contrôle des autorités, mises en difficulté par la bande armée de Grine Belkacem. Ses hommes, au dire d'un stagiaire de l'ENA affecté dans la région, « peuvent du jour au lendemain paralyser gravement la vie administrative et économique du pays et rendre impossible l'action de tous les services [18] ». Dans la région de Souk Ahras, près de la frontière tunisienne, des groupes armés arrêtent les colons sur les routes, inspectent leurs propriétés, interrogent les ouvriers agricoles sur la conduite de leur maître. Ce sont eux les *fellagha*, littéralement les « coupeurs de route ». La localisation privilégiée des attentats du 1er novembre 1954 dans l'Est algérien s'explique par la faiblesse de la présence et de l'ordre coloniaux dans la région, bastion traditionnel du nationalisme. À cette date, cependant, ses militants en sont arrivés au stade de l'insurrection.

L'insurrection du 1er novembre 1954

Après la libération de Messali Hadj en 1946, tandis que Ferhat Abbas crée l'Union démocratique du Manifeste algérien (UDMA), les indépendantistes se dotent d'une nouvelle structure : le Mouvement pour le triomphe des libertés démocratiques (MTLD). Formé pour présenter des candidats aux élections et jouer le jeu d'un militantisme respectueux de la légalité, il ne se substitue pas au Parti du peuple algérien, dont il est l'émanation, la représentation publique. D'ailleurs, l'appellation « PPA-MTLD » s'impose pour désigner ce nouveau parti. Deux grandes questions en divisent les militants : les moyens de l'action, entre légalisme et opportunité d'un activisme clandestin ; la place de la culture et de la langue berbères dans l'identité algérienne, contre un arabo-islamisme exclusif. En 1949, les militants partisans d'une nation algérienne à l'identité plurielle, accusés de comploter contre le parti, en sont exclus et la direction de la fédération de France, où ils se sont organisés, est dissoute et renouvelée.

Messali Hadj incarne le choix de la voie légale et l'élimination des berbéristes. Il joue aussi de son aura dans les masses algériennes pour se ménager une marge de manœuvre et une autorité indépendante des structures dirigeantes du parti. Progressivement, le conflit se cristallise entre le Comité central du PPA-MTLD et son leader charismatique. Sur le terrain, les partisans des deux tendances n'adoptent pas des positions très homogènes, ce qui rend délicate une lecture claire de la fracture les séparant ; quoi qu'il en soit, au printemps 1954, centralistes et messalistes sont au bord de la scission [19].

Or, la branche paramilitaire du PPA-MTLD, l'Organisation spéciale, démantelée par la police en 1950, a abrité une troisième force. Ses membres étaient plutôt proches des centralistes mais, surtout, au-delà des débats politiques, ils se destinaient à la lutte armée et à l'action clandestine. La quasi-totalité des fondateurs du FLN est issue de ce vivier d'activistes, que Hocine Aït Ahmed et Ahmed Ben Bella ont successivement dirigé. Des neuf chefs historiques du FLN, seul Krim Belkacem y est totalement étranger, tandis que Mohammed Khider n'y a participé qu'indirectement.

À l'origine du FLN, en effet, en juin 1954, Mohammed Boudiaf et Mostefa Ben Boulaïd forment un Comité de vingt-deux membres, dirigé par un Conseil de la révolution comprenant cinq hommes, tous anciens responsables de l'Organisation spéciale : il s'agit, outre les deux initiateurs du Comité des 22, de Larbi Ben M'Hidi, de Rabah Bitat et de Mourad Didouche. Fidèles à l'idée d'une réunification du parti par le passage à la lutte armée, ils appellent au boycott des congrès préparés séparément par les deux tendances. Ralliant Krim Belkacem, qui anime un maquis en Kabylie depuis 1947, ils s'attellent à la préparation d'une insurrection, finalement déclenchée le 1er novembre. À l'extérieur, ils ont trouvé le soutien de Mohammed Khider, de Hocine Aït Ahmed et d'Ahmed Ben Bella, réfugiés au Caire pour échapper aux recherches de la police ou aux condamnations de la justice.

Les chefs historiques du FLN sont jeunes : la majorité d'entre eux a une trentaine d'années. Le plus âgé, Mohammed Khider, a quarante-deux ans, et les deux plus jeunes, Rabah Bitat et Hocine Aït Ahmed, ont moins de trente ans. Ils appartiennent, au sein du PPA, à une génération formée pendant la Seconde Guerre mondiale, sur le sol algérien, et poussée à l'action par le 8 mai 1945. Dans cette tranche d'âge, certains ont combattu avec les Alliés, acquérant directement l'expérience de l'univers militaire, comme Ahmed Ben Bella, adjudant-chef, décoré, de l'armée française, qui participa aux campagnes d'Italie. Le profil de cette génération militante contraste avec celui d'un Messali Hadj, qui a émigré en métropole et s'est frotté au communisme ; entre les deux, la culture politique du mouvement ouvrier français a disparu et l'anti-intellectualisme a progressé. Plutôt originaires du milieu rural et de conditions diverses, entre notabilité et pauvreté, ces neuf chefs n'ont parfois qu'un niveau d'études primaire ou ont dû interrompre leur scolarité dans le secondaire [20].

La montée de l'activisme au sein du mouvement nationaliste est ainsi l'expression d'un phénomène plus large : la formation de toute une jeunesse dans un environnement fait d'événements militaires et d'instabilité politique, avec le débarquement allié, le déploiement des troupes américaines et les vicissitudes de la souveraineté française, passant de Vichy aux autorités résistantes, elles-mêmes déchirées entre giraudistes et gaullistes après l'assassinat de l'amiral Darlan. À Alger, par exemple, dans le quartier de Belcourt, un Comité de jeunes militants algériens se manifestait par « la propagande, quelques actions d'éclat, la récupération d'armes, les inscriptions de slogans sur les murs [21] ». Le lien avec la future branche paramilitaire du PPA-MTLD est direct : Lamine Debaghine, secrétaire général du PPA, placé à la tête du Comité, a été l'un des principaux artisans de la création de l'Organisation spéciale ; son premier dirigeant, avant Hocine Aït Ahmed et Ahmed Ben Bella, Mohammed Belouizdad, a également participé aux actions menées à Belcourt. Ceux du Comité d'action révolutionnaire nord-africain, favorables à l'alliance avec les nazis, un temps exclus du PPA, ont constitué, eux aussi, un groupe actif contre la conscription au service des Français, notamment. Leur mouvement de jeunesse a compté Mohammed Belouizdad et Mourad Didouche dans ses rangs [22].

Ce sont des activistes sans autre projet que l'indépendance qui déclenchent l'insurrection le 1er novembre

1954, donnant en même temps naissance au FLN (Front de libération nationale) et à l'ALN (Armée de libération nationale). « Dégoûtés de l'action politique », ils « en vinrent par compensation à sacraliser la seule action armée et à mépriser la politique, réduite à l'option du tout ou rien. Toute l'histoire du FLN allait être marquée par ces préventions[23] ». D'ailleurs, le terme arabe *thrawa*, utilisé pour nommer la « Révolution algérienne » victorieuse de la colonisation, correspond plutôt à « soulèvement », car il ne suggère pas que le mouvement engagé ait des perspectives politiques[24].

Prises de court, les autorités françaises dissolvent d'abord le MTLD et ordonnent l'arrestation de ses membres, qu'elles croient à l'origine des attentats. L'effet est exactement contraire à celui recherché : les militants poursuivis prennent le maquis pour échapper aux arrestations, et les insurgés réussissent à maintenir leur pression. Le ministère de l'Intérieur recense ainsi 178 attentats en novembre 1954 et 201 en décembre, puis, après un fléchissement durant l'hiver, 139 en mars 1955, 196 en avril, 455 en mai, 501 en juin, 441 en juillet... Les attentats prenant l'autorité pour cible, tels que les sabotages de lignes et voies de communications, sont plus fréquents que les attaques à main armée et les attentats à la bombe ; les destructions de marchandises ou de bétail restent les moins pratiquées[25].

Aux attentats s'ajoute la pression des maquis dans les Aurès, où des opérations militaires de grande envergure sont menées dès janvier 1955. Elles engagent 5 000 hommes du côté français, parachutistes, tirailleurs, légionnaires et gendarmes, appuyés par l'aviation et les blindés. Au printemps, c'est une région où l'insécurité règne, en ville comme dans le *bled*, à en croire l'envoyé spécial du *Monde*, qui ne cache pas son scepticisme à l'endroit des

mesures adoptées : « Si les 25 000 habitants d'une sous-
préfecture, en l'occurrence Batna, doivent rentrer chez
eux avant 23 heures et ne purent, pendant six mois, aller
au cinéma qu'en matinée, si l'on risque le coup de feu
dans les rues d'Arris après 20 heures sans connaître le
mot de passe, si le service des Ponts et Chaussées a dû
abandonner en cours de travaux la réfection de la route
Batna-Kenchela, si des écoles ont renvoyé maîtres et
élèves pour servir de cantonnement à la troupe, si pour
celle-ci l'unité de déplacement n'est plus le véhicule mais
le convoi, si de hardis parachutistes ou les meilleurs de
nos légionnaires sont employés à investir par surprise
telle montagne ou tel plateau, il n'est jamais prouvé
qu'aucune de ces dispositions, fût-ce la plus raisonnable
et la plus légitime, soit prise à bon escient [26]. »

Cantonnée à l'est du pays pendant plusieurs mois,
l'insurrection finit aussi par gagner du terrain. L'application de l'état d'urgence, état d'exception décidé par les
autorités françaises, offre en négatif une représentation
de sa progression géographique : d'abord déclaré dans les
régions de Batna, Tebessa et Tizi-Ouzou, l'état d'urgence
est étendu à tout le Constantinois, jusqu'à Biskra au sud,
en mai 1955, date à laquelle il commence aussi à s'appliquer à la frontière marocaine, autour de Tlemcen ; il
concerne toute l'Algérie après les événements du 20 août
1955 [27]. La réplique des autorités françaises permet de
suivre leur évaluation de la situation. La progressivité de
l'extension de l'état d'urgence montre qu'elles ont été
contraintes de reconnaître, à la fin de l'été, la généralisation de l'insurrection. Se propageant en dehors des secteurs traditionnellement rétifs à la souveraineté française
et, au-delà des groupes armés, dans la société tout
entière, le mouvement s'installe dans la durée et cède la

place à une guerre engageant un territoire et deux peuples.

Le basculement dans la guerre

À partir du 20 août 1955 et pendant trois jours, le soulèvement du nord-est du Constantinois voit maquisards et paysans agir de pair, l'ALN tentant d'encadrer les révoltés. Ils tendent des embuscades, barrent les routes, incendient les fermes, attaquent des villages, ainsi que la ville de Philippeville, épicentre du soulèvement et de sa répression. La foule armée de haches, de serpes, de gourdins, répète les gestes du 8 mai 1945. Les tueries d'Aïn Abid et d'El Halia en sont devenues le symbole : quarante-deux Européens y sont massacrés, dont des femmes et des enfants. El Halia, où vit une centaine d'Européens, près de la mine de fer et de la carrière de marbre exploitées par les ouvriers algériens, est la plus touchée : trente-cinq morts. Au total, les insurgés ont fait soixante et onze victimes civiles, parmi lesquelles des Algériens modérés, dont le neveu de Ferhat Abbas, désigné comme cible à l'avance [28].

Le bilan est donc proche de celui du 8 mai 1945 et la répression aussi disproportionnée, même si elle reste impossible à évaluer. Ses victimes se comptent par milliers, le FLN évoquant un total de douze mille morts. Des exécutions sommaires sont pratiquées en masse par les militaires, notamment au stade de Philippeville, où ont été rassemblés des centaines d'hommes. Le général Aussaresses, alors affecté dans le Constantinois et qui est intervenu, précisément, à El Halia, le jour même des tueries, relate comment quatre-vingts Algériens ont été exécutés sur place, et cent soixante autres faits prisonniers ensuite [29].

L'armée est officiellement seule aux commandes, avec
une totale liberté d'action. Le 23 août, en effet, le général
Lorillot, commandant la 10ᵉ Région militaire – c'est-à-
dire l'ensemble de l'Algérie – « prescrit » au général commandant la division de Constantine « de donner ordre
aux cadres et troupes de conduire avec rigueur les opérations ». Levée une semaine plus tard, cette « prescription » redeviendrait valable « dans le cas où un
mouvement insurrectionnel analogue à celui du 20 août
éclaterait [30] ». La presse de l'époque signale que les Européens, à qui, contrairement au 8 mai 1945 à Guelma, la
formation officielle de milices a été refusée, exorcisent
leur frustration le jour des obsèques des victimes à Philippeville, en piétinant les gerbes officielles et en huant
le préfet. Au cours d'une de ces ratonnades qui vont
fréquemment accompagner, pendant toute la guerre,
l'enterrement des victimes d'attentats ou d'assassinats,
sept Algériens sont tués. Les représailles aveugles,
démontre cependant Claire Mauss-Copeaux, avaient
tout de suite commencé, dans le feu des événements [31].

Malgré ses points communs avec le 8 mai 1945, le
20 août 1955 s'en distingue radicalement par le fait que
le soulèvement n'est pas spontané. Il a été décidé et préparé par Zighout Youssef, successeur de Mourad
Didouche, tué en janvier 1955, à la tête du Nord-
Constantinois. Il poursuit des objectifs aux enjeux
variables, d'ordre pragmatique, stratégique et politique :
récupérer des armes ; provoquer un déplacement des
troupes françaises des Aurès, où l'ALN était encerclée,
vers le nord ; riposter aux représailles collectives pratiquées par l'armée française ; doter l'insurrection d'une
assise populaire ; porter les « événements d'Algérie » sur

la scène internationale ; exercer une pression sur les modérés tentés par une conciliation. Il s'agit, globalement, de relancer la « révolution algérienne » dont la situation devient « fort délicate » à l'approche de l'été[32]. Si, du point de vue français, en effet, la multiplication des attentats et la persistance des maquis sont inquiétantes, du point de vue algérien, elles ne suffisent pas à assurer la pérennité de l'insurrection, qui peine à dépasser son premier stade : celui de l'installation d'un climat d'insécurité.

La participation de la population, orchestrée par l'ALN, apporte ainsi au FLN une légitimité qui lui faisait défaut, dans la mesure où, né d'un groupuscule, il est passé à l'action sans avoir le soutien des masses. Il lui faut prouver sa popularité et sa capacité à encadrer, à diriger les Algériens en guerre, de façon que la lutte pour l'indépendance dépasse le seul cadre des groupes armés pour impliquer l'ensemble de la société. Outre une question de légitimité, c'est une nécessité pour la survie même de l'insurrection. Les groupes armés, seuls, sans ancrage populaire, sont vulnérables. Où peuvent-ils se procurer des finances, du ravitaillement, des soins, un hébergement, et même des renseignements sur les mouvements de l'armée ennemie, ailleurs que dans la population ? Ils en sont dépendants d'un point de vue matériel et logistique. Ils sont aussi à la merci de ses dénonciations, qu'il faut empêcher, au besoin par la terreur.

La date même du soulèvement a été choisie pour lui donner le plus de retentissement au plan international : c'est le 20 août que le sultan du Maroc, Mohammed V, a été déposé par la France, deux ans auparavant, en 1953. Des manifestations ont été prévues à cette occasion et, effectivement, comme dans le Nord-Constantinois, soulèvement et répression s'enchaînent au Maroc ce jour-là.

Sans concertation ni coordination avec ses voisins, Zighout Youssef cherche simplement, par la coïncidence
entre les deux initiatives, à leur donner plus d'écho.
L'ouverture simultanée de plusieurs fronts au Maghreb
doit contredire le discours français minimisant les « événements d'Algérie » et les présentant comme un simple
problème de maintien de l'ordre intérieur. Relayant les
efforts des nationalistes algériens, les pays du bloc arabo-
asiatique font ainsi inscrire la question algérienne à
l'ordre du jour de l'Assemblée générale de l'ONU. Le
débat a lieu le 30 septembre 1955. Il provoque le départ
de la délégation française qui, refusant d'admettre l'internationalisation d'une affaire interne, ne revient qu'en
novembre.

Politiquement, le soulèvement est censé accélérer les
ralliements, auxquels Abbane Ramdane travaille à Alger
depuis plusieurs mois. Cet ancien cadre du MTLD a été
arrêté et condamné lors de la répression de l'Organisation spéciale, même s'il n'y appartenait pas, et il a rejoint
le FLN dès sa sortie de prison, en janvier 1955. Le
1ᵉʳ avril, il a lancé un appel à l'intégration des militants
algériens de tous courants, sauf les messalistes qui ont
fondé un mouvement concurrent, le Mouvement national algérien (MNA). La règle qui prévaut est celle de
l'adhésion individuelle : le FLN ne se conçoit pas comme
un front de partis politiques qui, unis dans l'objectif
commun de l'indépendance, conserveraient par ailleurs
leur propre programme. Il refuse l'alliance avec toute
organisation constituée de façon autonome et n'accepte
que l'intégration de militants en leur nom propre. Outre
les divergences idéologiques, ce principe crée un contentieux avec le Parti communiste algérien (PCA), dissout
par les autorités françaises en septembre 1955, dont des
représentants ont pris langue avec les indépendantistes.

Le PCA a formé ses propres groupes armés, sous le nom de Combattants de la libération (CDL), ce qui n'empêche pas des militants de rejoindre individuellement le FLN.

Abbane Ramdane a multiplié les rencontres, notamment avec l'ex-dirigeant centraliste Benyoucef Ben Khedda, avec l'ancien communiste Amar Ouzegane, exclu du PCA pour nationalisme en 1948, avec des oulémas et des membres de l'UDMA, dont Ferhat Abbas en personne, qui a accepté d'apporter une aide matérielle au FLN. À l'été 1955, cependant, les Algériens les plus modérés n'ont pas encore franchi le pas du ralliement et restent courtisés par les autorités françaises, qui tentent de court-circuiter les indépendantistes en suscitant l'expression d'une voix algérienne alternative.

Par un effet de radicalisation identique à celui de mai 1945, tueries et répression devaient rendre le conflit irréversible et contraindre chacun à choisir son camp. La motion des 61, pilotée en sous-main par Abbane Ramdane, en est la meilleure expression : à l'initiative de Mohammed Salah Bendjelloul, député de Constantine, d'Ahmed Boumendjel et d'Ahmed Francis, dirigeants de l'UDMA, soixante et un élus du second collège signent une déclaration condamnant « formellement la répression aveugle » dont ils demandent la « cessation immédiate ». Constatant que « l'immense majorité des populations est présentement acquise à l'idée nationale algérienne », ils souhaitent que tous leurs homologues défendent « cette politique devant les instances parlementaires et gouvernementales », mises « en face de leurs responsabilités [33] ». Pour le FLN, c'en est fini des tergiversations des modérés. Fort de ce succès, en décembre 1955, il appelle tous les élus à la démission de leurs mandats et, l'imposant au besoin par la force aux récalcitrants, il réussit à dégarnir les institutions de tout représentant algérien. En janvier 1956, il obtient aussi le ralliement de Ferhat Abbas et celui des oulémas, officiellement annoncé par Larbi Tebessi et Tawfiq El Madani, leurs dirigeants.

Du côté français, la radicalisation du gouverneur général Jacques Soustelle, brillant ethnologue et grand résistant gaulliste, suit le soulèvement du Nord-Constantinois. Nommé en janvier 1955 pour accompagner la politique de réforme du gouvernement de Pierre Mendès France, réputé à l'écoute des options libérales, il s'en est détaché pour suivre un cheminement qui a fait de lui l'un des plus fervents partisans de l'Algérie française. Il défend la répression d'août 1955, une « riposte », selon ses mots, « sévère mais non aveuglément brutale ni inutilement sanglante [34] », sans considération pour le déséquilibre du bilan, qu'il minimise en retenant l'hypothèse officielle de 1 273 morts algériens. Les mutilations infligées aux victimes et les assassinats d'enfants, dont il publie deux photos hors texte dans son ouvrage *Aimée et souffrante Algérie*, paru dès 1956, l'impressionnent au point qu'ils légitiment, à ses yeux, toutes les pratiques répressives.

Au FLN, la décision de lancer le soulèvement du 20 août 1955 demeure controversée, notamment au congrès de la Soummam, l'été suivant. Elle y est critiquée comme une décision irresponsable, des civils étant engagés dans des opérations *a priori* incontrôlables et les populations exposées à la répression. Le fait d'avoir visé simultanément des Européens et des Algériens modérés, comme le neveu de Ferhat Abbas, est aussi considéré comme contre-productif : c'est faire le jeu des pourfendeurs du nationalisme. Le commandement des Aurès, lui, se félicite de ce soulèvement d'un point de vue militaire. En effet, du point de vue du déroulement de la guerre, le soulèvement du 20 août est sans conteste un succès pour le camp algérien qui a pris l'avantage sur son adversaire et va le conserver pendant toute la première partie du conflit, jusqu'en 1957.

3

LES IDÉES FIXES DE LA IVᵉ RÉPUBLIQUE

Sous la IVᵉ République, la réplique française à l'insurrection algérienne est marquée par une grande continuité, en dépit de l'instabilité ministérielle. De novembre 1954 à mai 1958, les six présidents du Conseil, Pierre Mendès France, Edgar Faure, Guy Mollet, Maurice Bourgès-Maunoury et Félix Gaillard, malgré leurs divergences, cherchent à mettre en œuvre une politique en deux volets, pensés comme complémentaires : la répression des insurgés et la nécessité d'appliquer en Algérie des réformes économiques, sociales et administratives. Prioritaire, cependant, la répression prend le pas sur le reste, mobilisant l'énergie et les moyens dévolus aux trois départements français d'Afrique du Nord. L'élaboration des réformes, en outre, bute sur la division de la classe politique et sur l'obstruction des représentants des Français d'Algérie. Les gouvernements de Pierre Mendès France et de Maurice Bourgès-Maunoury, dont les projets sont désavoués par l'Assemblée nationale, en font les frais.

Fondamentalement, cette politique reposait sur une ignorance ou un déni du fait national algérien. Elle supposait en effet que le maintien de la souveraineté française en Algérie était viable à long terme, qu'il était nécessaire et possible de la sauvegarder, au prix d'aménagements plus ou moins importants. Cette conviction explique l'impuissance des gouvernements de la IVe République à trouver une issue au conflit. Campant sur leurs positions, ils ont géré la guerre comme un vaste soulèvement interne et consacré leur temps à élaborer des réformes très discutées pour peu de résultats. Dans un contexte où la revendication du camp adverse n'admettait pas de compromis, cette politique n'offrait pas d'autre perspective que l'affrontement jusqu'à la victoire, dans le but de garder l'Algérie. En définitive, la rupture entre la IVe et la Ve République est celle de la lucidité autant que celle de l'instabilité. Pour bloquer la spirale entretenant la guerre, il fallait rompre avec l'idée que l'Algérie française était la seule concevable.

Maintenir l'ordre...

Le 3 avril 1955, une loi définit un nouvel état d'exception dans le droit français, intermédiaire entre le droit du temps de paix et celui du temps de guerre : l'état d'urgence. Qualifiés de « hors-la-loi », les insurgés algériens sont ainsi soumis à une législation particulière. Contrairement à son acception commune, en effet, le « hors-la-loi » n'est pas simplement celui qui a enfreint la légalité. Il est celui qui se serait placé de lui-même en dehors de la protection de la loi : contestant l'ordre public, mettant en péril les institutions ou le territoire de la République, il ne mériterait plus de bénéficier des garanties de son droit commun. Il est donc « hors la loi » au sens de « hors du droit commun [1] ».

Appliquant ce concept aux insurgés responsables de l'embrasement des Aurès et de la Kabylie, parties intégrantes du territoire national, le gouvernement de Pierre Mendès France entame la réflexion sur un état d'exception adapté à la situation, qui sera achevé et appliqué par son successeur, Edgar Faure. Il s'agit de donner les moyens d'agir aux forces de l'ordre, tout en évitant l'état de siège. Outre que ce dernier n'est pas justifié par l'étendue de l'insurrection à ses débuts, il pourrait entretenir la confusion sur le rattachement de l'Algérie à la France. La notion d'état de siège appelle en effet immédiatement celle de guerre. Or, admettre la guerre en Algérie est risqué : devenue l'ennemie de la France, l'Algérie peut être présentée comme une entité séparée de la métropole et, par extension, former un autre pays. Y appliquer un état d'exception permet au contraire de répondre aux attentats tout en réaffirmant l'appartenance des trois départements d'Algérie à l'espace national français. Ce choix présente également l'intérêt de dénier le statut de combattant à l'adversaire, dès lors passible des tribunaux pour « détention illégale d'armes et de munitions de guerre », « assassinat », « atteinte à la sûreté de l'État » ou encore « association de malfaiteurs », y compris dans le cas d'une action armée au sein des maquis.

L'état d'urgence est conçu en deux étapes : une fois votée la loi qui l'introduit dans le droit français, il peut être déclaré par décret en toute zone du territoire national connaissant des troubles, à l'intérieur comme à l'extérieur de la métropole. Ce procédé comporte de multiples avantages. Il permet d'abord aux autorités françaises de suivre au plus près le développement de l'insurrection en Algérie, jusqu'à l'été 1955. Politiquement, la réponse est ainsi mesurée, tout en s'adaptant au mieux aux besoins de la répression ; il est même possible de faire machine arrière si, comme les gouvernements l'espèrent, le FLN est rapidement vaincu. Enfin, de cette façon, l'argument d'un traitement discriminatoire de l'Algérie est écarté, l'état d'urgence n'étant pas créé spécifiquement pour elle.

Les députés communistes ne s'y trompent pas, qui combattent l'état d'urgence au motif que la situation en Algérie n'est qu'un « prétexte ». « L'un des buts de la loi serait, certes, de tenter de mater le peuple algérien par la terreur », écrit ainsi André Wurmser dans *L'Humanité*, le 29 mars 1955, quand le projet de loi est présenté à l'Assemblée, mais « c'est en France que s'appliquerait tout aussi bien cette loi fasciste ».

L'état d'urgence prévoit une série de mesures caractéristiques de la répression des troubles à l'ordre public, applicables par le ministre de l'Intérieur, le gouverneur général de l'Algérie et les préfets. Les pouvoirs qui leur sont accordés puisent dans l'arsenal classique du maintien de l'ordre : couvre-feu, interdiction de séjour, réglementation et interdiction de la circulation, confiscation d'armes et de munitions, perquisitions de nuit, assignation à résidence des personnes « suspectes », contrôle et fermeture des lieux de réunion, cafés et salles de spectacles, interdiction des réunions, contrôle de la presse, des publications, des émissions de radio, des projections de cinéma ou des représentations théâtrales. Les tribunaux militaires, par ailleurs, remplacent les cours d'assises pour juger les actes qualifiés de crimes, le gouvernement craignant l'indulgence des jurés algériens, par sympathie envers la cause indépendantiste ou par peur des représailles dont le FLN ne manquerait pas de les menacer.

Parallèlement à l'extension géographique de l'état d'urgence, les forces de sécurité – armée, gendarmerie et CRS – connaissent une croissance par paliers, passant de 60 000 en novembre 1954 à 100 000 en mai 1955 – dont 40 000 dans le Constantinois – et à 120 000 en septembre. Si la gendarmerie est régulièrement renforcée, l'armée de terre représente la plus grande part des effectifs et compte 160 000 soldats à la fin de l'année. Le gouvernement d'Edgar Faure puise dans les troupes stationnées en Tunisie, en Allemagne ou sur des bases de l'OTAN. Dès le mois de mai, il doit aussi recourir au rappel de disponibles, ces jeunes Français qui, à l'issue de leurs obligations militaires, restent mobilisables pendant trois ans. À ce premier rappel, qui vise les natifs ou résidents d'Algérie, succède une deuxième vague consécutive aux événements du 20 août 1955. Elle concerne 50 000 à 60 000 hommes, destinés en partie seulement à l'Algérie ; ils doivent aussi combler les vides créés ailleurs, en Allemagne notamment. Massive et touchant la métropole, cette deuxième vague de rappels occasionne les premières manifestations.

Sous l'état d'urgence, en principe, les autorités civiles conservent leurs prérogatives. Ainsi, le commandement unifié pour les zones sous état d'urgence, créé le 1er mai 1955, est placé sous l'autorité et la responsabilité du préfet de la région de Constantine. Le commandant se substitue seulement au sous-préfet dans lesdites zones. C'est dans ces conditions que le général Parlange, venu d'Agadir, arrive dans les Aurès avec le titre officiel de « commandant civil et militaire ». Il y prend la direction de toutes les forces de l'ordre et de tous les services administratifs, pour coordonner et diriger la lutte contre les insurgés. Néanmoins, la hiérarchie instituée plaçant le préfet au sommet, l'autorité civile est théoriquement maintenue.

... et faire la guerre

La loi du 3 avril 1955 prévoyait que l'application de l'état d'urgence prendrait fin en cas de dissolution de l'Assemblée nationale, ce que décide Edgar Faure, en décembre 1955. En Algérie, bien que Jacques Soustelle ait reçu tous les pouvoirs pour parer à cette situation, l'organisation des élections législatives et la formation d'un nouveau gouvernement créent un vide exploité par les nationalistes, qui accentuent leur pression : au nombre de huit cents en novembre 1955, les attentats atteignent les mille deux cents en janvier 1956. Le commandement, qui souhaite lutter contre l'ennemi par un quadrillage serré sur le terrain, réclame des hommes. Les Français d'Algérie, quant à eux, associations d'anciens combattants en tête, manifestent pour un renforcement de la répression, exigeant l'exécution des peines capitales prononcées par les tribunaux militaires en vertu de l'état d'urgence. Mostefa Ben Boulaïd, l'un des chefs historiques du FLN, incarne à leurs yeux l'impunité des condamnés à mort, dont le jugement reste sans conséquence tant qu'ils ne sont pas exécutés. Responsable des Aurès, fait prisonnier et jugé pour l'attaque d'un dépôt d'essence pendant la nuit de la Toussaint 1954, Mostefa Ben Boulaïd s'est en effet évadé de la prison de Constantine, le 11 novembre 1955, pour reprendre le maquis.

C'est dans cette atmosphère qu'est formé le gouvernement de Guy Mollet, après la victoire électorale du Front républicain, qui réunit la SFIO, les radicaux mendésistes et une partie de l'UDSR autour de François Mitterrand. Arrivé au pouvoir en promettant « la paix en Algérie », ancré à gauche par le soutien, à l'Assemblée nationale, d'une large coalition allant du PCF au MRP, le nouveau gouvernement semble s'orienter vers une politique libérale, qui se heurte à l'hostilité des Français d'Algérie. La nomination du général Catroux, en remplacement de Jacques Soustelle, vaut ainsi à Guy Mollet d'être ridiculisé sous une pluie de projectiles divers, dont les tomates sont restées le symbole, le 6 février 1956, à Alger.

Disciple de Lyautey, ancien représentant du général de Gaulle au Levant, où il a prononcé l'indépendance de la Syrie et du Liban, le général Catroux a aussi présidé à l'élaboration de l'ordonnance du 7 mars 1944, abolissant les mesures d'exception qui frappaient les Algériens. Vilipendé par la foule algéroise lors de manifestations, il est immédiatement remplacé par Robert Lacoste, installé à Alger avec le titre de ministre résidant. Résistant, député socialiste de la Dordogne, ce dernier est étranger au monde des colonies et vient d'être nommé au ministère des Affaires économiques et financières. Ce spécialiste des questions syndicales, qui a joué un rôle dans la création de FO contre l'influence des communistes au sein de la CGT, a accepté de partir en Algérie après le refus de plusieurs autres personnalités sollicitées par Guy Mollet.

Échaudé par ces événements, le gouvernement opte pour une solution radicale : demander aux députés tous les pouvoirs pour intervenir en Algérie. L'article 5 de la loi dite « des pouvoirs spéciaux » lui attribue ainsi « les pouvoirs les plus étendus pour prendre toute mesure exceptionnelle en vue du rétablissement de l'ordre, de la protection des personnes et des biens et de la sauvegarde du territoire ». Les députés soutenant le gouvernement, dont les communistes, rechignent à cautionner par avance une politique sur laquelle ils n'auraient aucun contrôle. Finalement, le président du Conseil engage la confiance de son gouvernement sur ce vote : si la loi n'est pas adoptée, les députés doivent assumer la responsabilité d'une nouvelle crise ministérielle laissant la France sans direction politique. À l'issue d'âpres débats et d'un vote à l'arraché, Guy Mollet obtient cette carte blanche de l'Assemblée nationale : la rudesse de l'alternative a balayé les hésitations et seuls soixante-treize députés, en majorité des poujadistes, votent contre.

Habilitant le gouvernement à agir par décret, sans consulter l'Assemblée, la loi donne à l'exécutif un contrôle direct et total de la situation, caractéristique du temps de guerre. En découlent une série de mesures reconduisant et approfondissant celles de l'état d'urgence, dans une gestion du conflit qui s'éloigne du simple maintien de l'ordre. Ainsi, la croissance des effectifs militaires s'accélère, les rappels prenant une ampleur inégalée au printemps 1956. S'ajoutant au maintien des soldats parvenus au terme de leur temps de service sous les drapeaux, ils portent les effectifs à quatre cent mille hommes en juillet 1956.

Surtout, en rupture avec l'état d'urgence, les pouvoirs spéciaux légitiment la substitution de l'armée aux autorités civiles. Le 17 mars 1956, dès le lendemain du vote de la loi, un décret autorise les préfets et le ministre résidant à déléguer leurs pouvoirs au commandement. L'obtention des pouvoirs de police permet aux militaires d'arrêter, de détenir et d'interroger les suspects. Cette délégation se généralise sur le terrain, et elle aboutit à confier aux commandants de secteur l'exercice de pouvoirs normalement dévolus aux sous-préfets. Caractéristique de la guerre, cette substitution des militaires aux civils est à l'origine de la montée en puissance de l'armée en Algérie. À l'été 1957, la délégation des pouvoirs de police est générale sur le territoire de l'Algérie. Mais cela signifie-t-il pour autant que les autorités civiles ont été écartées de la lutte contre l'ennemi ?

S'il est vrai que la réponse à l'insurrection algérienne s'inspire de moins en moins du maintien de l'ordre et de plus en plus de la conduite d'une guerre, les deux ne sont pas contradictoires. Leur opposition est née du discours des gouvernements qui, cherchant à minimiser l'action des nationalistes algériens et la nature des événements en cours, objectaient à ceux qui dénonçaient la guerre que les opérations menées en Algérie restaient des opérations de maintien de l'ordre. En réalité, les deux coexistaient. Le maintien de l'ordre, qui connotait fortement l'état d'urgence, n'a pas disparu avec les pouvoirs spéciaux. Inclus dans la guerre, il est resté l'une des facettes du combat contre le FLN, parmi d'autres, et il a impliqué les institutions civiles qui en sont traditionnellement chargées : police, justice, préfectures.

Réformer, un projet ancien réactivé

Les projets de réforme de l'Algérie s'inscrivent dans une double tradition historique. Ils découlent d'abord de l'approche qu'ont eue les forces politiques françaises de la décolonisation, à partir de 1945. Aucune d'entre elles, y compris le parti communiste, n'envisageait l'indépendance des territoires coloniaux. La gauche y analysait les rapports d'inégalité en termes de lutte des classes, pour le PCF, ou en termes de déséquilibres économiques, sociaux et politiques, qu'il suffirait de corriger pour couper l'herbe sous le pied des nationalistes. La misère et l'absence de droits politiques étaient ainsi considérées comme les causes principales de l'émergence de mouvements revendicatifs parmi les colonisés, le refus par principe de vivre sous une souveraineté étrangère étant sous-estimé. Chez les socialistes et les radicaux, pour qui la mission civilisatrice de la France avait un sens, une politique de réduction des inégalités économiques, sociales et politiques, paraissait pertinente. Le progrès pourrait venir de la tutelle française tandis que l'indépendance, elle, n'offrirait aucune solution. « Livrée à elle-même, l'Algérie se trouverait aussi désarmée que l'Égypte ou l'Irak devant la misère ou la maladie », estime, dans cet esprit, l'auteur d'un rapport officiel en septembre 1955 [2].

Cette analyse de la décolonisation, qui anime les principaux acteurs gouvernementaux de novembre 1954 à mai 1958, rencontre, pour l'Algérie, l'histoire longue des projets de réforme depuis la fin de la Première Guerre mondiale. Le dernier en date, le statut de l'Algérie, voté en 1947, a créé une Assemblée algérienne élue par deux collèges ; mais, pour le reste, la majorité de ses décisions est restée lettre morte. Or, l'idée qu'il faudrait y remédier revient constamment chez ceux qui se préoccupent de l'Algérie, et la pression créée par l'insurrection rend plus urgente encore une intervention dans ce sens. Dans l'espoir d'éviter la rupture cherchée par le FLN, tous les gouvernements confrontés à la guerre réfléchissent à des réformes applicables en Algérie. Comme avant la guerre, cependant, les nationalistes se désintéressent de leur contenu et les rejettent par principe. De même, les Européens les combattent, surtout lorsque, touchant à l'organisation administrative de l'Algérie, elles mettent en péril leurs pouvoirs. Finalement, seules les mesures qui contournent l'obstacle parlementaire et qui concernent l'action économique et sociale, moins risquée politiquement que la réforme administrative, avaient des chances d'aboutir.

Le gouvernement de Pierre Mendès France est la première victime de ce réformisme. Dès octobre 1954, son ministre de l'Intérieur, François Mitterrand, en visite en Algérie après les séismes de la région d'Orléansville, affirme son intention d'agir et crée à cet effet un groupe d'études des relations financières entre la métropole et l'Algérie. En janvier 1955, il annonce un plan ambitieux : grands travaux hydrauliques, réduction des écarts de salaire avec la métropole, accès des Algériens à de hauts postes de la fonction publique… En application du statut de 1947, il prévoit d'accorder le droit de vote aux Algériennes, alors que l'extension du droit de vote aux femmes ne s'est réalisée, en Algérie, qu'au bénéfice des Européennes, et il envisage la suppression des communes mixtes. Ces communes ne sont pas gérées par des conseils municipaux, mais par un administrateur et une commission, formée à l'avantage des Européens : celle-ci comprend leurs élus et des Algériens nommés par l'administration coloniale. Le projet de les supprimer suscite la désapprobation des Français d'Algérie, portée à Paris par le député radical René Mayer. C'est ainsi que la discussion de ce programme à l'Assemblée nationale, le 6 février 1955, se révèle fatale au gouvernement de Pierre Mendès France.

Resté en poste au gouvernement général d'Alger, Jacques Soustelle assure la continuité avec le gouvernement suivant, celui d'Edgar Faure. En juin 1955, il présente un plan qui reprend l'essentiel des mesures annoncées par François Mitterrand, tout en les inscrivant dans une nouvelle perspective, reflétant son idéal personnel : l'intégration. Entre l'assimilation et la fédération, cette notion, restée floue, suppose un rattachement de l'Algérie à la France, dans le respect de ses caractéristiques culturelles. Jacques Soustelle propose ainsi d'organiser l'enseignement de la langue arabe et l'indépendance du culte musulman, alors que la loi de 1905 prononçant la séparation de l'Église et de l'État n'a pas concerné l'islam en Algérie, où, dans un souci de contrôle politique, l'administration nommait les responsables du culte et gérait les biens confisqués aux fondations pieuses lors de la conquête. La campagne du gouverneur Soustelle en faveur de l'intégration, soutenue par Edgar Faure, ne trouve cependant pas de majorité susceptible de soutenir sa mise en œuvre.

L'une des principales réalisations de Jacques Soustelle, à l'initiative de Germaine Tillion, sa collègue ethnologue et compagne de résistance, est la création des Centres sociaux éducatifs (CSE), en octobre 1955. Ces structures, qui emploient du personnel de toutes origines, ont pour objectif la scolarisation rapide de tous les enfants, en même temps qu'elles assurent un travail d'assistance sociale et sanitaire auprès des familles. Pépinières de libéraux sensibles au sort des Algériens, dispensant une aide qui échappe au contrôle de l'armée, les CSE vont être l'une des cibles des militaires et, par la suite, de l'OAS. Mouloud Feraoun, devenu leur directeur adjoint, sera assassiné par un commando avec six de ses collègues le 15 mars 1962 [3].

Les pouvoirs spéciaux inaugurent une période de réformes plus intense, même si, devenus l'emblème d'une politique plongeant le pays dans la guerre, ils sont aujourd'hui moins connus sous cet aspect. Pourtant le gouvernement de Guy Mollet a aussi utilisé ces pouvoirs pour conduire des réformes, objectif auquel l'intitulé et le texte de la loi donnent même la priorité. La loi autorise en effet le gouvernement « à mettre en œuvre en Algérie un programme d'expansion économique, de progrès social et de réforme administrative », et son article premier, le plus long de tous, énumère de très nombreux et très divers domaines d'intervention : « équipement scolaire et sanitaire », « normalisation et abaissement des coûts de production », « aménagement foncier », « élévation du niveau de vie », « condition de l'ouvrier agricole »… Un exemple de la concrétisation de ce programme est le décret réservant aux « Français musulmans » 10 % des postes aux concours de la fonction

publique. Si cette politique résonne chez les Anglo-
Saxons comme un écho de l'*affirmative action* pratiquée
outre-Atlantique [4], il s'agit, pour les Français de l'époque,
de promouvoir les « musulmans » dans l'objectif de dégager une élite locale favorable au maintien de la France
en Algérie.

Par ailleurs, l'intervention dans le secteur agricole, qui
emploie 65 % de la main-d'œuvre algérienne, est indispensable pour augmenter le niveau de vie : le 26 mars
1956, un décret du gouvernement de Guy Mollet insti-
tue une Caisse d'accession à la propriété et à l'exploitation rurale (CAPER). Ses missions sont de récupérer des
grands domaines, par expropriation ou à l'amiable, pour
les aménager et les découper en lots redistribués à des
paysans, qu'elle doit ensuite soutenir techniquement et
financièrement. Mais la mise en place de la CAPER est
longue et elle n'agit que très lentement. Outre les difficultés inhérentes à ce type d'entreprise, comme les résistances des propriétaires, l'administration manque
d'hommes et de moyens à lui consacrer en ces temps de
guerre. De son côté, conscient de la portée politique de
cette réforme économique, le FLN interdit aux paysans
d'acquérir les terres ainsi redistribuées [5].

De même, le gouvernement de Guy Mollet supprime
par décret les communes mixtes en juin 1956, et tente
de refondre en profondeur la gestion des communes en
Algérie. Mais la démission des représentants algériens,
qui boycottent toutes les institutions françaises depuis
l'hiver 1955-1956, obère toute réforme. Les Européens,
quant à eux, font des instances municipales leur bastion.
À la recherche d'une rénovation de ces institutions et
d'une représentation des deux communautés, le gouvernement fait alors nommer des « délégations spéciales »
chargées d'organiser des élections. Or, elles peinent dans

leur tâche, entre l'attitude des délégués européens, qui cherchent à garder l'avantage, et les difficultés à recruter des délégués algériens, menacés de mort par le FLN pour leur collaboration avec l'administration coloniale. Sous la IVᵉ République, aucune élection municipale ne peut donc avoir lieu. L'Assemblée algérienne disparaît du paysage institutionnel dans les mêmes conditions : dissoute dans la perspective d'être réélue suivant un mode de scrutin plus équitable que celui des deux collèges, elle ne sera jamais reformée.

Avec le temps, l'application du statut de 1947 se révèle donc dépassée et le gouvernement suivant, celui de Maurice Bourgès-Maunoury, s'attelle à un projet radical : sa loi-cadre va jusqu'à prévoir l'autonomie de l'Algérie, découpée en territoires gérés par un « Conseil fédératif », et l'instauration du collège unique. Suscitant une levée de boucliers parmi les maires et les sénateurs d'Algérie, qui y voient la possibilité d'une sécession future du pays, ce projet est rejeté dès son examen en commission, à l'Assemblée nationale. Le président du Conseil remet sa démission le 30 septembre 1957, alors que le texte n'a même pas atteint le stade d'une discussion par les députés. Son successeur, Félix Gaillard, réussit à en faire adopter une version remaniée, acceptable pour les représentants des Français d'Algérie qui espèrent bien qu'elle ne sera pas appliquée. Promulguée le 5 février 1958, trois jours avant le bombardement de Sakiet Sidi Youssef qui, par ricochet, va entraîner la chute du dernier gouvernement de la IVᵉ République, la loi-cadre est restée lettre morte, sauf pour les femmes algériennes qui y ont gagné le droit de vote, inscrit à l'article premier.

L'opposition des Français d'Algérie et les difficultés d'application des textes dans un contexte de guerre ont considérablement réduit la marge de manœuvre des

gouvernements, dont les réformes étaient, de toute
façon, en décalage avec la revendication indépendantiste,
qu'aucune action économique, sociale ou administrative
n'aurait satisfaite. Sincèrement considérées comme nécessaires par les équipes au pouvoir, elles ont représenté une
part importante de la réflexion et de l'action gouvernementales. C'est l'un des aspects de la continuité de la
politique menée sous la IVe République.

Un horizon pour tous les ministères

Cette continuité s'exprime d'abord dans le lien permanent entre politique de réformes et politique de répression qui, pourtant, ont des retombées contradictoires sur
les Algériens : si les réformes leur ouvrent des perspectives de progrès en tous genres, la répression les touche
massivement, directement ou indirectement. Sur le terrain, ainsi, des voix libérales ou progressistes s'élèvent
pour déplorer la conduite d'une répression détournant
les Algériens de la France et ruinant les effets attendus
des réformes. Opposer les deux empêche cependant de
saisir la cohérence de la réponse française à la guerre
d'indépendance algérienne : ces politiques vont de pair
pour garder l'Algérie. Les réformes économiques, sociales
ou administratives visent la formation d'une élite algérienne susceptible de soutenir le maintien de la souveraineté française. Les gouvernements cherchent à constituer
une force sociale porteuse d'un projet alternatif à l'indépendance et qui, recrutée parmi les colonisés, viendrait
en contrepoint des Européens arc-boutés sur une vision
figée de l'Algérie française.

Robert Lacoste incarne cette politique à deux faces.
En accord avec le commandement et à l'écoute des

ultras, il relaie et appuie à Paris leurs revendications les plus intransigeantes, devenant ainsi le symbole de la politique répressive des pouvoirs spéciaux. Dans le même temps, cependant, il ne néglige pas l'action économique et sociale [6]. Pour lutter contre le sous-emploi et faire progresser le niveau de vie des Algériens, il cherche à favoriser l'émigration vers la métropole, tente d'améliorer la formation professionnelle et met fin à la discrimination qui les frappait dans l'attribution des allocations familiales. C'est également sous sa direction que la CAPER est mise en place, tandis qu'en janvier 1958 un décret octroie de nombreux avantages financiers aux industries créées ou installées en Algérie ; c'est avec lui, encore, qu'est conduite la réforme municipale.

Les choix de Robert Lacoste suscitent des controverses : ces réformes ne sont-elles que l'alibi d'une politique entièrement vouée à la répression ou sont-elles menées avec conviction ? Le dilemme n'est qu'apparent. Dans tous les cas, l'objectif est de sauvegarder l'Algérie française dont Robert Lacoste est devenu un fervent partisan, sans contradiction avec ses engagements antérieurs. Gagné aux classes moyennes des Français d'Algérie comme il l'a été à celles de métropole, il pense la réforme comme une alternative au conflit entre intérêts divergents, qu'il s'agisse des ouvriers et du patronat ou des Français et des Algériens. Surtout, s'élevant contre toute forme de radicalisme révolutionnaire, il combat le FLN comme il s'est opposé à la CGT d'après-guerre.

Outre l'association des réformes et de la répression, la continuité de l'action gouvernementale se mesure dans le contenu même des politiques menées. Sur le plan répressif, les pouvoirs spéciaux innovent sur le point de la délégation des pouvoirs civils aux militaires, mais ils reconduisent aussi, en les approfondissant, les mesures

de l'état d'urgence ; après le gouvernement de Guy
Mollet, les pouvoirs spéciaux seront renouvelés à tous ses
successeurs. Dans le domaine économique et social, le
rapport du groupe d'études formé par François Mitterrand, dit « rapport Maspétiol », va inspirer toutes les
réformes postérieures. Dans son prolongement, un
groupe de travail, où se retrouvent deux membres du
groupe d'études en question, se forme au gouvernement
général à Alger, et c'est ce groupe de travail qui élabore
pour Robert Lacoste un plan de « perspectives décennales de développement économique de l'Algérie [7] ».

Le cheminement du rapport Maspétiol montre
comment la continuité de la politique algérienne est
assurée par l'administration, d'un gouvernement à
l'autre. Les projets, rapports, notes d'études, etc. sont
gardés en mémoire par les services administratifs et res-
sortis à l'arrivée des nouveaux ministres en quête d'informations pour décider de leur action. Moins visibles que
les hommes politiques, les hauts fonctionnaires jouent
ainsi un rôle clé : ils travaillent directement à leurs côtés,
dans leur entourage, à la tête des directions ministérielles
ou encore dans ces groupes de travail et commissions
diverses. S'ils suivent parfois les politiques d'un ministère
à un autre, ils peuvent aussi rester fidèles à certains postes
de responsabilité, où ils mènent une action constante.
Ces hommes s'inspirent et se nourrissent de leurs expériences antérieures, passant parfois d'Algérie en métropole ou inversement. Parmi tant d'autres, Jean Vaujour,
par exemple, directeur des renseignements généraux
d'Algérie en novembre 1954, devient conseiller de Maurice Bourgès-Maunoury au ministère de l'Intérieur en
mai 1955 et le reste auprès de son successeur, Jean Gilbert-
Jules. Par leur continuité, les hauts fonctionnaires
assurent le cumul et la transmission des connaissances,

des études déjà réalisées, de leur expérience personnelle et de leurs propres conceptions. Au-delà de toutes les péripéties politiques, c'est dans ce creuset que les décisions s'élaborent.

La remarque vaut à l'échelon gouvernemental lui-même, en dépit de l'instabilité caractérisant la IVᵉ République. Recrutés essentiellement à gauche, dans les rangs de la SFIO, des radicaux et de l'UDSR, quelques hommes ont régulièrement exercé le pouvoir de novembre 1954 à mai 1958, maintenant ainsi le cap de la politique algérienne. François Mitterrand, ministre de l'Intérieur dans le gouvernement de Pierre Mendès France, participe à celui de Guy Mollet en tant que ministre de la Justice. Jean Gilbert-Jules, secrétaire d'État aux Finances et aux Affaires économiques dans les gouvernements Mendès France et Faure, devient ministre de l'Intérieur avec Guy Mollet et il conserve ce portefeuille avec Maurice Bourgès-Maunoury. Quant à Christian Pineau, il est aux Affaires étrangères sous Guy Mollet, Maurice Bourgès-Maunoury et Félix Gaillard.

Trois hommes, surtout, ont occupé des postes clés pour la définition et l'application de la politique algérienne : Robert Lacoste, à Alger, de février 1956 à mai 1958 ; Max Lejeune, secrétaire d'État à l'Armée de terre dans le gouvernement de Guy Mollet puis ministre du Sahara dans les deux gouvernements suivants ; Maurice Bourgès-Maunoury, enfin, qui demeure constamment au pouvoir : de l'Industrie et du Commerce avec Pierre Mendès France, il passe à l'Intérieur avec Edgar Faure, à la Défense nationale avec Guy Mollet, avant de devenir lui-même président du Conseil puis de retrouver l'Intérieur avec Félix Gaillard. Socialistes ou radicaux, ces hommes sont avant tout des jacobins, qui persistent dans la négation d'un sentiment national algérien, dans le

soutien aux Français d'Algérie et dans l'espoir de voir
l'Algérie française sauvée par des réformes. En 1961, ils
vont même se retrouver au sein d'un « Comité de gauche
pour le maintien de l'Algérie dans la République
française ».

Le fait que certains hommes politiques sont fréquemment au pouvoir, ou l'exercent sur une période excédant
celle d'un seul gouvernement, limite les effets de l'instabilité et permet à l'action gouvernementale de suivre une
ligne directrice. Cette continuité relativise le poids de
l'événementiel dans la compréhension de la politique de
Guy Mollet. La répression mise en œuvre grâce aux pouvoirs spéciaux, en contradiction avec les espoirs de paix
qui ont marqué la campagne électorale, marque-t-elle un
revirement belliqueux, dû à la « journée des tomates »,
humiliation prouvant à Guy Mollet qu'il ne pourrait rien
faire sans l'approbation de la rue algéroise ? Replacée
dans la longue durée, sa politique suit, en réalité, le
chemin tracé par tous ceux qui ont pensé devoir – et
pouvoir – garder l'Algérie française : répression et
réformes, pan oublié des pouvoirs spéciaux. Elle s'inscrit
aussi, comme pour les autres gouvernements, dans un
contexte où les autorités françaises sont sur la défensive
face à la progression du FLN. Car pendant ce temps, sur
le terrain, le face-à-face entre les nationalistes et l'armée
française s'organise suivant des modalités qui vont marquer le conflit jusqu'à son terme.

II

ENTRER EN GUERRE
(1954-1957)

4

AU CŒUR DU CAMP ALGÉRIEN

Au début du conflit, le camp algérien n'est représenté par aucun État, il est dépourvu d'armée et ne constitue pas, officiellement, de nation. Il n'est que le « FLN », terme générique désignant l'adversaire de la France. Ce nom représente pourtant une réalité mouvante dans le temps, du groupuscule activiste en novembre 1954 à l'organisation formée par le congrès de la Soummam en août 1956. À cette date, en effet, le FLN s'est structuré pour assurer des missions polyvalentes : force militaire avec l'ALN, organisation politico-administrative appelée le *nizam*, représentation *de facto* des Algériens par un Conseil national de la révolution algérienne (CNRA) et direction de l'ensemble grâce à un Comité de coordination et d'exécution (CCE).

S'il est réalisé à l'intention de l'adversaire et de l'opinion internationale, à qui cette organisation doit prouver l'existence d'une nation algérienne, ce travail de construction consciente et volontaire d'un camp algérien vise aussi à remédier aux lacunes d'un mouvement né dans le feu du combat pour l'indépendance. N'étant pas un parti de masse à l'origine, le FLN est dépourvu de programme, de structures dirigeantes et de l'implantation géographique que lui assureraient des cellules rassemblant ses adhérents à la base. Ainsi démuni, il bénéficie tout de même du capital militant de l'ancien

MTLD, dont des membres ont rejoint l'ALN et le FLN.
Il se présente alors comme une « constellation d'appareils
fonctionnels décentralisés, agissant sans référence à une
stratégie commune [1] ».

En l'absence d'une ossature politique couvrant l'Algérie et lui permettant de coordonner l'action, sans repères
idéologiques ou pragmatiques pour piloter l'insurrection,
le FLN laisse le champ libre aux combattants de l'ALN
et à leurs chefs. Dès le début et pour longtemps, ce sont
eux qui manifestent la présence du nationalisme, qui
conduisent et représentent la lutte pour l'indépendance
sur le terrain. La tension entre politique et militaire,
constante de l'histoire interne du FLN, s'inscrit ainsi
dans la genèse même de l'organisation. Elle se combine
à l'opposition entre les dirigeants installés hors d'Algérie
et ceux qui y vivent, et elle vient s'ajouter aux ambitions
personnelles, pour faire du camp algérien un nœud de
conflits dont l'écheveau se mêle et se démêle dans la
violence.

Le FLN : une organisation à construire

D'emblée, les conditions de formation du FLN et
l'occupation physique du terrain par l'ALN ont permis
aux militaires de supplanter les politiques et de les
concurrencer, en menant le combat pour l'indépendance
dans son ensemble, sans séparation des fonctions politiques et des fonctions militaires. La situation aurait été
différente si le FLN et l'ALN avaient préexisté à l'insurrection qui, dans ce cas, aurait pu être lancée et contrôlée
par les appareils politiques et militaires en place, clairement distincts l'un de l'autre et travaillant à l'application
d'un projet commun, chacun dans son domaine. Même

si rien ne permet d'éviter les tensions entre les politiques et les militaires, ni de garantir le bon déroulement des prévisions initiales, dans ce cas de figure, au moins, des structures existeraient pour diriger l'action, avec une répartition des rôles et une stratégie préalablement définies. Dans le cas de la guerre d'indépendance algérienne, tout est mené de front. La création de l'organisation politique et de la force militaire accompagne le lancement de l'insurrection, dans une perspective unique, lointaine et abstraite : l'indépendance. L'initiative appartient à l'échelon militaire local et les événements s'improvisent sans coordination. Du point de vue des politiques, soucieux de reprendre la main, il devient urgent de structurer le FLN et l'ALN, de définir leurs rapports, et d'encadrer leur action par une plate-forme programmatique, d'où l'idée d'organiser un congrès. Celui-ci aurait également pour vertu de départager les différentes factions se disputant la direction du mouvement.

Obnubilés par l'entrée en action, en effet, les neuf chefs historiques se sont partagé les tâches à accomplir, sans constituer de groupe dirigeant stable et durable. Au Caire, Ahmed Ben Bella et Mohammed Khider s'occupent de l'approvisionnement en armes et, avec Hocine Aït Ahmed, portent la cause algérienne sur la scène internationale, en particulier auprès des frères maghrébins. Ils ont été rejoints par Mohammed Boudiaf, qui doit aussi appuyer matériellement, de l'extérieur, les responsables intérieurs de l'insurrection au moment de son déclenchement : Mourad Didouche dans le Nord-Constantinois, Rabah Bitat dans l'Algérois, Mostefa Ben Boulaïd dans les Aurès, Krim Belkacem en Kabylie, et Larbi Ben M'Hidi en Oranie [2]. Or, se battant en Algérie même, ceux-ci sont rapidement décimés : Mourad Didouche meurt au combat en janvier 1955, Rabah

Bitat est arrêté deux mois plus tard, et Mostefa Ben Boulaïd, arrêté et condamné à mort, s'évade de la prison de Constantine mais finit par être tué en mars 1956. Ce n'est que le début de la noria imposée aux dirigeants du mouvement nationaliste par les forces françaises qui travaillent à démanteler le camp adverse et qui, par conséquent, les recherchent, les arrêtent, les emprisonnent, les tuent ou les font disparaître. Pour cette raison, l'histoire intérieure du FLN et de l'ALN est une histoire instable, où surgissent sans cesse de nouveaux noms en remplacement des anciens.

En 1955-1956, le FLN se construit par le ralliement de nouvelles forces, comme les centralistes, les adhérents de l'UDMA ou les oulémas ; un petit groupe émerge à Alger, sous la houlette d'Abbane Ramdane. Soutenu par Larbi Ben M'Hidi et Krim Belkacem, les deux « historiques » encore actifs à l'intérieur du pays, Abbane Ramdane tend à prendre la direction du mouvement nationaliste en s'appuyant sur les nouveaux venus, recrutés dans des secteurs de la société distincts du noyau originel des fondateurs. Ce sont les couches citadines, dotées d'un certain niveau d'instruction, qui intègrent alors le FLN : Benyoucef Ben Khedda, fils de magistrat, est pharmacien à Blida ; Ferhat Abbas, fils de caïd, est pharmacien lui aussi, à Sétif ; le dirigeant ouléma Tawfiq El Madani, né à Tunis d'une famille algérienne exilée, formé à l'école religieuse de la Zeytuna, est établi comme commerçant à Alger. Il y a encore Aïssat Idir, qui, bien que fils de cultivateurs, est expert-comptable : ce centraliste spécialisé dans l'action syndicale devient le premier secrétaire général de l'Union générale des travailleurs algériens (UGTA), créée en février 1956 et rattachée au FLN [3].

Le « groupe d'Alger », pour reprendre la dénomination de l'historien Gilbert Meynier, organise le congrès pour s'affirmer contre les dirigeants de l'extérieur, en particulier Ahmed Ben Bella et Mohammed Boudiaf, qui ne veulent rien céder de leur légitimité de chefs historiques. La fracture entre l'intérieur et l'extérieur double ainsi celle qui oppose les politiques et les militaires, sans que les deux se superposent exactement. Les vicissitudes de l'approvisionnement en armes, géré par ceux du Caire, déterminent l'attitude des chefs militaires à leur égard : seule la région des Aurès, bien pourvue, les soutient, tandis que le nord et l'ouest du pays, où les livraisons sont déficientes, se détournent d'eux. Dans la perspective du congrès, les alliances se nouent également au gré de la solidarité kabyle et des affinités politiques ou personnelles, qui jouent en faveur d'Abbane Ramdane. Renforçant encore son avantage, celui-ci forme une commission pour rédiger une plate-forme politique à soumettre aux congressistes. L'un de ses auteurs, Amar Ouzegane, formé au PCA, l'a teintée d'un marxisme trompeur, eu égard à la méfiance qu'inspire cette idéologie au sein d'un FLN entièrement dévoué à la seule lutte pour l'indépendance [4].

Le congrès a lieu à Igbal, dans la vallée de la Soummam, en Kabylie, le 20 août 1956. Il réunit six délégués seulement en séances plénières, sans représentant de l'extérieur ni des Aurès. Outre Abbane Ramdane, il s'agit des responsables intérieurs restés en place, Krim Belkacem et Larbi Ben M'Hidi, ou de leurs successeurs, Amar Ouamrane pour l'Algérois, et Zighout Youssef pour le Nord-Constantinois, venu avec Lakhdar Ben Tobbal, son adjoint. Tenu par ceux-là mêmes qui l'ont préparé et en l'absence de leurs opposants, le congrès consacre la

victoire d'Abbane Ramdane [5] : la plate-forme préparée
est en effet adoptée.

Des principes de la Soummam à leur anéantissement

Affirmant l'unité du peuple dans la lutte pour l'indépendance, le texte confie à la paysannerie le soin de
combattre, sous la conduite « d'éléments citadins politiquement mûrs et expérimentés ». Les femmes sont can-
tonnées au soutien logistique et moral envers les
« combattants et résistants », ainsi qu'envers les « familles
et enfants de maquisards, de prisonniers ou d'internés ».
Ne réduisant pas la nation algérienne à sa seule composante arabo-musulmane, le texte intègre les Européens et
les Juifs, et il affirme le caractère laïc du FLN. De même,
il minimise le soutien de l'Égypte, où Nasser déploie un
panarabisme actif, au profit des voisins tunisiens et marocains, dans une perspective de fraternité maghrébine [6].

Consacrant la victoire des dirigeants de l'intérieur, le
congrès leur permet de dominer les structures formées
pour la direction du FLN, proclamé représentant exclusif
des Algériens : le Conseil national de la révolution algérienne (CNRA) et le Comité de coordination et d'exécution (CCE). Formé de dix-sept titulaires et de dix-sept
suppléants, le CNRA détient d'importants pouvoirs,
notamment celui d'ouvrir des négociations et de prononcer un cessez-le-feu, sous réserve de conditions précisément édictées : reconnaissance de la nation algérienne et
de son indépendance, libération de tous les prisonniers.
Le CNRA nomme également le CCE, véritable instance
dirigeante du mouvement. Or, si les quatre du Caire,
Ben Bella, Khider, Aït Ahmed et Boudiaf, sont bien titulaires du CNRA, ils sont écartés du CCE. En revanche,

Abbane Ramdane est membre des deux institutions et la composition du CCE l'avantage : y siègent ses alliés Krim Belkacem, Larbi Ben M'Hidi, Benyoucef Ben Khedda et Saad Dahlab, ex-centraliste lui aussi, l'un des piliers du « groupe d'Alger ». Au CNRA, les nouveaux venus pèsent également parmi les titulaires : y figurent, entre autres, Ferhat Abbas, Tawfiq El Madani et Aïssat Idir.

Enfin, tranchant entre le politique et le militaire, le congrès affirme la primauté du premier sur le second. Il crée des « commissaires politiques », censés « donner leur avis » sur l'action militaire et s'occuper des finances et du ravitaillement de l'ALN, même si leurs fonctions concernent essentiellement l'organisation de la population et la propagande. Pivots du *nizam*, ou « organisation politico-administrative » (OPA), ils doivent mettre en place les « assemblées du peuple », dirigées par un comité de cinq membres, qui se substitue à l'administration coloniale pour l'état civil, les affaires « judiciaires et islamiques », « financières et économiques », ainsi que la police[7].

Dans le domaine militaire, le congrès unifie l'ALN dont l'organisation variait d'une zone à l'autre. Sont fixés l'organisation des troupes, la hiérarchie des grades, le montant des soldes et des allocations familiales attribuées aux combattants, ainsi que les structures de commandement. Chaque *katiba*, compagnie d'une centaine d'hommes, est divisée en *ferka*, comptant une trentaine de soldats, subdivisée en *fawj* d'une dizaine de combattants, pouvant être séparés en deux demi-groupes. Les grades utilisés en Kabylie ont été généralisés – colonel, commandant, capitaine, lieutenant, sous-lieutenant… –, comme dans l'armée française, sauf le grade de général, qui est écarté jusqu'à l'indépendance. Le territoire de l'Algérie est découpé suivant des frontières précisément décrites : *wilaya*, puis zone appelée *mintaqa*, région ou *nahia*, et enfin, secteur ou *kism*, chaque échelon étant dirigé par un conseil de quatre membres.

Intégrés à la hiérarchie de commandement de l'ALN, les commissaires politiques siègent dans ces conseils, aux côtés de responsables militaires qui prennent le pas sur eux et qui, de fait, dirigent le *nizam*. Ce premier écart entre la règle admise par les congressistes et la réalité signale leur difficulté à faire respecter leurs volontés. Le problème n'était pas tant d'affirmer « la primauté du politique » que d'assurer « la conformité entre ce principe et les faits [8] ». Comment faire machine arrière alors que l'ALN assume la lutte pour l'indépendance, en lieu et place d'une structure civile et politique, inexistante au départ ? Les responsables militaires s'y opposent, soucieux de conserver les prérogatives qu'ils ont acquises par leur présence et leur action sur le terrain. Ils forment ainsi l'embryon d'une bureaucratie, comme le montre l'histoire des assemblées du peuple.

Les commissaires politiques devaient en effet constituer ces assemblées en organisant des élections. Mais, le plus souvent, le comité des cinq a été désigné et son fonctionnement largement réglé par les militaires qui, les supervisant, leur ont confisqué leurs attributions. Le *nizam*, sous la responsabilité des commissaires politiques, a fini par se cantonner au soutien matériel et logistique des combattants, assuré par des réseaux de collecte de fonds, de ravitaillement, de soins, d'hébergement et de recherche de renseignements [9].

Dès lors, l'ALN s'impose comme la principale force de structuration du nationalisme algérien à l'intérieur du pays, avec de forts contrastes régionaux, dont le bilan dressé à l'ouverture du congrès de la Soummam donne la cartographie : elle est surtout présente dans le nord et l'est du pays, où elle est cependant sous-équipée. Sans compter la zone des Aurès, qui n'est pas représentée à la Soummam, les congressistes évaluent leurs forces à près de 7 500 soldats, ou *djoundi*, dont 3 100 dans la seule Kabylie, 1 669 dans le Nord-Constantinois, 1 500 dans l'Ouest et 1 000 dans l'Algérois. Ils seraient épaulés par plus de 15 000 partisans, appelés *moussebiline*, dont la moitié en Kabylie, 5 000 dans le Nord-Constantinois, 2 000 dans l'Algérois et 1 000 dans l'ouest du pays. Ils n'auraient, cependant, que 2 500 armes de guerre à leur disposition, dont 1 400 dans la seule Oranie qui, tout en étant la zone la plus faible en effectifs, est la mieux équipée. Les troupes les plus nombreuses, armées de quelques centaines d'armes de guerre ou d'armes légères seulement, utiliseraient des fusils de chasse, évalués à 4 425 en Kabylie, 3 750 dans le Nord-Constantinois, 1 500 dans l'Algérois. Les ressources financières reproduisent la hiérarchie des forces humaines : sur près d'un million d'anciens francs, la Kabylie en détiendrait presque la moitié, le Nord-Constantinois et l'Algérois un cinquième chacun, l'Oranie faisant figure de parent pauvre [10].

Très rapidement, Ahmed Ben Bella conteste la représentativité du congrès et, par conséquent, toutes les décisions prises. Sûr de la légitimité des chefs historiques, sortis du moule activiste, contre les nouveaux venus, il souhaite inverser les principes retenus en donnant la primauté aux dirigeants de l'extérieur et aux militaires. Il se défie des politiques, en particulier des ex-centralistes, qu'il considère comme les véritables artisans du congrès, et il prend rigoureusement le contre-pied de la plateforme dans son rapport à l'islam. Il entend que le mouvement s'y réfère explicitement et témoigne plus de reconnaissance à l'Égypte de Nasser, tandis qu'il regrette la place accordée aux Européens et aux juifs dans la nation algérienne [11].

Ce sont trois colonels, surnommés les « 3B », qui vont mener la cabale contre Abbane Ramdane : Krim Belkacem, Abdelhafid Boussouf, chef de la wilaya 5, installé au Maroc, et Lakhdar Ben Tobbal, successeur de Zighout Youssef, tué à l'automne 1956, en wilaya 2. La répression conduite par l'armée française joue un rôle dans cette recomposition des forces au sommet du FLN, en éliminant ses fondateurs : le 22 octobre 1956, l'avion qui transporte Ahmed Ben Bella, Hocine Aït Ahmed, Mohammed Boudiaf et Mohammed Khider est arraisonné, et les quatre dirigeants de l'extérieur sont détenus en France ; Larbi Ben M'Hidi est tué par les parachutistes, après son arrestation à Alger, en février 1957. Au printemps 1957, Krim Belkacem reste donc le seul chef historique encore en activité sur le terrain et l'alliance avec Abbane Ramdane lui pèse. Alors que le CCE, auquel ils appartiennent tous deux, se réfugie à Tunis afin d'échapper au quadrillage militaire français, Krim Belkacem cherche d'autres soutiens. Il se tourne vers Abdelhafid Boussouf et Lakhdar Ben Tobbal, qui ont appartenu au comité des 22, à l'origine du FLN. Alliant légitimité historique et pouvoir militaire, tous trois vont triompher des rapports de force internes et anéantir les principes défendus par Abbane Ramdane.

C'est au Caire, où le CNRA est convoqué en août 1957, que les opposants au congrès de la Soummam prennent leur revanche. Manœuvré par les « 3B », le CNRA se recompose, forme un nouveau CCE et adopte une résolution promettant le respect des principes de l'islam par les autorités de la future République algérienne. Le nouveau CNRA, élargi à cinquante-quatre membres, comprend une large majorité d'officiers. Le nouveau CCE compte quatorze hommes, dont les quatre chefs historiques emprisonnés en France, les « 3B » et Abbane Ramdane, totalement marginalisé, à l'image des préceptes de la Soummam qu'il incarne personnellement. Ses efforts incessants pour combattre la militarisation de la direction du FLN et l'emprise des « 3B », qui ne se cachent pas de vouloir l'évincer, lui valent d'être éliminé : appelé à Tétouan, au Maroc, il est tué le 27 décembre 1957.

« Abbane Ramdane est mort au champ d'honneur », titre *El Moudjahid*, l'organe du FLN, donnant ce qui est longtemps resté la version officielle de sa mort [12]. Sa réinhumation en Algérie, en 1984, à l'initiative du président Chadli Bendjedid, sera présentée comme un geste de « pardon » de la « révolution ». Reste que « le commun des Algériens se questionne encore actuellement sur ce qu'on a pu [lui] "pardonner" [13] ».

L'ALN, ses combattants, sa rhétorique et ses pratiques

Portées par la frange citadine et politique du nationalisme algérien, les décisions de la Soummam sont mises en œuvre par des militaires aux origines sociales différentes. L'échantillon de cadres de l'ALN étudié par Gilbert Meynier montre ainsi que les chefs des wilayas, en moyenne plus jeunes que les chefs historiques, appartiennent principalement à une génération entrée en action avec le FLN [14]. La guerre d'indépendance algérienne serait ainsi pour eux « ce que la Révolution française fut pour les officiers français : elle les crée – elle doit les créer – fréquemment *ex nihilo* sur le terrain, parmi les plus ardents et les plus doués, lesquels sont souvent jeunes [15] ».

D'origine rurale, ils sont généralement issus des couches inférieures de la classe moyenne et, s'ils ne sont pas analphabètes, ils ont un niveau d'instruction limité au primaire. Certains maîtrisent mieux l'arabe que le français, en particulier à l'écrit, grâce à l'enseignement reçu dans les *medersa*, les écoles d'enseignement traditionnel et religieux, qui fonctionnaient parallèlement au système éducatif du colonisateur. Ces caractéristiques s'accentuent encore chez les *djoundi*, dont le profil correspond à celui de la masse algérienne : en majorité âgés de moins de trente ans, ils sont touchés par l'illettrisme et méconnaissent plus fréquemment le français que leurs supérieurs. L'arrivée au maquis des étudiants et des lycéens, qui ont massivement suivi la grève du printemps 1956, est d'ailleurs source de confrontations, sur fond d'incompréhensions.

Ces combattants sont des hommes, les femmes restant dans le rôle que leur a assigné la plate-forme politique adoptée par le congrès. Tenues à l'écart des maquis dans l'immense majorité des cas, elles s'engagent dans le soutien matériel aux maquisards ou aux militants clandestins. Elles leur assurent le ravitaillement et l'hébergement, servent d'agents de liaison et transportent, par exemple, le courrier. Elles fournissent aussi des renseignements, récoltent des fonds, récupèrent des médicaments, se procurent les produits d'hygiène ou les journaux. Les plus qualifiées – infirmières, secrétaires, couturières… – agissent dans leur domaine de compétences.

Les femmes qui ont pris le maquis sont affectées à des postes qui relèvent de leurs prérogatives traditionnelles : elles s'occupent de la cuisine, du linge et des soins aux blessés. S'il arrive qu'elles partagent leurs tâches avec les hommes, la réciproque n'est pas vraie : quand les *djoundi* cuisinent, par exemple, elles préparent le pain ; mais elles ne prennent pas les armes et ne peuvent devenir gradées. Pour elles, le maquis est un lieu d'acculturation, où les citadines diplômées, comme les infirmières, côtoient les analphabètes recrutées dans le *bled*. Alliant fonction politique de propagande et travail d'éducation sanitaire et sociale, comme dans le Nord-Constantinois, les *morchidate* – conseillères – s'adressent spécifiquement à la population féminine des villages. Elles organisent des réunions au cours desquelles leurs injonctions à soutenir la lutte pour l'indépendance se mêlent aux conseils d'hygiène à l'attention des villageoises et de leurs enfants [16].

Si l'engagement des femmes ne s'accompagne pas d'un projet d'émancipation, il perturbe tout de même « un ordre que beaucoup croyaient immuable [17] », les femmes étant amenées à transgresser des interdits ancestraux. Ainsi, elles sont en contact avec des hommes étrangers au cercle familial et elles échappent au confinement traditionnel dans l'espace privé du foyer. Celles qui s'engagent dans le terrorisme urbain, très jeunes, dotent même le *fidaï* – « celui qui a décidé de donner sa vie [18] » – d'un pendant féminin. Elles remettent les armes ou les bombes aux exécutants des assassinats ou des attentats commandités, et déposent aussi parfois elles-mêmes les engins sur les lieux de leur explosion. Leur jeunesse, leur féminité, leur habillement à l'européenne ou au contraire leur voile sont utilisés pour tromper et désarmer la vigilance des forces françaises : elles ne présentent pas le profil type du terroriste et il est délicat de les soumettre à une fouille serrée. Celles qui participent aux attentats commis dans la zone autonome d'Alger, créée en plus des six wilayas au congrès de la Soummam, s'exposent à des risques d'arrestation plus élevés qu'ailleurs. Ainsi, sur les six femmes condamnées à mort pendant toute la guerre, cinq l'ont été dans le cadre de la « bataille d'Alger » en 1957 [19].

Par son imprégnation religieuse, la rhétorique de l'ALN s'écarte de la plate-forme adoptée au congrès de la Soummam. L'ALN assimile en effet son combat au *djihad*, terme signifiant *stricto sensu* l'effort, mais, par extension et en sous-entendu, l'effort mené pour la guerre sainte. Tous les termes désignant les combattants sont connotés de religieux : le soldat est un *moudjahid*, c'est-à-dire un combattant du *djihad* ; mort au combat, il est élevé au rang de *chahid*, martyr. Il est enterré dans ses « vêtements ensanglantés, qui doivent porter témoignage devant Dieu [20] », sans être lavé ni entouré d'un linceul qui cacherait les traces de son martyre. De même, le terme *moussebiline* (« partisan ») est « formé sur la racine *sabîl*, qui est sur le chemin de Dieu » : il « désigne donc celui qui marche sur ce chemin [21] ».

Pourtant, le FLN n'inscrit pas son combat dans la continuité d'une lutte ancestrale contre le christianisme : il le définit bien comme un combat politique pour l'indépendance de l'Algérie. L'empreinte du religieux dans le vocabulaire combattant traduit plutôt l'imprégnation par l'islam de la société algérienne, d'où sont issus les cadres et les soldats de l'ALN. Cette rhétorique leur est naturelle, ce sont ces mots qui leur viennent pour se nommer, nommer leur combat et leurs morts. Des formules tirées du Coran, des incantations et toute une phraséologie religieuse essaiment aussi dans les tracts ou la presse. Mise au service d'une cause politique, la religion fonctionne comme un levier de mobilisation très fructueux, dans une société où la construction de l'identité collective est largement passée par l'identification à

l'islam et à l'arabe, ainsi que par l'opposition au colonisateur chrétien venu d'Occident. Si l'utilisation consciente
de la religion à des fins de propagande existe, elle repose
cependant sur une adhésion sincère à la pratique et aux
rituels musulmans. En témoignent les règlements de
l'ALN, à usage interne, qui prescrivent la prière ou l'obligation de faire le ramadan.

Cette règle générale admet des variations géographiques : ainsi, la wilaya 3, qui couvre la Kabylie, est la
plus « dévote » de toutes, avec la 1 et la 6, qui correspondent au sud-est et au sud du pays [22]. Elle admet aussi
des nuances selon les responsables considérés, les textes
étudiés et le niveau hiérarchique de l'encadrement pris
en compte. L'emprise du religieux tend à se relâcher de
la base au sommet, en lien avec l'élévation du niveau
socioculturel et l'acculturation citadine ; la ville aide à se
libérer du poids du contrôle social et l'éducation peut
livrer des outils de prise de distance avec les principes et
les pratiques ancestrales, que celles-ci soient religieuses
ou non. Néanmoins, les membres de l'ALN ont puisé
dans le lot le plus draconien des traditions en vigueur
pour construire un ordre moral radical : interdiction de
fumer, de consommer de l'alcool, répression de l'homo-
sexualité et des relations sexuelles hors mariage. En
wilaya 3, un contrôle de leur virginité est même imposé
aux femmes se présentant au maquis [23].

Érigés en mots d'ordre, les interdits remplissent aussi
une fonction politique de mobilisation du corps social.
En s'y soumettant, les Algériens manifestent leur adhésion au combat nationaliste. Ces mots d'ordre soudent…
ou divisent. Ils rassemblent ceux qui les respectent dans
la fraternité de la lutte pour l'indépendance, écartant du
même coup les autres. Ils participent ainsi de la construction de la communauté des « frères », comme s'appellent

entre eux les combattants et militants, contre les
« traîtres », victimes de mutilations les exposant au regard
de tous. C'est une unité sans faille que le FLN recherche
et qu'il veut promouvoir à l'extérieur. L'usage de la violence ruine pourtant cet effort : l'armée française n'aura
de cesse d'argumenter que seule la terreur explique l'aide
apportée par les Algériens à son adversaire.

Pourquoi la violence envers les siens ?

La guerre d'indépendance incarne un paroxysme dans
le long engrenage de violences qui a marqué l'histoire du
pays : les guerres successives depuis la conquête, l'inégalité politique, la misère économique et sociale, la domination coloniale source de souffrance psychique, de
blessures narcissiques et symboliques[24]… Loin d'un
déterminisme biologique, sans fondement scientifique,
ou d'un déterminisme culturel, selon lequel la civilisation algérienne, méditerranéenne parmi d'autres, connaî-
trait une propension à la brutalité, l'historien Omar
Carlier présente la permanence de la violence comme un
phénomène historique de longue durée : les « tensions
multiséculaires accumulées sur la chaîne du temps » se
sont « transmises non pas en ligne directe et de manière
univoque, mais reformulées et réinventées par les nouvelles générations[25] ».

Pendant la guerre d'indépendance, la violence du FLN
s'est déployée en interne, du sommet à la base, avec,
d'une part, la concurrence entre ses dirigeants et, d'autre
part, les purges et les sanctions rigoureuses, jusqu'à la
mort, imposées aux *djoundi*. Elle a aussi pris pour cibles
les concurrents du Mouvement national algérien (MNA)
et tout récalcitrant aux mots d'ordre. Au sein du FLN,

la violence surgit de l'absence de statuts et de pratiques politiques pour arbitrer les différends, encadrer les ambitions individuelles, réfréner les penchants personnels à l'abus de pouvoir et juguler les interférences du combat pour l'indépendance avec les rivalités locales anciennes. Elle trouve sa place dans l'insuffisance du mode politique de régulation des tensions et conflits internes, sur fond de militarisation du mouvement. Le rapport de force s'y manifeste dans sa version la moins élaborée, celle du rapport de force physique, se réglant par les armes. La violence fait la loi. La contestation de la ligne de la Soummam par une frange militaire du mouvement nationaliste, par exemple, s'est cristallisée autour de quelques colonels manœuvrant contre Abbane Ramdane, jusqu'à l'assassiner.

À cette défaillance du politique s'ajoute un déficit du contrôle des cadres de l'ALN. Aucune structure ne contrarie les tendances personnelles de certains chefs militaires à l'autoritarisme, à la brutalité ou à la paranoïa. En 1958, le capitaine Léger, spécialiste de « l'action psychologique », qui dirige à Alger un « Groupe de renseignement et d'exploitation » destiné à intoxiquer l'adversaire, réussit à entraîner le colonel Amirouche, chef de la wilaya 3, dans une spirale auto-entretenue de recherche et d'exécution de pseudo-comploteurs. Celle-ci est désignée par un terme évoquant une épidémie, significatif de son caractère pathologique : la « bleuïte », d'après les bleus de travail portés par certains ralliés qui travaillaient pour le capitaine Léger. Pour la déclencher, ce dernier a eu recours à une « élémentaire ruse de guerre [26] » : relâcher des prisonniers, après les avoir convaincus que certains membres de l'ALN jouent un double jeu en renseignant les Français. Cette information, parvenue au colonel Amirouche, lance ce dernier

dans une immense traque aux suspects, notamment
parmi les lycéens et étudiants montés au maquis après la
grève du printemps 1956. Recourant massivement à la
torture, il fait exécuter ceux qu'il croit coupables de trahison – sommairement ou après une réunion du tribunal
militaire de sa wilaya –, faisant deux mille victimes[27].
En août 1958, il alerte même le CCE, ainsi que ses homologues, et il obtient, en décembre, la création d'une Commission spéciale d'investigation et de contre-espionnage
(CSICE). Après sa mort, cependant, en mars 1959, « les
interrogatoires entraînant des mutilations ou autres infir-
mités[28] » sont interdits par ses successeurs, qui
instruisent également le procès d'Ahcène Mahiouz, dit
« Ahcène la torture », et de six de ses complices.

L'usage de la violence prospère aussi sur un terrain
sociologique qui lui ajoute une dimension supplémentaire. En effet, les différents degrés d'identification collective se superposant sans s'éliminer, l'engagement dans le
combat pour l'indépendance, mené à l'échelle nationale,
ne gomme pas les cercles d'appartenance inférieurs, au
clan ou à la parentèle. Ces appartenances, et les rivalités
qui s'ensuivent, demeurent vivaces pour les cadres et les
combattants de l'ALN, qui les rejouent dans le contexte
nouveau de la guerre d'indépendance, leur donnant un
sens différent. Certains massacres ou assassinats commis
au nom de l'ALN trouvent alors deux niveaux d'interprétation : à l'échelle nationale et à l'échelle locale. C'est le cas
du massacre dit « de Melouza », perpétré dans la nuit du
28 au 29 mai 1957, qui fit trois cent trois victimes, tuées
pour leur soutien au MNA. D'une part, il s'inscrit dans le
cadre de la conquête menée par le FLN, sur le terrain, de
secteurs favorables aux messalistes. Mais, d'autre part, ses
auteurs ont aussi été motivés par « des circonstances et des
enjeux micro-locaux » qui, tout en restant encore non

explicités aujourd'hui, enracineraient ce massacre dans
l'histoire locale des rivalités anciennes. L'« affaire » aurait
même « échappé au commandement de l'ALN [29] ».

La violence résulte enfin des principes agréés par les
hommes du FLN : l'unanimisme du peuple algérien et la
légitimation de la lutte armée dans le champ de l'action
politique. Ainsi s'explique l'assassinat des membres du
MNA, préconisé par Abbane Ramdane en personne :
« Tout messaliste conscient devra être fusillé sans jugement [30]. » L'existence de ces concurrents introduit une
division dans la communauté des « frères » soudés par la
cause qu'ils défendent. Elle contredit la thèse d'un FLN
représentant exclusif du peuple algérien alors que, pour
ses fondateurs et dirigeants, le privilège d'avoir déclenché
l'insurrection vaut toutes les légitimations.

En définitive, le recours à la violence, quelles que
soient les conditions qui l'ont permis ou facilité, vise
l'adhésion des Algériens à l'ALN et au FLN. Toute
guerre implique, pour chaque camp, une intransigeance
plus grande envers les conduites déviantes qui l'affaibli-
raient au bénéfice de l'adversaire ; toute guerre exige une
mobilisation sans faille. Mais ici, la pression est accrue
par la conjoncture du déclenchement de l'insurrection.
À ce moment-là, en effet, la nation algérienne n'est pas
reconnue et le FLN n'a aucune légitimité. Dès lors,
« comme ils n'étaient pas soutenus, au moment de leur
entrée en scène, par un mouvement populaire dyna-
mique et réel, ils prirent le pouvoir par la force et le
gardèrent par la force [31] ». Or, le soutien des Algériens
recèle un double enjeu politique fondamental : manifester l'existence d'une nation algérienne et démontrer la
représentativité du FLN. L'engagement des Algériens en
faveur du Front répond, en outre, à une nécessité
pragmatique qui, pour être d'une autre nature, n'en est

pas moins importante : la guerre ayant été déclenchée par un noyau d'activistes sans base arrière, obtenir l'aide de la population est une question de survie pour les maquis.

Au-delà des causes de la violence, cependant, ce sont ses formes qui sont interrogées, au premier rang desquelles l'égorgement et les mutilations. De tels gestes supposent le maniement d'une arme blanche, un contact rapproché avec la victime et une capacité à verser le sang de ses propres mains. Ils sont caractéristiques d'une société dépourvue de « tradition étatique multiséculaire », organisée en « communautés jalouses de leur indépendance et qui la défend[ent] sans le concours d'une police ou d'une armée », expliquent Moula Bouaziz et Alain Mahé[32]. Selon eux, dans cette société où chacun porte et manie le sabre ou le couteau, « le rapport aux armes blanches et aux blessures qu'elles occasionnent dans un corps à corps n'[est] pas le même du côté des maquisards et du côté des appelés du contingent ». À l'appui de leur thèse, Raphaëlle Branche constate *a contrario* que, dans les forces françaises, la torture était pratiquée par l'intermédiaire d'objets qui mettaient « le maximum de distance entre celui qui inflige la violence et le corps de l'autre » : « génératrice », « corde », « jerricane d'eau », « robinet » ou encore « les objets utilisés pour violer[33] ». Conscients, d'ailleurs, de l'impact des égorgements et mutilations sur l'opinion française, que l'adversaire sait exploiter pour discréditer leur cause, les congressistes de la Soummam les ont « formellement » interdits[34]. En 1957, en réponse au scandale de la torture, le cabinet de Robert Lacoste diffuse ainsi massivement une brochure prétendant révéler les *Aspects véritables de la rébellion algérienne*, en montrant de nombreuses photographies de victimes égorgées et mutilées.

Il faut toutefois se méfier de la focalisation sur ce type de violences qui résulte de la propagande française de l'époque ainsi que des stéréotypes accolés aux Algériens. En admettant que de tels gestes témoignent de l'importance des ruraux dans les rangs nationalistes, il reste à prouver que la violence du FLN passa davantage par les armes blanches que par des armes à feu et des explosifs. Or rien n'est moins sûr, étant donné le combat militaire mené par les maquis et le terrorisme urbain recourant au dépôt de bombes, aux jets de grenade et aux fusillades.

Les violences du FLN ont terrorisé. En réaction, elles ont pu motiver un engagement du côté des Français. Elles ont aussi suscité une adhésion très résignée aux mots d'ordre ou aux demandes des nationalistes, uniquement pour s'en protéger. Mais elles n'expliquent pas le ralliement à la cause de l'indépendance, fondée sur un sentiment national qui ne se confond pas avec l'approbation du FLN. Le cas de Mouloud Feraoun est significatif : « Dites aux Français que ce pays n'est pas à eux », écrit-il à l'adresse de ses amis écrivains Albert Camus et Emmanuel Roblès, dès février 1956 [35]. Pourtant, dans le *Journal* qu'il tient de 1955 à 1962, il renvoie dos à dos l'armée française et le FLN, coupables de violences sur une population innocente, prise dans l'engrenage terrorisme-répression. Lui-même a cédé à la menace des nationalistes en démissionnant de son poste de conseiller municipal. Mais il réfute clairement l'espoir d'une troisième force francophile que les écrivains algériens de langue française pourraient rejoindre : « Nous ne nous trouvons pas "entre deux chaises", mais bel et bien sur la nôtre [36]. » Les Algériens détiennent les clés du conflit. Les militaires français, qui l'ont bien compris, mènent aussi la guerre à leur intention.

5

L'ARMÉE FRANÇAISE AU COMBAT

En 1955, à l'Assemblée nationale, Maurice Viollette, ancien gouverneur général, lance un avertissement éclairant : « Ne nous illusionnons pas, la reconquête sera plus dure que la conquête de 1830. » De fait, l'expression française « guerre d'Algérie », construite sur celle de « campagne d'Algérie », évoque bien une opération militaire de conquête du pays, comme au XIXe siècle, lorsqu'il fallut dix-huit ans pour le soumettre et venir à bout de la résistance d'Abd el-Kader. Après plus d'un siècle d'occupation, alors que la souveraineté française est contestée, il s'agit de reconquérir le territoire, siège d'un nouveau soulèvement armé. Des moyens analogues sont mis en œuvre : au XIXe siècle, la soumission de l'Algérie s'est concrétisée par l'implantation d'une administration militaire, les bureaux arabes, qui ont encadré la majeure partie du pays et de ses habitants jusqu'en 1870 ; la guerre d'indépendance conduit l'armée à renouer avec cette tradition, également présente au Maroc, où les bureaux des Affaires indigènes ont existé pendant toute la période coloniale.

Par ailleurs, humilié par la défaite qu'il vient de subir en Indochine, le commandement français cherche à prendre sa revanche et à résoudre l'énigme posée par l'issue de ce conflit : comment se fait-il que « le plus fort [a été] battu par le plus faible [1] » ? Cette formule du colonel Lacheroy, le théoricien de la « guerre révolution-naire », exprime la perplexité d'une armée sûre de sa supériorité. Dans leur désarroi, les milieux militaires sont prêts à adopter l'analyse du colonel et à l'appliquer en Algérie pour éviter une nouvelle déconfiture. Dans cet esprit aussi, le commandement déploie à l'égard des Algériens une batterie de mesures et d'actions tendant à les soumettre à son emprise. La guerre est perçue comme une course de vitesse avec le FLN pour l'encadrement de la population.

Si elle présente des continuités avec la conquête et la guerre d'Indochine, cette « guerre d'Algérie » s'en distingue par le recours au contingent, dérogeant à l'affectation traditionnelle de ce dernier à la défense du seul « pré carré » français. Elle inclut, en outre, des opérations de maintien de l'ordre. Arrêter, détenir, interroger s'ajoutent au combat classique contre les maquis. Se dessine une nouvelle façon de faire la guerre, une guerre qui est « une sale chose [2] ».

La carrière des chefs, de l'Afrique à l'Indochine

C'est en terre africaine que les plus âgés des officiers ont été initiés au commandement et à la guerre. De futurs généraux ont ainsi combattu l'émir Abd el-Krim, dans le Rif marocain, en 1925-1926, ou réprimé les résistances paysannes du centre du pays, qui ont perduré jusqu'en 1933 [3]. Certains ont connu l'Afrique subsaharienne avant 1939 et, pendant la Seconde Guerre mondiale, beaucoup ont dirigé des troupes levées sur place et au Maghreb pour la victoire sur l'ennemi nazi. Avec son service des Affaires indigènes, fondé sur les principes du maréchal Lyautey, le Maroc constitue aussi un réservoir d'hommes et d'idées, où le commandement puise au tout début de la guerre en Algérie. Plus récente et plus marquante en raison de son issue, la guerre d'Indochine vient s'ajouter à ces antécédents, contribuant elle aussi à façonner les analyses et la conduite du conflit franco-algérien.

Sous la IVe République, en effet, les généraux commandant la 10e Région militaire que constitue l'Algérie – Paul Cherrière, Henri Lorillot et Raoul Salan – sont âgés de cinquante-quatre à cinquante-neuf ans au moment de leur prise de fonction [4]. Le premier, de septembre 1954 à juillet 1955, a servi pendant la Première Guerre mondiale, avant de partir dans le Rif. À la fin de la Seconde Guerre mondiale, il s'est s'illustré en Italie, avec son régiment de tirailleurs marocains. Il est le seul des trois à ne pas être allé en Indochine, mais il a exercé un an en Algérie, en 1948, en tant que chef de la division d'Oran.

Son successeur, Henri Lorillot, affecté au tout début de sa carrière au service des Affaires indigènes du Maroc, a également combattu dans le Rif. Après sa participation à la Seconde Guerre mondiale, il a été volontaire pour l'Indochine où il commandait notamment les troupes du Sud-Annam et des Hauts-Plateaux. De 1951 à 1953, il a dirigé la division d'Oran, comme son prédécesseur, puis la 10e Région militaire de juillet 1955 à décembre 1956, lorsque est nommé Raoul Salan.

Pour ce dernier, comme pour les militaires plus jeunes, la guerre d'Indochine a été le fait saillant d'une carrière qui a débuté en terrain colonial. Entré dans l'armée à la fin de la Première Guerre mondiale, Raoul Salan a été affecté en Syrie, en Indochine et en Afrique. C'est à Dakar, en 1942, qu'il a intégré la 1re armée du général de Lattre et conduit le 6e régiment de tirailleurs sénégalais en France et en

Allemagne. Il a accédé aux plus hautes fonctions en Indochine, où il a passé près de dix ans, et où il a exercé comme commandant en chef. Au moment où la guerre d'indépendance algérienne éclate, il préside l'association des anciens combattants de l'Union française.

Le Maroc et l'Afrique apparaissent également dans la carrière du général Massu, chef de la 10e division para-chutiste, inamovible responsable d'Alger puis de sa région, de la fin 1956 à janvier 1960. Celui-ci a en effet commencé par diriger un régiment de tirailleurs sénéga-lais qui a réprimé les insurgés du Maroc central. Son expérience des colonies s'ancre plus particulièrement au Togo et au Tchad, qu'il a quitté, à la suite de l'appel du général de Gaulle, le 18 juin 1940, pour rejoindre la 2e division blindée du général Leclerc. De 1951 à 1954, il a été commandant des subdivisions Niger-Dahomey-Togo. Il intervient en Algérie pour la première fois en 1955, dans le massif de l'Ouarsenis, et y revient plus longuement après avoir participé à l'expédition de Suez, à l'automne 1956.

Enfin, la portée de l'expérience marocaine se mesure pleinement avec des personnalités comme Vincent Mon-teil, conseiller de Jacques Soustelle, en 1955, ou encore comme le général Parlange. Nommé « commandant civil et militaire » pour les zones sous état d'urgence le 1er mai 1955, ce dernier occupera diverses fonctions en Algérie jusqu'en décembre 1960. Alors âgé de cinquante-huit ans, Gaston Parlange est officier des Affaires indigènes, ce service spécifique et crucial du dispositif colonial au Maroc, créé par le maréchal Lyautey. Promoteurs de l'instauration de l'ordre colonial par une pacification signifiant « un détournement en leur faveur des struc-tures sociales traditionnelles [5] », ces officiers étaient formés par des cours dispensés à Rabat et un stage dans

des unités composées de recrues locales, les *goums,* terme
arabe signifiant « troupe [6] ». Maîtrisant les langues
locales, ils administraient leur circonscription et soumet-
taient les populations par l'alliance de la répression et
d'un contact direct. Les qualités prêtées par Jacques
Soustelle au général Parlange – « son expérience des
questions de pacification, sa profonde connaissance du
milieu berbère, son autorité combinée avec une sympa-
thique bonhomie [7] » – disent bien du reste le paterna-
lisme de leur mission. Dans les Aurès, le général Parlange
s'entoure d'anciens officiers des Affaires indigènes, qui
sont à l'origine de la création des Sections administratives spécialisées (SAS). C'est aussi sous son commandement que la première *harka* est formée et que les
premiers camps de regroupement sont aménagés.

Par leur implantation en Algérie, les SAS rappellent
les bureaux arabes, créés au fur et à mesure de la
conquête pour administrer le pays. Pourtant, dénoncée
dès le milieu des années 1850 comme « despotisme du
sabre [8] », la politique des officiers des bureaux arabes
d'Algérie était aux antipodes des conceptions du maréchal Lyautey. Si les bureaux arabes et le service des
Affaires indigènes sont ensemble fondateurs d'une tradition d'administration militaire remise en œuvre en Algérie à partir de 1955, ils s'inscrivent dans une pratique
de la domination coloniale qui repose sur des principes
divergents : l'usage de la force et de l'arbitraire caractéri-
sait les bureaux arabes, tandis que le Service marocain
cherchait à obtenir des populations leur propre
soumission.

Cette formation en terrain colonial s'efface avec la
génération des colonels, chez qui la portée de la guerre
d'Indochine est immense. Passerelle entre la Seconde
Guerre mondiale et la guerre d'indépendance algérienne,

elle a maintenu au combat des hommes qui n'ont pratiquement pas connu de temps de paix entre les années
1940 et les années 1960.

C'est le cas de Marcel Bigeard, figure emblématique
des chefs de régiments parachutistes. Après son service
militaire en 1936, son rappel en 1939 et son évasion
d'Allemagne, Marcel Bigeard a été initié au parachutisme
par les Anglais et il a passé plusieurs années en Indochine, de 1945 à 1949 puis de 1951 à 1954, où son
audace et sa combativité sont devenues légendaires. Au
repos à l'automne 1954, il est nommé instructeur à
l'École supérieure de guerre et part en Algérie, à sa
demande, en octobre 1955. Affecté dans le Constantinois, à la tête du 3e régiment de parachutistes coloniaux,
il reste en Algérie jusqu'au début 1958. Entre-temps, il
a participé à la répression et au démantèlement de la
Zone autonome d'Alger, avant d'être affecté dans l'Atlas
blidéen. Il revient en Algérie en avril de la même année,
pour prendre la direction d'un centre de formation
consacré à la « guerre subversive », situé à Jeanne-d'Arc,
aux environs de Philippeville. L'ancien héros de la guerre
d'Indochine agit donc, mais il enseigne aussi. La guerre
d'Indochine est un objet de réflexions réinvesties sur ce
nouveau théâtre d'opérations qui s'ouvre au sud de la
Méditerranée.

La guerre d'Indochine a en effet suscité l'élaboration
de la théorie de la « guerre révolutionnaire » par le colonel Lacheroy, arrivé à Saigon en 1951[9]. Particulièrement
sensible aux analyses du 2e Bureau, celui des renseignements, et lecteur de Mao, Charles Lacheroy promeut sa
théorie, formulée en 1953, à grands renforts de conférences et de publications. Il présente la mobilisation et
l'organisation de la population comme l'élément déterminant de la victoire. Le secret vietnamien résiderait

dans l'existence de « hiérarchies parallèles », dans lesquelles « tout être humain, de la naissance à la mort, est
embrigadé », couplées à l'usage de « toutes les ressources
de l'arsenal communiste en matière de propagande et
d'action psychologique ». Or, « nous avons admis très
tardivement la nécessité de faire de la propagande [10] ».

La carrière chaotique de Charles Lacheroy, jusqu'à sa
mise à l'écart en décembre 1958, témoigne de la
méfiance qu'inspire sa pensée, d'autant qu'il se révèle
proche des fondamentalistes de la Cité catholique et de
l'Action française. Néanmoins, proposant une explication à la défaite en terre vietnamienne, sa théorie jouit
d'une popularité qui dépasse les seuls cercles militaires.
Elle exerce ainsi une influence prégnante pendant toute
la guerre en Algérie, y compris sous des formes dérivées,
qui ont été substituées au concept originel au fur et à
mesure de sa diffusion : la « guerre subversive », par
exemple, sans être synonyme, véhicule le même esprit.
Ces analyses président à l'organisation du 5e Bureau,
chargé de « l'action psychologique », et sont enseignées
au Centre d'instruction, de pacification et de contre-
guérilla, à Arzew, près d'Oran, où le colonel Lacheroy
intervient à de multiples reprises. Et, surtout, elles for-
gent une vision déterminante de l'adversaire : la « guerre
révolutionnaire » que celui-ci conduit efface la frontière
entre les combattants et les civils, tous mobilisés d'une
façon ou d'une autre. Tout Algérien, et pas seulement le
maquisard de l'ALN ou le membre de l'OPA, devient un
ennemi en puissance.

Expérience coloniale et guerre d'Indochine marquent
chacune de leur empreinte le combat mené par l'armée
française. L'encadrement des Algériens, clé du rapport
de force avec le FLN, se nourrit de l'expérience et des
compétences des officiers des Affaires indigènes ; mais il

sert aussi la lutte contre la « guerre révolutionnaire », qui suppose de couper l'adversaire de la population pour l'asphyxier et le vaincre. À la croisée de ces conceptions, les Algériens constituent l'enjeu fondamental de l'action militaire.

Les Algériens : enjeu, cibles et victimes

L'utilisation de forces supplétives, le quadrillage du pays par les SAS et les regroupements de populations s'inscrivent dans une logique d'organisation et de prise en charge des Algériens. D'ailleurs, conscient de l'enjeu que présente leur adhésion aux desseins français, le FLN leur interdit de fréquenter les SAS sous peine de représailles, et appelle les supplétifs à la désertion, de préférence avec leurs armes et munitions.

Les supplétifs se composent de quatre catégories qui, mal distinguées au début, ont été réglementées. La plus importante est celle des harkis, membres d'une *harka*, terme désignant « un corps de troupe en mouvement [11] » et rapporté du Maroc par les officiers des Affaires indigènes. Chaque *harka* comprend 50 à 60 hommes qui, sans contrat, sont payés à la journée. Les *harka* peuvent être intégrées à des formations militaires et y servir pendant de longues périodes : gendarmerie, régiments parachutistes, commandos… La toute première a été constituée, avec des volontaires, par l'ethnologue Jean Servier, présent à Arris pour ses recherches, au moment du déclenchement de la guerre [12]. Défendant la ville, à l'origine, ces hommes ont fini par mener des opérations offensives, avec la couverture du général Parlange. La réglementation des *harka* a été définie par le ministre résidant Robert Lacoste, en avril 1956. En septembre

1957, sous l'impulsion du général Salan, plus de
10 000 hommes y sont enrôlés [13].

Les autres supplétifs servent dans des formations de
sécurité et de défense locales. Les Groupes mobiles de
police rurale (GMPR), créés dès janvier 1955, se composent de volontaires, souvent anciens combattants.
Début 1957, il existe 84 GMPR, d'un effectif théorique
de 96 hommes chacun. Également appelés « gardes
ruraux » ou encore « goumiers », ils restent civils mais
portent l'uniforme, sont commandés par des officiers de
réserve ou d'active et vivent en caserne. Les *moghazni*,
quant à eux, ont été créés par le général Parlange pour
assurer, à raison de 25 à 30 hommes par formation, la
protection des SAS. Enfin, les Groupes d'autodéfense
(GAD), sortes de milices, sont armés pour la défense de
leur village. Pourvoyeurs de renseignements, ils ne sont
pas militaires mais comptabilisés comme « combattants
civils des forces de l'ordre [14] ». Au 1er janvier 1957, 141
GAD regroupent 3 500 paysans [15].

Qu'il s'agisse de se défendre contre l'ALN, de s'assurer
un revenu, de se venger des violences nationalistes ou
encore d'adhérer sincèrement à l'Algérie française, les raisons personnelles de l'engagement des supplétifs sont
diverses et non exclusives les unes des autres. D'un point
de vue politique et militaire, cependant, elles importent
peu, eu égard aux avantages que présente l'emploi
d'Algériens dans les forces françaises. Quelles que soient
leurs motivations en effet, leur seule présence fragilise
l'adversaire. Elle sape sa quête de représentativité,
puisque des Algériens en combattent d'autres. Elle fait
de l'ALN une armée moins « nationale » que son appellation le proclame. En outre, l'affectation des supplétifs à
des missions de défense locale traite l'action de l'ALN
comme un problème d'insécurité, comme une menace

pour les populations rurales ; sa dimension globale et sa portée politique disparaissent. Militairement, enfin, le recrutement de supplétifs répond aux besoins d'une guerre sans front, qui nécessite des forces humaines massives pour multiplier les petites unités et quadriller au mieux le territoire.

Les SAS assurent elles aussi cette mission de quadrillage, doublée d'une prise en charge des Algériens. Elles doivent remédier à la couverture insuffisante du territoire par l'administration civile et aux carences de l'action sanitaire et sociale, considérées comme les ferments du nationalisme. Le 26 septembre 1955, Jacques Soustelle crée ainsi, au Gouvernement général, un Service des affaires algériennes, représenté par un officier dans les préfectures et les sous-préfectures. Sur le terrain, les officiers travaillent dans des SAS installées dans les communes ou dispersées dans le *bled*. Leur nombre croît très rapidement : 192 en janvier 1956, 585 en septembre 1957 [16].

Sur le plan administratif, les militaires des SAS s'occupent de la délivrance de laissez-passer, de l'état civil, des listes électorales… S'y ajoutent l'assistance médicale gratuite, la formation d'équipes médico-sociales itinérantes, la distribution d'aide alimentaire et l'aménagement d'écoles où des soldats peuvent être affectés comme instituteurs. Forts de cette implantation très décentralisée et de leur contact direct avec les Algériens, les officiers des SAS relaient localement l'action psychologique en diffusant le matériel fourni par le 5e Bureau, tel que des films ou des panneaux de propagande… Travaillant aussi à la recherche de renseignements, ils disposent d'informateurs rémunérés et ils ont le pouvoir de procéder à des arrestations et à des interrogatoires.

Quand la torture y est pratiquée, la SAS est loin d'incarner l'idéal de pacification qu'elle est censée représenter [17].

Les SAS sont aussi chargées de gérer les camps de regroupement, consécutifs à la pratique militaire des zones interdites. Impuissante à contrôler les espaces d'habitat dispersé, l'armée a entrepris, dès 1954, d'en expulser la population, par la force et dans la précipitation, sans aucune préparation, pour surprendre l'adversaire ; une fois la zone bouclée et ratissée, voire bombardée au napalm, toute personne y circulant peut être tuée. Leurs maisons détruites, loin de leurs terres de pâturage ou de culture, les familles déplacées se retrouvent sans logement et sans ressources. C'est le général Parlange qui le premier décide de les regrouper pour les prendre en charge, alors que la pratique des zones interdites était déjà courante dans le massif des Aurès, au moment où il y arrive au printemps 1955. Les trois premiers camps voient ainsi le jour dans cette région, à M'Chounèche, T'Kout et Bou Hamma, à l'automne 1955 [18].

Au nombre de 492 au début de 1958, les camps rassemblent alors près de 400 000 Algériens [19]. Leur multiplication est liée à l'extension des zones interdites mais également à une véritable politique de regroupement. Du point de vue militaire, en effet, le regroupement permet d'exercer un contrôle strict sur les populations concernées. Les autorités civiles y voient quant à elles l'opportunité d'agir sur le monde rural ainsi pris en main. Pour Maurice Papon, préfet de Constantine, à la fin de 1957, les regroupements « impliquent à échéance une modification fondamentale de la structure économique et sociale de la population, le moyen de relever à moindre frais le niveau de vie de la masse rurale [20] ». Les camps sont pourtant dépourvus d'activité économique, d'équipement sanitaire et d'un habitat durable. Les médecins militaires qui y interviennent constatent les ravages d'une dénutrition généralisée et une mortalité infantile décuplée.

Les camps de regroupement illustrent la contradiction de l'action militaire : alors que l'armée est censée travailler à une victoire qui repose sur le ralliement des Algériens, elle recourt à des pratiques impliquant une coercition telle qu'elle condamne, *in fine*, l'entreprise ; en voulant les soustraire à la cause indépendantiste, l'armée la renforce. Cette contradiction disparaît néanmoins si la terreur est assumée comme moyen de dissuader les Algériens de rejoindre le camp nationaliste : de contre-productive, la répression collective devient utile. Ce déplacement du curseur sur l'échelle du tolérable – et de l'efficace eu égard à l'objectif recherché – explique les différences d'appréciation, au sein même de l'armée, quant aux représailles collectives, aux exécutions sommaires et à la torture.

Les représailles collectives sont une pratique ancienne dans les colonies françaises, et en particulier en Algérie : le régime pénal de l'indigénat prévoyait des amendes collectives, ainsi que le séquestre des biens, qui n'était pas forcément individuel. Dès mai 1955, le général Cherrière préconise l'usage de représailles collectives[21]. Au contraire, convaincu que « toute victime inutilement tombée et toute *mechta* brûlée, en augmentant le fossé au lieu de le combler, ferait le jeu de l'adversaire[22] », le général Lorillot interdit les « exactions » par plusieurs instructions. Les exécutions sommaires, quant à elles, sont couvertes par un texte gouvernemental du 1er juillet 1955, lorsqu'elles visent un « suspect qui tente de s'enfuir[23] ». Mais, dès 1956, un colonel critique l'engrenage infernal qui en découle : « Le 13 juin, toute la journée, j'ai circulé dans les douars Mahmel et Megadda. J'avais prescrit à mon détachement de n'ouvrir le feu que si nous étions nous-mêmes attaqués et, en aucun cas, de n'ouvrir le feu sur des "fuyards". Nous sommes arrivés assez vite un peu partout et souvent sans que les gens nous aient vu venir d'un peu loin. À peu près partout les gens se sont enfuis à notre arrivée. Ils sont terrorisés, voilà tout. Et plus nous tirerons sur les fuyards, plus les gens s'enfuiront à notre arrivée. Il va falloir réviser profondément cette notion de tir sur les fuyards qui a très souvent besoin d'être précisée dans l'esprit d'un certain nombre d'officiers. Si j'avais suivi la même règle, telle que la conçoit le capitaine MK, même en tenant compte des imprécisions de tir, nous aurions eu au soir au bilan : 12 "suspects" abattus dont 6 femmes [24]. »

La torture, enfin, présentée comme nécessaire pour obtenir des renseignements, sert aussi une logique de terreur, car « la rumeur la servait en propageant dans la population sa dimension terrorisante [25] ». Cette logique trouve son apogée avec les exécutions publiques et les expositions de cadavres. Dès 1957, dans le secteur de l'Arba, le futur chef d'état-major du général Massu à Alger, le colonel Argoud, exécute lui-même, publiquement, les « assassins » ou les « responsables [26] ». Et il contourne l'interdiction de ses supérieurs en procédant en dehors de la ville, devant la population transportée sur les lieux. D'autres exhibent les cadavres d'Algériens tués [27].

Ces pratiques de répression qui frappent massivement les Algériens ont pu être interdites ou préconisées à mots couverts. Elles renvoient à une conception ancienne de l'« indigène », qui ne serait sensible qu'à la force ; pendant la guerre, elles prospèrent aussi sur le terreau fertile de la « guerre révolutionnaire » qui fait de chacun un

« suspect » C'est le terme consacré pour désigner celui qui est arrêté et interrogé, celui qui peut être torturé car il est soupçonné de savoir ou d'avoir fait quelque chose, celui qui peut être exécuté sommairement. Cet effacement de la frontière entre combattants et civils est caractéristique de cette guerre, qui conduit l'armée à élaborer un système répressif inédit. Les militaires innovent en Algérie, tant sur ce terrain que sur celui des opérations contre les maquis.

Quadriller, réprimer, combattre

Pour le général Salan, si « la lutte contre la rébellion et le terrorisme » comporte bien une dimension « strictement militaire », elle se déroule également sur « un plan particulier » qu'il peine à définir. Il s'agit « d'atteindre les éléments formant la structure politico-administrative de la rébellion », domaine « où les moyens proprement militaires se sont fréquemment révélés inadaptés [28] ». Aux yeux du général Allard, supérieur du général Massu en 1957, cette mission est même prioritaire : « Il est plus important de détruire toute l'organisation politique d'une ville plutôt que d'anéantir une bande [29]. »

Il est donc fondamental, pour les militaires, d'exercer les pouvoirs de police leur permettant d'arrêter, de détenir et d'interroger ceux qu'ils soupçonnent de soutenir l'adversaire. Le général Massu, qui les reçoit pour Alger du préfet Serge Baret le 7 janvier 1957, n'est que le cas le plus connu d'une généralisation de cette délégation des pouvoirs de police aux militaires. Autorisée par un décret des pouvoirs spéciaux, cette délégation est le point de départ d'un circuit légal de répression qui, progressivement élaboré, en particulier à la faveur de l'expérience algéroise, mêle internement et justice. Ainsi, les personnes arrêtées par l'armée devront être assignées à résidence dans un « centre de triage et de transit » (CTT). Entièrement sous contrôle militaire, ils sont officialisés par le ministre résidant Robert Lacoste, le 11 avril 1957. À l'issue d'une période d'interrogatoire dans ces centres, devenus des lieux de pratique de la torture, les détenus peuvent être libérés, internés dans des camps civils appelés « centres d'hébergement » (CH), ou remis à la justice en vue d'une traduction devant le tribunal correctionnel ou le tribunal militaire. En septembre 1957, les centres de triage et de transit comptent 9 100 internés et les « centres d'hébergement » 6 106 [30]. De janvier 1957 à mai 1958, en moyenne 1 140 personnes sont jugées chaque mois par les tribunaux correctionnels, et 327 par les tribunaux militaires qui prononcent 577 condamnations à mort, sans compter les peines par contumace [31].

Bien qu'il existe et produise largement ses effets, ce circuit ne couvre pas, loin s'en faut, la totalité des personnes arrêtées, qui sont aussi retenues dans des lieux tenus secrets et risquent de décéder sous la torture ou d'être exécutées sommairement. L'enjeu de cette répression légale est d'avoir une trace, par l'assignation à résidence, des arrestations effectuées, et de connaître les lieux de détention militaires. Ce circuit légal, pourtant, n'est pas seulement un encadrement de l'action de l'armée. De son propre point de vue, par cette répression, l'armée témoigne de son adaptation aux conditions nouvelles de la guerre contre un adversaire qui déploie son action ailleurs que dans les maquis. Pour le général Salan, en effet, « le caractère subversif de la rébellion amène l'armée à mettre en œuvre des moyens appropriés d'ordre administratif ou judiciaire [32] ». *In fine*, le système répressif combine arrestations et interrogatoires confiés à l'armée – laquelle recourt à la torture et aux exécutions sommaires – pouvant aboutir à une détention de durée indéterminée dans un camp, ou à une sanction judiciaire légitimant *a posteriori* l'action des militaires. Leur remettant le soin de démanteler des réseaux politiques, terroristes ou de toute autre nature, ce système a constitué un modèle transposable – et transposé – à d'autres pays, notamment en Amérique latine, où des militaires ont reçu l'enseignement de leurs homologues français.

Les interrogatoires sont au cœur de ce dispositif. Ils doivent être « poussés à fond et immédiatement exploités », ordonne même le général Salan [33]. La torture est ainsi justifiée comme moyen d'obtenir rapidement des renseignements, avant que le réseau, qu'il soit terroriste ou autre, ait le temps de se mettre à l'abri ; cette nécessité rend vaines les interdictions écrites de la pratiquer. Elle est susceptible d'être utilisée au cours de tout interrogatoire, sans que cela signifie, à l'inverse, que tout militaire interrogeant des prisonniers ou des « suspects » y a recours. Gérard Bélorgey, un appelé nommé officier de renseignements, relate ainsi sa peur à l'annonce de cette nomination : « Obtenir le renseignement, je savais ce que cela voulait dire : torturer [34]. » Mais il raconte aussi comment il réussit à l'éviter : « il a fallu tricher », notamment en ne livrant personne « aux services spécialisés », les détachements opérationnels de protection (DOP).

Le 2ᵉ Bureau et son officier jouent en effet un rôle décisif. Chaque secteur militaire, chaque régiment a son officier de renseignements, qui tient à jour fiches et organigrammes synthétisant les informations collectées par les interrogatoires mais aussi par des indicateurs ou les documents récupérés de diverses façons, notamment sur un adversaire tué au combat. S'il est une pièce maîtresse de la réponse à l'OPA, cet officier centralise aussi les

renseignements dits « opérationnels », utilisables pour
monter des offensives. À partir de 1957, la montée en
puissance de ces officiers se signale par l'organisation de
stages de formation et l'officialisation des centres de
triage et de transit, où ils mènent les interrogatoires. Si
certains sont issus du contingent, comme Gérard Bélorgey, ils sont en majorité des officiers d'active, en raison
des compétences requises et de la nécessité de durer dans
l'exercice de cette mission, optimisée par une bonne
connaissance du terrain [35].

Les DOP assurent eux aussi la collecte et la centralisa-
tion de renseignements. Ces petites équipes rassemblant
une dizaine d'hommes – militaires, gendarmes et policiers – sont placées dans les secteurs militaires, tandis
que des « antennes » de trois ou quatre membres sont
dispersées. Créés dans la continuité des réflexions nour-
ries par la guerre d'Indochine, les DOP recrutent des
militaires des services spéciaux mais aussi, de fait, des
hommes du contingent, triés puis formés sur le terrain.
Leurs rapports avec le 2ᵉ Bureau restent mal définis, les
deux poursuivant un objectif similaire ; ils ont pu varier
de la soumission à l'indépendance. La pratique de la torture est habituelle chez ces spécialistes des interrogatoires
menés dans le plus grand secret et sans contrainte
légale [36]. Ils sont redoutés et leur seule évocation participe de la terreur exercée sur les Algériens.

Cette importance de l'officier de renseignements et
l'existence des DOP signalent la particularité de cette
guerre : elle ajoute au combat une répression qui se
démarque des missions traditionnelles de l'armée. Les
opérations contre les maquis, également nécessaires pour
vaincre l'adversaire, en offrent une version plus classique,
même si l'armée a dû, là aussi, s'adapter à un type de
guerre auquel elle n'était pas préparée.

Au sol, l'ALN est forte de sa mobilité, de la résistance de ses hommes et de leur connaissance du terrain, contre lesquels le déploiement de moyens lourds est inutile. Le général Cherrière, partisan de cette solution, est rapidement remplacé et la multiplication de détachements militaires légers, très mobiles, est privilégiée pour répondre au mieux à l'ALN, partout où elle se manifeste. Cette guerre a donc besoin d'hommes, d'où le recours au contingent, et d'un équipement adapté. Les véhicules doivent être tout-terrain et pénétrer dans des sites encaissés, où l'usage de l'artillerie se révèle également malaisé. C'est la raison pour laquelle l'hélicoptère s'impose, pour le transport des troupes d'abord puis, notamment sous l'impulsion de Marcel Bigeard, pour déplacer les hommes pendant les combats eux-mêmes, en fonction des lieux d'accrochage, ou pour les larguer sur les lieux de l'assaut. Des appareils sont aussi armés de canons, de mitrailleuses et de lance-roquettes pour intervenir directement contre l'adversaire [37].

L'engagement contre l'ALN, c'est souvent l'embuscade nocturne qui surprend les hommes, comme le raconte Ugo Iannucci pour son baptême du feu : « les grenades ! » « Cinq secondes après, c'est l'explosion et l'illumination. Les premières rafales crépitent. » Puis « le chef Guez, soudain, crie "halte au feu". Quelques rafales encore et c'est le silence. Je regarde fixement devant moi, prêt à affronter les ombres. Quelques instants plus tard, nouvel ordre. "En avant, en ligne." Il faut avancer, dans la nuit, en direction de l'ennemi. Ici, j'ai peur. Les autres avancent. J'avance aussi. Nous avançons en tirant. Aucun abri naturel. Tout est dénudé. Heureusement, au bout de cinquante mètres, la progression est terminée. Inutile d'insister. L'ennemi n'a pas laissé de morts sur le terrain, simplement une casquette et du ravitaillement. Il faut décrocher [38] ».

L'armée fait peu de prisonniers, la consigne étant d'exécuter tout « rebelle pris au combat les armes à la main », comme en fait état une note manuscrite, rare trace écrite de cette pratique. Datant de fin 1957, elle marque le début d'une réflexion qui ne se concrétisera pas avant la chute de la IVe République : « Une fois que le commandant de secteur a décidé que, malgré les instructions en vigueur, le rebelle pris au combat les armes à la main n'était pas abattu, et que, d'autre part, il l'a sélectionné comme "bon", "prisonnier de guerre", "susceptible de réhabilitation", que faire [39] ? »

Cette guerre reproduit l'opposition classique entre les troupes stationnées à l'échelon du secteur militaire et les troupes dites « de réserve générale », plus entraînées, comme les régiments parachutistes. Même si elles partent aussi en opérations, les premières sont plutôt employées pour la surveillance, les fouilles d'habitations, les patrouilles, les barrages routiers, les contrôles d'identité… tandis que les secondes se déplacent suivant les besoins des offensives menées. Malgré des missions différentes, ces deux types de troupes ne se distinguent pas par leur composition : dans cette guerre, exigeante en hommes, le contingent participe aux deux. Le 2e régiment de parachutistes coloniaux, par exemple, est formé par la fusion d'un bataillon de professionnels, revenus d'Indochine, et de deux bataillons d'appelés [40].

Encadrement des populations, exercice de la terreur, répression de réseaux dont l'action n'a rien de militaire, absence de front et de grandes batailles… le troisième engagement du contingent français au XXe siècle, après la Première Guerre mondiale et la « drôle de guerre », ne ressemble pas aux autres. C'est pourtant dans l'idée

d'accomplir à leur tour leur devoir, après leur grand-
père et leur père, que beaucoup de jeunes recrues partent
pour l'Algérie[41].

Le contingent dans la sale guerre

Le contingent se compose de trois catégories de soldats : les appelés, les rappelés, qui ont effectué leur service militaire mais restent à disposition de l'armée
pendant trois ans, et les réservistes. À eux seuls,
1 179 523 appelés ont servi en Algérie, du 1er juin 1954
au 1er novembre 1961 – on ne connaît pas avec précision
le total des hommes du contingent qui servirent en Algérie[42]. En outre, pour répondre aux besoins d'hommes
sur le terrain, la période d'activité a été allongée : les
classes ont été réduites de 4 mois à 3, et la durée légale
du service portée de 18 mois à 27, 28, 30, voire 33 mois
pour les sous-officiers du contingent.

La masse des effectifs déployés conduit en effet à
puiser dans le contingent pour l'encadrement des
troupes. Le nombre de sous-officiers et d'officiers de carrière est insuffisant pour l'assurer, d'autant qu'ils ont subi
les pertes de la guerre d'Indochine. À titre d'exemple, en
avril 1956, sur les 33 officiers qui encadrent les 677 rappelés du 3e bataillon du 9e régiment d'infanterie coloniale, 21 sont des officiers de réserve, et sur leurs 166
sous-officiers, 85 sont eux-mêmes des rappelés[43].

Soumis à la conscription depuis 1912, un peu plus de
100 000 Algériens ont aussi fait leur service de 1956 à
1962. Jusque-là, dans la continuité d'une pratique
remontant aux lendemains de la Seconde Guerre mondiale, le commandement n'a pas cherché à les incorporer.
Mais, à partir de 1956, le déficit des classes creuses

métropolitaines motive une politique active d'appel des
Algériens sous les drapeaux, y compris en assouplissant
des critères de sélection trop rigoureux, compte tenu de
l'état physique de ces conscrits. L'armée espère également
marquer des points contre son adversaire, qui prône
l'insoumission et la désertion. En réalité, les approxima-
tions de l'état civil, les vicissitudes de la guerre, source
d'insécurité limitant les déplacements et de désorganisa-
tion générale, contribuent aussi à limiter le pourcentage
d'incorporés par rapport aux convocations envoyées :
30 % en 1956, 19 % en 1957, 31 % en 1958 [44]. En
revanche, malgré l'absence d'évaluation précise, les autorités militaires se félicitent de la faiblesse des désertions.
Celle-ci est liée, pourtant, au « nombre important des
défections avant l'incorporation » ; « Il est plus facile, en
effet, de ne pas répondre à l'appel que d'essayer de partir
une fois intégré dans les rangs de l'armée [45] ».

A *posteriori*, en Algérie, ces appelés seront assimilés
aux harkis, dans la mesure où ils combattent dans les
forces françaises. Amalgamant aussi les deux catégories,
le commandement français prescrit une surveillance particulière de tout Algérien présent au sein de l'armée, quel
que soit son statut, harki ou appelé, pour éviter les désertions et le développement d'une propagande nationaliste.
L'incorporation vise ainsi la prise en charge de la jeunesse
masculine, force vive du nationalisme.

Pour les métropolitains, l'incorporation est le début
d'une aventure. Elle interrompt des projets ou des vies
déjà construites professionnellement et familialement.
Dans une France encore très largement rurale, nombreuses sont les jeunes recrues qui quittent pour la première fois leur région. Petit à petit, le fossé va se creuser
avec ceux restés en métropole, à qui l'expérience vécue
peut difficilement être transmise. Le courrier, les colis

maintiennent des liens ténus, dont la distension se mesure à chaque permission et plus encore après le retour définitif.

Le recours massif au contingent est la manifestation la plus visible de la guerre : c'est bien ainsi qu'elle touche tous les Français. D'ailleurs, près de la moitié d'entre eux, dès 1956, préfèrent envisager des négociations plutôt que l'envoi des jeunes en Algérie [46]. Si l'insoumission reste très marginale, les manifestations de l'automne 1955 et du printemps 1956 témoignent de ces réticences. Du 6 au 8 octobre 1955, la caserne Richepanse, à Rouen, est même le lieu d'une véritable révolte militaire qui nécessite l'intervention des CRS et des gardes mobiles. Pendant deux jours, appuyés par des manifestants civils, les soldats persistent dans leur refus de monter dans les camions venus les chercher. En 1956, les manifestations se multiplient au départ ou sur le trajet des trains, à Cherbourg, à Grenoble, au Mans, à Saint-Nazaire, notamment. Causant parfois des dégâts importants dans les gares, les manifestants tirent le signal d'alarme, bloquent les trains aux passages à niveau ou coulent du ciment dans les aiguillages pour retarder les convois [47].

Une fois sur place, la révolte cesse. Après l'arrivée à Alger, les soldats basculent dans un autre univers : transport au lieu d'affectation, rencontre avec les futurs camarades, visite du poste, découverte d'un paysage si éloigné des horizons familiers, accoutumance aux rigueurs du climat… L'expérience, cependant, varie considérablement en fonction des lieux, des dates, des régiments incorporés et des missions confiées. Ceux qui sont dans le *bled* racontent une guerre accomplie dans l'isolement d'un poste installé sur un piton pour surveiller et contrôler les alentours. « La 4ᵉ section monte la garde, ce qui est monotone et parfois dangereux. La nuit, patrouille, et le jour sortie et entraînement à la marche, au tir instinctif, au lancer de grenades et au mortier[48]. » Les corvées occupent les journées. Les cigarettes et la bière améliorent le quotidien, entre attente de la quille et misère sexuelle que comblent imparfaitement les « bordels militaires de campagne[49] ».

Le groupe se distingue par un vocabulaire inaccessible aux néophytes, il pose pour les photographies, il se soude par les fêtes traditionnelles, notamment pour célébrer les cent derniers jours avant la quille[50]. Néanmoins les tensions, souterraines ou exprimées, le traversent. Ugo Iannucci, militant communiste, est ainsi prévenu de se « tenir à carreau » : « Le capitaine Martin était policier dans le civil, dit-on[51]. » Sans aller jusqu'à la désobéissance et à la désertion – comportements radicaux, risqués et politiques –, le soldat ne consent pas toujours à la guerre ni à l'autorité. Au quotidien, il peut marquer sa réticence par des attitudes moins repérables, en traînant des pieds ou en rechignant à l'accomplissement zélé des ordres donnés. « Tirer sur les chefs » est un fantasme qui permet d'exorciser la haine engrangée contre la hiérarchie[52].

Le récit lissé de l'expérience de la guerre, produit par une approche focalisée sur la vie quotidienne du groupe militaire, peut faire écran aux violences subies et commises par cette armée massivement formée par les hommes du contingent. Au printemps 1956, les mutilations infligées par des villageois aux cadavres de jeunes soldats tombés en embuscade à Palestro frappent ainsi les esprits au point qu'une légende s'impose : ils auraient été émasculés. L'événement fait cependant prendre conscience aux Français de la réalité de la guerre qui se joue là-bas et des risques encourus par les jeunes qui y ont été envoyés[53]. Parmi les violences infligées aux

Algériens, celles « pratiquées directement sur des hommes désarmés, en dehors des combats et à froid, sont celles qui pèsent le plus lourdement sur leurs mémoires [54] ». Mais elles pouvaient se manifester, à l'époque, avec une banalité déconcertante. « J'apprends que la gégène fonctionne au bataillon. Nul ne semble s'indigner », écrit Ugo Iannucci dans son journal, au premier jour de son arrivée. « Si tu avais vu la femme jouir », commente même un de ses camarades après une séance de torture à l'électricité [55].

La participation des hommes du contingent aux massacres, aux viols, aux exécutions sommaires, ainsi qu'à la torture permet d'ailleurs de les faire connaître. Ceux qui les désapprouvent et qui, à leur retour, ont les moyens de publier leurs propres textes, alertent l'opinion métropolitaine : c'est « Lieutenant en Algérie », de Jean-Jacques Servan-Schreiber, en deux volets dans *L'Express*, les 8 et 15 mars 1957, où « Marcuse » n'est autre que le colonel Argoud ; c'est aussi « La paix des Nementchas » de Robert Bonnaud dans *Esprit*, en avril. Au même moment, une brochure circule sous un titre révélateur du phénomène : *Des rappelés témoignent*. Elle dénonce la torture, les représailles collectives, les exécutions sommaires [56]. Certaines lettres, comme celles de Jean Müller, confiées par son frère à *Témoignage chrétien* après sa mort au combat, racontent tout de la guerre [57]. La contestation, au printemps 1957, est alimentée par ces récits.

Le conflit ne saurait cependant se réduire à ses seuls aspects militaires, car il ne se joue pas seulement dans l'affrontement entre l'armée française et son adversaire algérien. Chaque camp est lui-même traversé par des rapports de forces décisifs pour le déroulement et l'issue de cette guerre aux multiples épaisseurs.

6

Une guerre en plusieurs versions

Au cours des premières années de la guerre, le FLN n'est pas le représentant exclusif du camp algérien : le nationalisme s'exprime aussi avec le MNA, constitué dès décembre 1954. Le PCA organise ses propres structures et maintient une activité clandestine, de sa dissolution en septembre 1955 jusqu'à son anéantissement fin 1957. À cette date, néanmoins, le FLN a bénéficié du renfort de militants communistes, ainsi que d'autres, venus des milieux catholiques ou du secteur de l'action sociale.

Du côté français, en marge de l'affrontement et de la répression, les Européens d'Algérie se manifestent aussi collectivement. Guidés par un soupçon permanent à l'égard du pouvoir politique et de l'armée, qui ne défendraient pas avec assez de conviction les intérêts de l'Algérie française, ils exercent une pression constante, jusqu'au terrorisme, qui finit par avoir raison des forces minoritaires modérées, tendant à une troisième voie entre *statu quo* et indépendance, entre répression à outrance et solidarité avec les nationalistes. Ici, c'est une tendance de longue durée qui s'amorce, à partir de l'hiver 1955-1956.

Dans le cercle même de ceux qui font la guerre, enfin, le rôle des autorités civiles et politiques françaises, masqué par la montée en puissance des autorités militaires, demeure opaque. Pourtant, tous ces milieux ne sont pas imperméables. Les hommes voyagent, d'Alger à Paris, et inversement ; ils se rencontrent, échangent, s'accordent ou s'opposent. En Algérie, préfets, magistrats et policiers, restés à leurs postes, doivent gérer l'arrivée de l'armée, son déploiement, la croissance de ses pouvoirs ainsi que l'application d'une législation d'exception à laquelle ils prennent directement part.

Tous ces acteurs détournent le regard du cœur de la guerre pour le porter dans les villes, dans la rue ou dans les instances étatiques. Ils participent à la guerre, la vivent et contribuent à la configurer. S'ils sont en marge des combats, ils ne sont pas en marge d'une guerre qui déborde le seul affrontement FLN/armée pour impliquer les secteurs de la société les plus concernés par son déroulement.

Dans le camp algérien : d'autres forces, d'autres voix

S'il est un principe intangible au FLN, c'est celui de la légitimité conférée par le lancement de l'insurrection. Une légitimité qui ne se partage pas : le FLN refuse aux autres forces politiques algériennes de prendre en marche le train de la lutte pour l'indépendance, en repoussant toute alliance et en n'admettant que l'intégration individuelle de ceux qui souhaitent rejoindre son combat.

Fondamentalement, le désaccord avec le MNA et le PCA repose sur des appréciations divergentes du 1er novembre 1954. L'entrée en action du FLN, en effet, vaut coup d'État aux yeux de Messali Hadj, sûr de sa légitimité de père fondateur du nationalisme algérien. Sous sa conduite lointaine, Messali étant assigné à résidence en métropole, le MTLD dissous entre dans la clandestinité, et ceux qui lui restent fidèles constituent le MNA. De son côté, le PCA juge aventureux le lancement d'une insurrection, même si le bureau politique appelle à « faire droit aux revendications algériennes ». Il n'agrée ni les moyens employés ni l'objectif proclamé : il préconise la « recherche d'une solution démocratique » tenant compte des « intérêts de tous les habitants de l'Algérie, sans distinction de race ni de religion », ainsi que des « intérêts de la France [1] ». Néanmoins soucieux d'agir, MNA et PCA s'efforcent de se doter de leurs propres structures et de mener leurs propres initiatives. Parallèlement, ils entrent en contact avec le FLN qui ne cède en rien sur ses principes et, fort de sa montée en puissance, leur impose définitivement son hégémonie au cours de l'année 1956.

À la différence du PCA, toutefois, le MNA est un concurrent direct du FLN. Comme la coexistence de deux organisations prétendant représenter la nation algérienne n'a aucun sens, leurs rapports ne peuvent être que conflictuels. Le MNA chasse sur le même terrain que le FLN, Krim Belkacem et Mostefa Ben Boulaïd eux-mêmes restent en contact avec l'ex-MTLD. Bientôt capable de commettre quelques attentats, le MNA organise aussi des maquis, sauf dans l'est du pays, rapidement rallié au FLN. Au sommet, les relations entre les deux mouvements varient de contacts, tendant à une conciliation, aux dénonciations et appels à la violence [2].

Le FLN critique la prétention de Messali Hadj, accusé d'agir comme le « coq de la fable qui ne se contente pas de constater l'aurore, mais proclame qu'il fait lever le soleil [3] ». Les divergences reposent sur des cultures militantes distinctes, l'action politique étant plus familière aux messalistes, ainsi que sur le parrainage égyptien, jugé trop pesant par Messali, dont un collaborateur, Ahmed Mezerna, venu négocier avec les quatre du Caire en 1955, est emprisonné sur place. Par ailleurs, l'existence même d'un concurrent offre aux autorités françaises une alternative dangereuse pour le FLN, d'où ses accusations récurrentes de trahison à l'encontre de son rival. À partir de l'été 1956, Messali se prononce pour la réunion d'une table ronde, comprenant des représentants de tous les partis algériens et laissant au « peuple [...] le dernier mot pour juger et apprécier toutes questions touchant à son avenir national [4] ». Le « peuple » serait son ultime recours, au moment où le FLN l'emporte.

Depuis l'hiver 1955-1956, en effet, le succès du FLN enferme le MNA dans un cercle vicieux. La réussite même des frontistes rend leur organisation attractive et entretient les ralliements, y compris de chefs de maquis à l'allégeance fluctuante. Le MNA, fragilisé par contrecoup, offre peu de résistance à la répression française, qui en démantèle les structures. Il n'apparaît pas non plus sur la scène internationale, alors que le FLN prend très tôt cette initiative. Ce dernier, enfin, est reconnu par la France : les forces de l'ordre le combattent comme leur principal ennemi, les gouvernements le désignent comme l'adversaire, les militants de la cause anticoloniale lui apportent leur soutien. Le MNA ne résiste bien qu'en métropole. Il doit batailler à la Conférence internationale des syndicats libres pour obtenir la reconnaissance de son Union syndicale des travailleurs algériens (USTA), créée en février 1956. L'Union générale des travailleurs algériens (UGTA), du FLN, a été reconnue en premier.

L'année 1956 voit aussi le FLN progresser dans sa conquête violente du terrain, cherchant l'éradication de son rival. C'est ainsi que le maquis de Mohammed Bellounis, vieux militant du PPA, est contraint de se replier de la basse Kabylie vers le sud. Mohammed Bellounis contacte l'armée française début 1957, alors que celle-ci n'intervenait pas dans l'affrontement entre les deux organisations, se contentant de le constater, sans chercher à l'exploiter à son profit. L'accord est conclu, après le massacre des 303 villageois ralliés au MNA, près de Melouza : les troupes de Mohammed Bellounis, qui comptent jusqu'à 3 500 hommes, sont entretenues par l'aide française, mais Bellounis conserve son commandement pour combattre l'ALN dans la région. Ses rapports avec le MNA deviennent alors ambigus. Si Mohammed Bellounis renie publiquement l'organisation, à la radio, le 3 décembre 1957, Messali Hadj, en revanche, ne le désavoue pas. Agissant en électron libre, Mohammed Bellounis finit liquidé par l'armée française, le 14 juillet 1958. Cette affaire consacre la perte de contrôle du MNA sur les maquis d'Algérie.

Au PCA, c'est la base qui pousse à l'action. Localement, ses militants connaissent ceux du nationalisme, comme dans les Aurès, où des communistes rejoignent Mostefa Ben Boulaïd au maquis, avec l'accord de la direction. Maurice Laban, en revanche, natif de Biskra, appelé personnellement par le chef FLN, qu'il connaît de longue date, en est empêché : le PCA veut garder la main sur cet ancien des Brigades internationales, qui conteste la ligne du parti [5]. Mais le premier semestre 1955 voit pleuvoir sur les communistes les interdictions de séjour et les expulsions, tandis que le quotidien *Alger Républicain* est régulièrement saisi pour la dénonciation qu'il fait de la répression [6]. Le 20 juin 1955, le PCA inaugure une politique officielle d'aide aux maquis. Après sa dissolution par les autorités, le 12 septembre, il organise ses propres groupes, les Combattants de la libération (CDL), à Alger et dans l'Ouarsenis principalement.

Dans cette région, Hamid Gherab, qui a déserté, et Mustapha Saadoun dirigent une quinzaine d'hommes.

Leur groupe bénéficie du détournement d'un convoi d'armes par un rappelé communiste, Henri Maillot, en avril 1956, et du renfort de Maurice Laban. Tous deux meurent dans la liquidation du groupe par les ralliés du bachaga Boualam, le 5 juin 1956. Le coup d'éclat d'Henri Maillot crédibilise le PCA comme éventuel pourvoyeur d'armes. Le FLN reste cependant sur son refus de former un « Front national démocratique ». Outre qu'il craint le savoir-faire politique des communistes, rompus aux manœuvres d'appareil, leurs analyses sur le 8 mai 1945 – une provocation de « fonctionnaires vichystes » pour torpiller toute entente entre les communautés – ont créé un contentieux que tous les militants nationalistes n'acceptent pas de dépasser. Après plusieurs rencontres, le PCA est contraint d'accepter, le 1er juillet 1956, la dissolution des CDL.

Au maquis, quand des relations anciennes existent, elles facilitent l'intégration des communistes. C'est le cas d'Abdelhamid Benzine, parti fin 1955 dans la région de Tlemcen, où le PCA bénéficie d'une solide implantation : venu du PPA, dont il a été exclu en 1949 et où il a connu Abbane Ramdane, il devient commissaire politique du FLN. La plupart, cependant, souffrent de l'anticommunisme des cadres de l'ALN, qui les cantonnent à des tâches inférieures ou particulièrement risquées, voire les liquident purement et simplement. Il existe ainsi plusieurs versions de la mort d'Ahmed Inal, militant communiste devenu lieutenant de l'ALN en Oranie : il aurait été brûlé vif par l'armée française, sciemment exposé au risque d'être pris ou encore éliminé par sa hiérarchie[7].

Les communistes continuent aussi d'agir clandestinement : Henri Alleg, Boualem Khalfa, Paul Caballero, André Moine, Éliette Loup[8]… À Alger, Georges Arbib et Daniel Timsitt, eux, arrêtés en octobre 1956,

fabriquent des explosifs pour les bombes du FLN, qui
sont montées et réglées par Abderrahmane Taleb, un étudiant en chimie travaillant pour la Zone autonome
d'Alger. De même, jusqu'à son arrestation en janvier
1957, Abdelkader Guerroudj, chef des CDL d'Alger,
entretient un contact permanent avec Yacef Saadi. C'est
ainsi que Fernand Iveton dépose une bombe dans l'usine
où il travaille. Découverte avant son explosion, elle lui
vaut d'être torturé après son arrestation puis condamné
à mort par le tribunal permanent des Forces armées
d'Alger dix jours plus tard, le 24 novembre 1956. Exécuté le 11 février 1957, il est le seul Français guillotiné
sur les 198 exécutions qu'a comptées la guerre [9].

D'autres, communistes ou non, assurent au FLN une
aide logistique. C'est le cas de militants guidés par leur
sensibilité catholique et investis dans le travail social.
Sans exclure la torture, subie par nombre d'entre eux,
le circuit légal de répression, précisément conçu pour
sanctionner ce type d'engagement, les conduit devant les
tribunaux ou au camp d'internement de Lodi, aménagé
dans les locaux d'une ancienne colonie de vacances à
l'automne 1956, et réservé aux Français.

Évelyne Lavalette, dont les sévices ont retenu l'attention en raison de sa personnalité de jeune catholique
engagée, comparaît ainsi devant le tribunal correctionnel
d'Oran, le 23 mars 1957, pour avoir aidé à la fabrication
et à la diffusion d'*El Moudjahid*. Quatre mois plus tard,
trente-cinq « chrétiens progressistes », pour reprendre la
terminologie de l'époque, sont traduits devant le tribunal
permanent des Forces armées d'Alger : parmi eux, l'abbé
Barthes, chez qui du matériel de propagande a été découvert, et Nelly Forget, assistante sociale des Centres
sociaux éducatifs créés par Jacques Soustelle. Celle-ci
a été torturée, pour avoir notamment aidé Raymonde

Peschard, une militante communiste qui avait pris le maquis et y était morte, après avoir été faussement accusée de l'attentat du Milk Bar. L'année 1957 se clôt par la condamnation à mort d'Abderrahmane Taleb, d'Abdelkader Guerroudj et de sa femme, Jacqueline, agent de liaison de son mari avec le FLN. À leurs côtés dans le box, plusieurs autres communistes des réseaux algérois, qui échappent à la peine capitale : Yahia Briki, Jean Farrugia, Jacques Salort, Georges Marcelli, Jocelyne Châtelain. Le PCA est décapité.

Le processus imposant le FLN comme acteur unique du camp algérien ne doit pas seulement à son travail de construction lente et volontaire, même s'il fait en sorte d'absorber le potentiel militant des autres forces politiques. La participation à la guerre d'acteurs venus d'autres milieux prend aussi fin avec la victoire de l'armée française à Alger, fin 1957. Entre-temps, les Français d'Algérie se sont invités dans le conflit par leurs manifestations de rue et les premiers attentats d'un terrorisme appelé à se développer.

Des tomates au bazooka, la radicalisation des Français d'Algérie

À partir de l'hiver 1955-1956, les Français d'Algérie entament une radicalisation qui va conduire à la naissance de groupes dits « contre-terroristes », et déclenchent un cycle de manifestations qui, dès lors, scandent la chronologie de la guerre et expriment leurs velléités insurrectionnelles. Deux types de structures s'érigent en porte-parole de cette opinion, où la frange ultra gagne en force : la Fédération des maires d'Algérie et le Comité d'entente des anciens combattants. Dix ans

après la fin d'une Seconde Guerre mondiale qui a largement puisé dans les forces humaines d'Afrique et du
Maghreb, les Français d'Algérie choisissent comme point
de ralliement le monument aux morts d'Alger, lieu symbolique du sang versé pour la défense de la France. Situé
sur l'esplanade qui descend vers la mer à partir de la
place du Forum, devant le Gouvernement général – le
« GG » pour les initiés –, ce lieu leur permet aussi de
manifester à portée de vue des représentants du pouvoir.
Les gouvernements sont rappelés à leurs devoirs : solidarité et fidélité envers ceux qui ne se sont pas dérobés en
d'autres temps difficiles.

Cette période de pression sur le pouvoir s'ouvre avec la
dissolution de l'Assemblée nationale en décembre 1955,
entraînant *de facto* l'abrogation de l'état d'urgence. Après
le 20 août 1955, la fin de cette législation d'exception a
été pour les Français d'Algérie une source d'inquiétude.
Cherchant des gages de la volonté répressive du pouvoir
parisien, ils se focalisent sur l'exécution des peines capitales, alors que les condamnés à mort par les tribunaux
militaires attendent une décision sur leur sort. Des
maires du département d'Alger adoptent les premiers
une motion en ce sens, suivis, fin janvier 1956, par
52 associations d'anciens combattants, à l'issue d'une
manifestation réunissant 5 000 personnes [10].

Le mois de février 1956 voit cependant l'apogée des
manifestations, du départ de Jacques Soustelle à l'installation de Robert Lacoste, en passant par la journée des
tomates, le 6, qui rassemble 15 000 à 18 000 personnes.
Le mouvement prend une tournure insurrectionnelle : le
Comité d'entente des anciens combattants se présente
comme un « Comité algérien de salut public » et somme
le gouvernement d'œuvrer avec force dans le seul sens
du maintien de la souveraineté française sur l'Algérie [11].

Dès cette époque, la pression sur le pouvoir politique s'accompagne d'une menace de substitution à l'autorité légitime, dans un processus identique à celui qui réussira le 13 mai 1958. « L'armée avec nous », « La police avec nous », scandent les manifestants du 6 février 1956 [12].

La revendication de l'exécution des condamnés à mort reste au cœur des slogans, y compris à Constantine où, par exemple, le 8 février 1956, « quelques centaines de jeunes gens se formèrent en cortège et gagnèrent la préfecture où ils se heurtèrent à un imposant barrage de police. Les policiers qui tentaient de refouler les manifestants furent bombardés à coups de boules de neige. Avant de se disperser, les étudiants se rendirent à la prison civile pour réclamer le châtiment immédiat des hors-la-loi condamnés [13] ». Finalement, le 15 mars 1956, un « Comité de coordination pour la défense de l'Algérie française et de la fraternité », comprenant des représentants des anciens combattants, des organisations professionnelles et des maires d'Algérie, adresse un ultimatum au gouvernement : si, à la date du 21 mars, aucun condamné n'a été exécuté, tous cesseront leurs contacts avec les pouvoirs publics et les mairies fermeront. En attendant, ils décident de siéger en permanence.

Robert Lacoste, martelant dès son arrivée qu'« on ne combat pas contre le terrorisme dans le désordre [14] », ramène progressivement le calme. La veille de l'expiration de l'ultimatum, il reçoit des représentants du Comité et les assure de la fermeté gouvernementale, attestée par le vote des pouvoirs spéciaux quelques jours auparavant. Deux mois plus tard, le 19 juin 1956, l'exécution de Zabana Ben Mohamed et de Ferradj Abdelkader Ben Moussa est décidée par un gouvernement qui a attendu l'échec de ses premiers contacts avec le FLN pour commettre l'irréparable : dès le lendemain, le FLN se lance dans des représailles.

Parallèlement à cette radicalisation qui s'exprime dans la rue, la vie politique algéroise s'anime à l'extrême droite, où s'organisent des groupements qui constitueront le creuset de l'OAS. Les plus activistes se lancent dans un terrorisme improprement désigné comme un « contre-terrorisme », puisqu'il ne répond pas à celui du FLN. L'Organisation de résistance de l'Algérie française (ORAF), créée par André Achiary, ancien sous-préfet de Guelma, qui autorisa l'intervention des milices le 8 mai 1945, précède même les nationalistes dans l'usage de bombes préréglées : le 10 août 1956, elle en fait exploser une en pleine Casbah, rue de Thèbes ; le bilan est de quinze à soixante morts, selon les sources [15].

Cet attentat joue un rôle dans l'évolution du terrorisme du FLN, car il accentue encore la pression exercée, à l'intérieur de l'organisation nationaliste, par une base impatiente de riposter à la violence dont les Algériens sont victimes. L'année 1956 voit en effet le FLN multiplier ses attentats, qui évoluent de l'attaque individuelle vers le dépôt de bombes dans des lieux publics, comme au Milk Bar et à la Cafétéria, le 30 septembre, faisant quatre morts et une cinquantaine de blessés [16]. Les meurtres d'Algériens, commis par des Français d'Algérie lors des obsèques des victimes du terrorisme, constituent alors une forme de passage à l'acte dans le processus de substitution à des pouvoirs publics jugés laxistes et impuissants. Comme dans le Nord-Constantinois, après le soulèvement du 20 août 1955, les Français d'Algérie vengent eux-mêmes la mort des leurs par des représailles collectives aveugles [17].

Ainsi, le 29 décembre 1956, huit Algériens sont tués, et cinquante-huit autres blessés, dont dix grièvement,

aux obsèques d'Amédée Froger, président de la Fédération des maires d'Algérie, l'un des animateurs du mouvement de l'hiver 1955-1956, tué par le FLN. Ce jour-là,
de 14 heures à 19 heures, des groupes de « jeunes gens »,
armés, se détachant du cortège qui traverse la ville,
frappent et poursuivent les Algériens dans les rues, attaquent leurs boutiques, leurs voitures ou leurs camion-
nettes. « Devant le Majestic », par exemple, après des
premiers coups de feu, « deux coups de revolver claquèrent à nouveau, suivis de plusieurs autres. Ils avaient
été tirés par des manifestants contre un musulman qui,
dit-on, avait eu un geste obscène à l'adresse de la foule.
Après une véritable chasse à l'homme, celui-ci fut abattu
par plusieurs rafales de mitraillettes près du collège
Lazerges. Des hommes et des femmes s'acharnèrent sur
le cadavre [18] ». Une fois encore, l'armée est appelée en
renfort tandis que les responsables politiques sont
conspués : « Guy Mollet au poteau », « Lacoste au
poteau », « Armée au pouvoir ».

Ramant à contre-courant de l'évolution générale, la
tendance libérale sort laminée de tous ces événements.
Jacques Chevallier, dont Claude Bourdet qualifie l'action
de « néocolonialisme intelligent [19] », perd l'influence
qu'il a gagnée en étant élu député d'Alger en 1952 et
maire de la ville en 1953. Ministre de Pierre Mendès
France puis d'Edgar Faure en 1954-1955, il s'est distin-
gué en dénonçant publiquement les tortures subies par
des conseillers municipaux d'Alger, membres du MTLD,
arrêtés après la dissolution de leur parti. Marginalisé, il
incarne une modération et un libéralisme qui lui valent
d'être pris pour cible par les manifestants algérois.

Dans le même registre d'opinions, la Fédération des
libéraux d'Algérie, qui s'est constituée en mars 1956 en
réaction aux demandes d'exécution des condamnés à

mort, peine à faire entendre sa voix. Puisant ses origines
dans un mouvement informel antérieur à la guerre, la
Fédération se structure dès octobre 1955 par les fédéra-
tions d'Alger du MRP, de Jeune République, de la SFIO
et de l'UDSR [20]. Ce cartel contribue notamment à organiser, le 29 janvier 1956, la conférence d'Albert Camus
venu soutenir l'idée d'une trêve civile. La Fédération des
libéraux édite périodiquement *L'Espoir-Algérie*, au titre
révélateur de son aspiration à préserver « la dernière
chance de coopération, la dernière possibilité de ne pas
s'abandonner à la violence [21] ». Cinq saisies de suite ont
cependant raison de sa parution en avril 1957. C'est que
la Fédération des libéraux critique autant les ultras que
la politique des autorités à leur égard. Après les meurtres
commis en marge des obsèques d'Amédée Froger, elle
s'étonne ainsi de l'inefficacité des forces de l'ordre et
impute au gouvernement la responsabilité d'avoir
« refusé de lutter sur deux fronts » et « tout fait pour
donner des gages à la fraction ultra de la population
européenne [22] ».

Au début de l'année 1957, cette fraction en arrive à
s'attaquer au commandant en chef lui-même, le général
Raoul Salan. Le 16 janvier 1957 Philippe Castille, un
militant de l'ORAF expert en explosifs, tire au bazooka
sur le bureau du général, tuant l'un de ses adjoints, le
commandant Rodier. À l'époque, Raoul Salan, qui vient
d'arriver à Alger, n'inspire pas confiance aux partisans de
l'Algérie française. L'affaire du bazooka mène les enquêteurs sur une piste restée inaboutie : celle de complicités
dans les milieux gaullistes, le nom de Michel Debré étant
notamment cité par René Kovacs, dirigeant de l'ORAF
et co-organisateur de l'attentat. Ultras et gaullistes se
seraient alliés dans l'objectif d'ébranler la IVe République. Aujourd'hui encore, l'affaire reste mystérieuse [23].

Faut-il cependant appréhender le comportement des Français d'Algérie par leurs manifestations et les attentats des plus activistes d'entre eux ? Événements aisément repérables, ces actes traduisent une radicalisation constante. Mais, focalisé sur Alger et l'expression consciente de choix politiques, ce point de vue ignore les Français d'Algérie comme acteurs sociaux, dont les stratégies personnelles exprimeraient mieux les convictions profondes qu'une participation affichée à des manifestations ou à des organisations ultras. Les travaux historiques manquent encore pour éclairer ce pan de l'histoire de la guerre d'indépendance algérienne, alors que les acquisitions immobilières dans le sud de la France, par exemple, ou l'envoi des enfants en âge d'étudier à l'université en métropole, offriraient peut-être une version moins univoque des attitudes de cette communauté [24]. Leur mise en œuvre témoignerait d'un doute, d'une incertitude, au-delà du combat mené avec fermeté et constance, dans la sphère publique, pour la préservation d'un *statu quo*. Si le développement de ces stratégies peut paraître improbable pour les premières années de la guerre, il est aussi possible que des disparités géographiques apparaissent. La minorité des Français d'Algérie installée dans l'est du pays, qui a connu les événements du 8 mai 1945, qui vit parmi une population majoritairement algérienne, a-t-elle perçu les événements de la même façon que les Algérois ?

Une autorité civile sous la botte de l'armée ?

« Parce que le parachutiste se considère comme le soldat par excellence, il est par là même l'anti-civil par excellence [25]. » Cette affirmation de Jean Planchais, journaliste spécialiste de l'armée, reproduit une vision du monde appartenant à l'univers militaire, dans lequel autorités militaires et autorités civiles fonctionnent comme des catégories antithétiques. L'antagonisme serait la norme de leurs rapports.

Or, la guerre d'indépendance algérienne porte à son paroxysme la confrontation entre l'armée et le pouvoir politique, jusqu'à la tentative de putsch du 22 avril 1961, aboutissement d'un long processus de montée en puissance de l'armée. Cette tentative renforce l'idée d'une opposition entre les autorités militaires et les autorités civiles ; pourtant, l'accroissement des pouvoirs de l'armée résulte de décisions volontaires, consciemment prises et appliquées par les hommes politiques qui en ont été les artisans, avec une entière maîtrise de leurs actes ; des hommes convaincus que les circonstances requéraient un transfert de pouvoir au bénéfice des autorités militaires, processus banal, caractéristique de toute guerre. C'est le cas, d'abord, le 1er mai 1955, lorsque le général Parlange est substitué au sous-préfet dans les Aurès. À plus grande échelle, en mars 1956, les pouvoirs spéciaux sont utilisés par le gouvernement de Guy Mollet pour signer un décret autorisant la délégation de tous les pouvoirs ; un texte qui légalise aussi la pratique des zones interdites[26]. Les ministres signataires ont agi sans pression militaire, suivant simplement leur conviction que les forces de l'ordre devaient légalement recevoir tous les moyens d'agir.

Maurice Bourgès-Maunoury ne disait rien d'autre, le 31 mars 1955, quand, ministre de l'Intérieur, il soutenait le projet de loi d'état d'urgence devant les députés : « Je pense qu'avec le droit commun ancien, le policier, le militaire étaient souvent devant l'horrible choix d'être inefficaces ou d'être des meurtriers. Cela doit désormais être évité. » Pour cette raison, il signe le 1er juillet 1955, avec le général Koenig, alors ministre de la Défense, l'instruction qui, définissant les conditions de la « lutte au sol », autorise de tirer sur « tout suspect qui tente de s'enfuir ». Une telle prescription permet aussi de couvrir les décès sous la torture ou de tuer en dehors des combats, sans risque de poursuites judiciaires ni de sanctions. Sur déclaration des militaires, en effet, les gendarmes établissent des procès-verbaux déclarant comme « fuyards abattus » des hommes et des femmes morts dans des circonstances invérifiables. Dans le cas de Maurice Audin, jeune mathématicien du PCA, les militaires vont même jusqu'à jouer une fausse évasion pour expliquer sa disparition[27].

L'encadrement même des Algériens par l'armée se réalise en accord avec les représentants du pouvoir politique à Alger. C'est Jacques Soustelle qui crée les SAS, rattachées à un Service des affaires algériennes installé au Gouvernement général ; c'est Robert Lacoste qui réglemente les *harka* et officialise les centres de triage et de transit. Courroie de transmission d'Alger à Paris, il consulte même le ministre de la Justice d'alors, François Mitterrand, à qui il présente cette décision sous l'angle du contrôle des arrestations effectuées par les militaires. Prudent, ce dernier lui fait répondre que « la procédure envisagée » a son « agrément *provisoire* » mais que « son approbation restera "muette" ». Ainsi, « ce qui sera conforme à cette procédure ne provoquera pas de protestation de notre part, ni d'approbation écrite[28] ».

Finalement, loin d'appartenir à des sphères figées, strictement séparées l'une de l'autre, sans passerelle ni lien, les militaires et des civils, au premier rang desquels des hommes politiques, adoptent des points de vue convergents. Ils travaillent dans le même sens. Les voyages des ministres venus de Paris en Algérie, accompagnés par Robert Lacoste, sont fréquents, et ils sont l'occasion de contacts renouvelés, d'un soutien publiquement ou discrètement exprimé aux militaires. Robert Lacoste, Max Lejeune et Maurice Bourgès-Maunoury « donnaient des instructions de poursuivre la lutte à outrance », raconte le général Allard, qui les a suivis dans plusieurs visites [29]. Et Marcel Bigeard leur expliquant « qu'on n'arrive pas à de tels résultats avec des procédés d'enfant de chœur », « il lui fut répondu de veiller seulement à ce qu'il n'y ait pas de bavures », témoigne-t-il encore.

Robert Lacoste est le pivot de la circulation des informations et des idées. À Paris aussi, la composition des ministères exprime la confiance des politiques envers les militaires et permet leur collaboration. Le choix de leurs conseillers par les ministres de la Défense se porte ainsi sur des officiers dont les conceptions façonnent la guerre menée en Algérie. Maurice Bourgès-Maunoury, à ce poste dans le gouvernement de Guy Mollet, appelle le colonel Lacheroy à ses côtés. Conquis, il lui confie un Service d'information et d'action psychologique, qui multiplie les saisies de la presse métropolitaine. Resté en place avec André Morice, de juin à novembre 1957, Charles Lacheroy est désapprouvé par le ministre suivant, Jacques Chaban-Delmas, qui l'envoie dans le Nord-Constantinois [30]. En revanche, le nouveau ministre nomme Marcel Bigeard à son état-major personnel et inaugure son « école de guerre subversive [31] ». Connu comme le « centre Jeanne-d'Arc », du nom du hameau où il est situé, ce centre de formation allait provoquer le scandale, lorsque, le 18 décembre 1959, *Témoignage chrétien* publie l'interview de quatre rappelés qui déclarent : « on nous expliquait pendant le cours sur le renseignement qu'il y avait une torture humaine [32] ». Ainsi, qu'ils placent leur confiance en Charles Lacheroy ou en Marcel Bigeard, les ministres de la Défense sont informés des méthodes utilisées par l'armée en Algérie. La façon dont la guerre y est menée est connue et approuvée au cœur même des instances gouvernementales.

Sur le terrain, peu de tensions s'expriment entre les autorités militaires et les autorités civiles qui participent à la lutte contre le FLN. Les magistrats ont en charge, en permanence, des milliers d'affaires à instruire, et, chaque mois, les tribunaux correctionnels jugent plusieurs centaines de personnes accusées de délits ; chaque mois, également par centaines, celles qui sont poursuivies pour des actes qualifiés de crimes sont traduites devant les tribunaux militaires. Les préfectures, quant à elles, gèrent des camps d'internement où, sous l'euphémisme d'« hébergement », sont détenues des milliers de personnes. Certaines ont été arrêtées dès le début du conflit, d'après les listes de militants et cadres nationalistes tenues à jour par les services de renseignements locaux chargés de la surveillance des milieux politiques algériens. Cette guerre, qui mêle des opérations de maintien de l'ordre et des opérations militaires, implique ainsi les autorités civiles.

Or, à Alger, en 1957, seuls deux hommes ont affronté les autorités militaires sur le contrôle des arrestations et des interrogatoires : Paul Teitgen, secrétaire général de la préfecture de police, et Jean Reliquet, procureur général. Le premier souhaite démissionner dès mars 1957 pour protester contre la torture, face à laquelle il regrette son impuissance alors qu'il couvre les arrestations auxquelles procèdent les militaires, en signant des arrêtés d'assignation à résidence. Il quitte finalement Alger en septembre et dénonce, par la suite, les disparitions d'individus appréhendés par les militaires. Jean Reliquet, lui, s'oppose au général Massu sur les pouvoirs de police et entend être informé de toutes les arrestations. Recueillant des plaintes de détenus dénonçant les sévices qu'ils ont subis, il obtient un rendez-vous avec le général Allard, supérieur du général Massu, et le général Salan, commandant en chef, pour leur demander de punir les soldats tortionnaires. Jusqu'à son départ d'Alger en octobre 1958, il paiera son initiative de calomnies et d'une mise à l'écart, y compris de la part de Robert Lacoste, qui fait bloc avec le commandement [33].

Les magistrats continuent d'exercer leur métier, sans percevoir un changement lié aux conditions nouvelles de la guerre. « Je n'ai pas ressenti ce qu'on pourrait appeler un transfert de compétence », témoigne un magistrat instructeur. « Je suis resté en possession des dossiers que j'avais, sauf que la coloration de ces dossiers était différente. Ce n'était plus des crimes de droit commun, c'était des crimes dits politiques [34]. » Ils jouent donc le rôle qui leur est demandé. En octobre 1957, le procureur général de Constantine sermonne même les juges placés sous son autorité pour les appeler à un devoir d'union avec les combattants. Il leur demande de penser à « nos Soldats magnifiques dont quelques-uns tombent chaque jour en opération de pacification », et leur assène : « Vouloir que notre Algérie reste française, c'est bien, œuvrer dans ce but tous ensemble et de toutes nos forces serait mieux [35]. » Il joue sur la culpabilisation des magistrats, dont la vie n'est pas menacée, alors que les militaires, eux, risquent chaque jour la leur.

Si la guerre ne connaît pas de front, au sens spatial du terme, cette notion imprègne donc tout de même les esprits. Ceux qui combattent sont au front et les autres,

à l'arrière, sont contraints de soutenir l'armée pour ne
pas la trahir. L'attitude de Jean Reliquet est significative
de l'idée qu'il se fait de son devoir dans une telle
conjoncture. S'il combat avec courage et fermeté la torture, il admet que les individus relâchés par la justice,
après un non-lieu ou un acquittement, par exemple,
soient remis aux autorités militaires qui décident, *in fine*,
de les libérer ou d'interner ceux qu'elles considèrent
comme dangereux. Il autorise aussi l'extraction de détenus emprisonnés, pour que les militaires puissent les
interroger, s'ils l'estiment nécessaire. Il ne veut pas que
la justice soit accusée d'avoir « découragé l'armée, entravé
son action, et provoqué le renouvellement des attentats [36] ». Il se plie aux impératifs de la lutte contre
l'ennemi, à la seule condition que celle-ci s'inscrive dans
un cadre légal, si nécessaire négocié et dérogeant au droit
commun. La pratique de la torture, en revanche, marque
la limite de son consentement.

Les membres du corps préfectoral, de leur côté, ont
été très peu étudiés et n'ont livré que peu de témoignages [37]. Le cas de Maurice Papon, IGAME à Constantine de 1956 à 1958, met cependant en évidence une
répartition consentie des rôles avec l'armée, sans qu'il
s'agisse d'un dessaisissement total [38]. Georges Audebert,
de son côté, envoyé à Relizane en septembre 1958, relate
notamment l'histoire de l'un de ses prédécesseurs, le
sous-préfet Lakdhari, trois ans auparavant. Fils d'une
grande famille algérienne, ce dernier souhaita démissionner une première fois pour protester contre l'anéantissement d'un village par l'armée ; témoin de tortures
pratiquées par les gendarmes, il fut malmené par les
parachutistes et finit par rejoindre le FLN [39]. Des préfets
ont aussi rempli des fonctions administratives particulières, comme, par exemple, la direction du Service

central des centrés d'hébergement, installé au Gouvernement général pour gérer les camps d'internement. Les
rapports entre les autorités militaires et les membres du
corps préfectoral, ainsi que les missions qui leur étaient
confiées, mériteraient d'être explorés.

Policiers et gendarmes sont également un point
aveugle de l'historiographie, alors qu'ils participent à la
guerre, ne serait-ce que dans le cas extrême des DOP. Le
rapport de Roger Wuillaume, chargé d'enquêter en
1955, et ceux de Jean Mairey, directeur de la Sûreté
nationale, sont les seules sources actuellement exploitées [40]. Roger Wuillaume, favorable à une réglementation
des sévices, constate qu'ils sont « plus ou moins » prati-
qués par « tous les services de police, gendarmerie, PJ
[police judiciaire] et PRG [police des renseignements
généraux] [41] ». Scandalisé, au contraire, Jean Mairey tient
même d'un inspecteur, envoyé en mission à Oran, que
« l'exécution sommaire n'effraie pas nos collègues [42] ». Il
n'envisage qu'une solution, pratiquement impossible à
réaliser : l'« implantation en Algérie de deux cents commissaires et inspecteurs métropolitains, destinés à remplacer un nombre égal de fonctionnaires qui seraient
ramenés en France ». Alors que, d'un côté, les volontaires
manquent pour partir en Algérie, il craint surtout la
« contamination » de la police métropolitaine par ceux
qui, « choisis parmi les plus suspects de se livrer à des
actes répréhensibles », seraient mutés dans l'autre sens [43].

Cette pratique de la torture par les services de police
en Algérie est bien antérieure à la guerre d'indépendance.
Dès 1936, Maurice Viollette, alors gouverneur général,
l'a dénoncée à Charles-André Julien, historien spécialiste
du Maghreb et conseiller de Léon Blum [44]. Puis le gouverneur général Marcel-Edmond Naegelen l'a interdite
par une circulaire le 21 octobre 1949 [45]. Et elle a encore

été dénoncée, au début des années 1950, lors de la répression de l'Organisation spéciale, sans que les quatre-vingts plaintes déposées aient « la moindre conséquence », pour reprendre les mots de Jacques Fonlupt-Espéraber, conseiller d'État, député MRP en 1955, qui suivit le dossier [46]. La guerre, finalement, étend la pratique aux militaires, qui la justifient par la recherche du renseignement et l'insèrent dans leur dispositif de lutte contre l'adversaire.

L'attitude des autorités civiles face à la torture, analysée par Pierre Vidal-Naquet dans un ouvrage pionnier [47], n'est pas la seule question posée par l'examen de leur implication dans le conflit. Comme dans toute société en guerre, autorités militaires et autorités civiles sont mises en relation, que ce soit à Alger ou dans le *bled*. Ces relations se déclinent avec une complexité encore mal connue, l'entente cordiale ou la franche opposition ne constituant que les deux pôles les plus repérables d'attitudes qui ont pu emprunter des voies plus nuancées, comme dans le cas du procureur général d'Alger, Jean Reliquet. En tout cas, ces relations ne s'inscrivent pas seulement dans un rapport de domination des militaires sur des civils qui tenteraient vainement de recouvrer leurs pouvoirs, comme l'aboutissement du putsch pourrait le suggérer dans une lecture de l'histoire à rebours.

Les autorités civiles élaborent l'encadrement législatif et réglementaire de la guerre ; elles travaillent à côté des militaires dans leur propre domaine de compétences ; elles transmettent des pratiques de répression anciennes ; elles légitiment l'action de l'armée par leur soutien qui, publiquement, ne se dément pas. En effet, pour complexes que soient leurs relations avec les militaires dans le cercle confiné des instances étatiques, la solidarité est de mise au regard de l'extérieur. Jean Reliquet ou Paul Teitgen, jusqu'à ses témoignages lors de procès métropolitains en 1960, s'abstiennent de toute dénonciation publique de la torture ; cette dénonciation gagne pourtant la frange intellectuelle de l'opinion française en 1957.

III

AU CŒUR DE L'AFFRONTEMENT
(1957-1959)

7

LA RÉVÉLATION DE LA TORTURE

Depuis les attentats du Milk Bar et de la Cafétéria, le FLN a lancé l'offensive à Alger où, sous l'impulsion de Larbi Ben M'Hidi, une grève générale doit être déclenchée le 28 janvier 1957, alors que l'ONU s'apprête à examiner le cas algérien. Mais le général Massu, qui a reçu la responsabilité du maintien de l'ordre pour l'empêcher, usant de la force et de l'intimidation, parvient à faire échouer ce mot d'ordre du FLN. L'action terroriste, en revanche, pilotée par Yacef Saadi, se manifeste en deux temps forts : début février, les explosions au stade municipal d'Alger et au stade d'El Biar font dix morts et trente-quatre blessés ; en juin, l'attentat au Casino de la Corniche tue huit personnes et en blesse une centaine. L'arrestation de Yacef Saadi, le 24 septembre, suivie de la mort de son adjoint Ali La Pointe, le 8 octobre, consacre cependant le démantèlement de la Zone autonome d'Alger. Cette expérience est restée une tentative unique de structuration d'une ville comme secteur autonome du combat pour l'indépendance.

L'expression française « bataille d'Alger » désigne mal les opérations menées par les parachutistes, qui ne sont pas de nature strictement militaire. Du point de vue français, elle traduit bien, cependant, la dualité de la guerre conduite par l'armée en Algérie, entre combat et répression. Aucune expression alternative n'a d'ailleurs pu être proposée, à moins de se placer du point de vue algérien et de la désigner comme « la grande répression d'Alger [1] ».

Lieu et moment de l'élaboration d'un système répressif inconnu jusqu'alors, cette « bataille » s'accompagne d'un enchaînement d'affaires révélées par la presse qui, en l'espace d'une quinzaine de jours, en mars 1957, précipite la métropole dans la contestation de la manière dont est conduite la guerre en Algérie.

« Se taire, c'est être complice »

Le 13 mars 1957, la sortie du livre de Pierre-Henri Simon, membre du Cercle des intellectuels catholiques, *Contre la torture*, aux éditions du Seuil, fait sauter les réticences de ceux qui craignaient de dénoncer la guerre. Pour Hubert Beuve-Méry, directeur du *Monde*, jusque-là le « dilemme » était « redoutable » : alors que, « témoins ou victimes d'atrocités commises en Algérie par des Français, des lecteurs s'affligent de la relative discrétion qu'observe *Le Monde* à ce sujet », il note, le jour même de la parution du livre, que « pour d'autres au contraire toute information qui peut être exploitée contre nous est déjà une trahison ». Mais, le convainquant que « se taire, c'est être complice », le livre balaie ses hésitations.

Cette prise de position, loin d'être isolée, est renforcée par les affaires qui surgissent au même moment. Le « suicide » de Larbi Ben M'Hidi, annoncé quelques jours avant la parution de *Contre la torture*, a immédiatement été mis en doute, notamment dans *France-Observateur* : « Bien qu'ayant eu les pieds et les poings liés pour éviter toute tentative d'évasion, le dirigeant nationaliste serait parvenu, selon M. Gorlin [porte-parole de Robert Lacoste] à confectionner une corde avec des lambeaux de sa chemise et à se pendre à un barreau de la fenêtre. » Les circonstances de la mort du chef historique du FLN, membre du CCE et responsable de la Zone autonome d'Alger restent non élucidées : il aurait été pendu ou fusillé, avec ou sans les honneurs militaires, selon les témoignages [2].

Deux jours plus tard, une commission parlementaire, chargée d'enquêter sur une affaire de tortures datant de l'automne 1956, remet un rapport controversé, aussitôt publié par *Le Monde*. Le docteur Léon Hovnanian, lui-même membre de cette commission, dément en effet l'absence de « preuve valable » de sévices. S'« il est bien certain que, trois mois après les faits, il est difficile de vérifier l'existence de tortures, d'autant plus qu'on s'efforce d'employer des méthodes laissant le moins de traces possible », il a relevé des « contradictions » : « Par exemple, mettre sur le compte d'une épidémie d'eczéma [*sic*] les traces que l'on peut relever sur les mains et les pieds de certains détenus, est une explication qui peut difficilement être retenue par un médecin. » La contestation de ce rapport, dit rapport Provo, du nom du parlementaire socialiste qui dirige la commission d'enquête, occupe alors la presse, jusqu'à ce que, le 26 mars, le « suicide » de Me Ali Boumendjel, détenu par les parachutistes depuis le 9 février, soit annoncé.

Sa mort entraîne une série de protestations, dont celle de René Capitant, professeur de droit à la faculté d'Alger, dont Ali Boumendjel a été l'élève, qui suspend ses cours. Me Ahmed Boumendjel écrit au président de la République, René Coty, pour dénoncer le fait que son frère « était séquestré sous la responsabilité des pouvoirs publics qui lui devaient protection [3] ». Le lendemain, dans le même journal, le bâtonnier de l'ordre des avocats de Paris condamne le « recours à des pratiques qui sont la négation des règles posées par nos codes pour prémunir les dépositions et les interrogatoires contre l'arbitraire et tout caractère occulte ». Par ailleurs, fin mars, le général Pâris de Bollardière informe l'opinion de sa démission, par l'intermédiaire de Jean-Jacques Servan-Schreiber, qui a servi sous ses ordres et dont il appuie les articles parus dans *L'Express*.

Le 5 avril est aussi publiée dans *Le Monde* une lettre écrite par le doyen de la faculté de droit d'Alger, Jacques Peyrega, au ministre de la Défense pour dénoncer une exécution sommaire dont il a été témoin trois mois plus tôt. Il ne veut pas, en effet, « être considéré plus longtemps comme complice ». Les parachutistes avaient arrêté un homme, même « s'il semblait assez difficile de le tenir avec certitude pour l'un des terroristes qui avaient pu être aperçus dix minutes auparavant à une centaine de mètres de là ». Le parachutiste qui le tenait « lui donnait un coup de genou dans le bas des reins et l'homme trébuchait et tombait sur les mains ». Considérant que « l'époque n'est plus à la sensiblerie en Algérie », le doyen n'est alors pas choqué, mais il est bouleversé par l'assassinat de l'homme, à quelques mètres de lui. « L'homme tombé était accroupi comme pour la prière, presque devant moi, un peu sur ma gauche : le parachutiste était toujours collé derrière lui, la mitraillette à la hauteur des reins de son prisonnier : deux petits coups secs claquèrent. »

Jacques Peyrega proteste cependant contre la publication de sa lettre qui, réalisée contre son gré, soulève les milieux universitaires algérois. Des étudiants organisent grève et manifestations contre lui. Ses collègues lui refusent leur soutien, certains l'accusent, dans *Le Monde* du 11 avril, de s'associer à « la campagne de dénigrement de l'armée française ». Malgré l'appui qu'il trouve à Paris où des professeurs signent une motion pour l'approuver, Jacques Peyrega doit abandonner son poste.

En mai, la nomination d'une Commission de sauve-garde des droits et libertés individuels, par le gouverne-ment de Guy Mollet, suspend l'engrenage des affaires. Il a pourtant fallu un mois au gouvernement, entre la déci-sion de former cette commission le 5 avril et sa première réunion le 10 mai, pour faire le choix très sensible de ses membres. Et son rôle est limité, car il est seulement prévu qu'elle « sera consultée chaque fois qu'un fait pou-vant constituer un abus parviendra […] aux autorités », même si elle « pourra aussi donner son avis spontané-ment [4] ». Sous la direction de Pierre Béteille, ses membres se lancent rapidement dans diverses enquêtes : Charles Richet et Henri Zeller visitent des camps d'inter-nement, Robert Delavignette étudie l'action des mili-taires, à la fois les « exactions » et les SAS, tandis que Maurice Garçon se charge des sévices et des dis-paritions [5].

Cependant, le massacre dit « de Melouza » et la relance des attentats à Alger en juin supplantent les cri-tiques envers l'armée. La dénonciation des horreurs de la guerre tend désormais à se faire sur deux fronts, renvoyés dos à dos, comme en témoigne la déclaration d'un ancien sénateur, Mohammed Kessous, rapportée par *Le Monde* le 11 juin : « Alors que tant de Français de souche condamnent courageusement ceux des leurs qui com-mettent des atrocités dans nos villes et nos campagnes, tout musulman bien né leur fera écho en condamnant avec une fermeté égale ceux des siens qui souillent par des gestes criminels la cause de la liberté en prétendant la défendre. » La presse choisit également l'attentisme après la chute du gouvernement de Guy Mollet : quelles réponses apportera son successeur aux dénonciations de ces violences ?

Les six derniers mois de l'année 1957 voient éclater les affaires Alleg et Audin. Tous deux membres du PCA, ils ont été arrêtés en juin par les parachutistes ; en août, Gilberte Alleg et Josette Audin, inquiètes pour leurs maris, décident d'alerter l'opinion métropolitaine. La personnalité même d'Henri Alleg, ancien directeur d'*Alger Républicain*, aide à la médiatisation de son cas. Les 6 et 7 août, ses avocats dénoncent le fait qu'ils n'ont pas encore pu voir leur client qui, interné au camp de Lodi, ne peut recourir aux services de défenseurs. Le 21 août, enfin, Henri Alleg est présenté au capitaine Missoffe, juge d'instruction militaire au tribunal permanent des Forces armées d'Alger, qui l'inculpe pour reconstitution de ligue dissoute et atteinte à la sûreté extérieure de l'État.

Le cas de Maurice Audin mobilise les milieux universitaires, qui créent un Comité portant son nom, pour « la recherche de la vérité dans l'affaire Audin et la dénonciation de la torture [6] ». Ses membres, parmi lesquels Laurent Schwartz, Luc Montagnier, Madeleine Rebérioux ou encore Michel Crouzet, représentent « toutes les professions universitaires » ainsi que « toutes les sensibilités politiques de gauche [7] ». La soutenance du doctorat d'État de Maurice Audin, organisée en son absence à la Sorbonne, le 2 décembre 1957, crée aussi l'événement.

Au même moment, la presse entretient une polémique autour des travaux de la Commission de sauvegarde. En effet, les successeurs de Guy Mollet, Maurice Bourgès-Maunoury et Félix Gaillard, promettent, sans s'exécuter, la publication du rapport synthétisant les travaux de ses membres. Début octobre, deux d'entre eux, Robert

Delavignette et Maurice Garçon, démissionnent pour dénoncer le fait que leurs enquêtes n'ont « reçu aucune suite [8] ». Finalement, le 14 décembre, *Le Monde* rend public le rapport de la Commission, qui étudie les « violences », « tortures », « conditions dans lesquelles sont intervenues les mesures d'internement » ainsi que, dans un court paragraphe, les conditions de détention dans les centres de triage, les « centres d'hébergement », les établissements pénitentiaires et hospitaliers. La Commission a gardé pour la fin les disparitions, sujet d'actualité depuis que les affaires Alleg et Audin ont émergé. Sa conclusion est empreinte à la fois de réalisme et de pessimisme : « La Commission ne peut aller plus loin. De nouveaux rapports ne seraient que la répétition des neuf qu'elle a déjà déposés. C'est au gouvernement et à lui seul qu'il incombe maintenant de prendre des décisions. »

Seules les affaires Alleg et Audin se prolongent jusqu'à la chute de la IVe République, par la parution de livres. En février 1958, aux Éditions de Minuit, *La Question* rend public le récit de son supplice par Henri Alleg. Comble de l'absurdité, le gouvernement de Félix Gaillard décide de le saisir, alors que soixante-cinq mille exemplaires en ont déjà été diffusés. En mai, enfin, paraît *L'Affaire Audin*, de Pierre Vidal-Naquet, qui, disséquant les faits, démontre que Maurice Audin ne s'est pas évadé, comme le prétend la version officielle.

L'année 1957 a été celle d'une prise de conscience collective en métropole. La peur de passer pour un traître, qui muselait les esprits, cesse sous l'avalanche des preuves de la pratique de la torture, des exécutions sommaires et des disparitions. Jusque-là, en effet, les affaires dénoncées étaient restées sans suite.

Des dénonciations restées sans suite avant 1957

Dès janvier 1955, *L'Express* et *France-Observateur* avaient publié les textes de François Mauriac et de Claude Bourdet, qui dénonçaient les tortures infligées aux militants du MTLD arrêtés après sa dissolution. Tous deux recouraient à des références historiques, la Gestapo et l'Ancien Régime, rejetant la pratique de la torture hors du champ républicain.

Le 15 janvier 1955, l'article de François Mauriac, « La question », se présente comme un dialogue où l'auteur, candide, interroge un témoin de la torture, sans donner son nom : l'avocat Pierre Stibbe, qui est aussi l'informateur de Claude Bourdet [9]. Deux ans avant la sensibilisation de l'opinion, il donne l'essentiel des informations sur les formes de la torture, « coups de nerf de bœuf », « la baignoire », « le courant électrique », ainsi que sur le camouflage des sévices. Pourtant, « nous sommes cette France qui a proclamé les Droits de l'Homme », soutient l'écrivain porté par son humanisme, et « ce n'est pas par la force, c'est par son message humain que la France reste conquérante ».

L'ancien résistant Claude Bourdet, dans « Votre Gestapo d'Algérie », paru dans *France-Observateur* deux jours auparavant, adoptait un ton plus radical, avec un texte entièrement tourné vers la dénonciation des grands colons, présentés comme des féodaux responsables des excès de la répression, notamment par la Fédération des maires. Il exploite le parallèle avec la Gestapo jusqu'au bout, en concluant, à l'adresse de Pierre Mendès France, président du Conseil bientôt démissionnaire, et de François Mitterrand, son ministre de l'Intérieur : « Messieurs, Himmler aussi a dit : "Ce n'étaient pas mes ordres." Il importe assez peu que vous, en en disant autant, soyez sincères. »

Ces articles n'épargnent pas les magistrats, même si François Mauriac avance prudemment. Son interlocuteur répond d'abord que, « avant de conduire les victimes au Palais de justice, on rend les victimes présentables… », puis dénonce le fait que les plaintes déposées ne sont pas instruites. Claude Bourdet, lui, admet d'emblée l'inaction de la magistrature d'Algérie, en se fondant sur le précédent du démantèlement de l'Organisation spéciale, en 1950-1951. Son article fait d'ailleurs référence à celui qu'il a publié à cette occasion, le 6 décembre 1951, et intitulé : « Y a-t-il une Gestapo en Algérie ? » La polémique soulevée par ces deux articles est cependant noyée par les débats généraux autour de la politique algérienne de Pierre Mendès France et de la nomination de Jacques Soustelle, jusqu'à ce que la chute du gouvernement vienne clore toute discussion.

La deuxième polémique éclate à la fin de l'année 1955, avec l'affaire d'Aïn-Abid, lancée dans *L'Express*, le 29 décembre, par Jean Daniel qui dénonce l'exécution sommaire d'un « musulman » par un gendarme auxiliaire. Cinq photos montrent un gendarme tirant dans le dos d'un homme qui s'éloigne. Extraites d'un film d'actualité de la Fox Movietone, diffusé alors en Amérique du Sud et aux États-Unis, elles ont été publiées dès le 5 septembre 1955 par le magazine américain *Life*.

La polémique porte sur le rôle de l'opérateur, Georges Chassagne, soupçonné d'avoir soudoyé le gendarme pour qu'il exécute l'homme devant la caméra. Soutenu par la Fox Movietone qui lui a acheté ces images, l'opérateur s'explique lors d'une conférence de presse. Le 22 août 1955, à Aïn-Abid, rapporte *Le Monde* daté du 1er-2 janvier 1956, « il rencontra une patrouille formée de six à

huit soldats et d'un gendarme. Les journalistes assistèrent
au nettoyage du campement de nomades, où l'on recher-
chait d'une part les survivants européens de la tuerie
d'Aïn-Abid et d'autre part les individus qui n'avaient pas
obéi à l'ordre de rassemblement sur la place publique
donné par les autorités à la population musulmane.
M. Chassagne et ses compagnons furent les témoins
d'une première exécution. Un rebelle, sous la tente
duquel on devait d'ailleurs retrouver des objets prove-
nant du pillage de la maison d'un fonctionnaire des PTT,
fut surpris et abattu sur place par le gendarme après som-
mations. Un peu plus loin, la patrouille entra dans la
cour d'une ferme… M. Chassagne était demeuré à l'extérieur. Il vit ressortir le gendarme poussant un individu.
Celui-ci, devait-on indiquer, était l'homme recherché…
Le cinéaste filma alors la scène : sur l'ordre du gendarme
l'homme s'éloigna. Il fut abattu à quelques mètres par
un coup de mousqueton. »

Le gouvernement d'Edgar Faure, alors démissionnaire,
règle simplement l'affaire : le 4 janvier 1956, après trois
quarts d'heure d'entretien avec le président du Conseil,
Maurice Bourgès-Maunoury, ministre de l'Intérieur, et
Jacques Soustelle estiment « inopportun d'[y] revenir [10] ». Le ministre déclare qu'il prend « l'entière responsabilité de ce qui s'est passé » et invoque les massacres du
20 août 1955 pour relativiser le choc produit par ces
images. Les élections du 2 janvier 1956, qui font de
l'équipe responsable une équipe sortante, mettent un
point final à la polémique, d'autant que la victoire du
Front républicain laisse envisager un tournant dans la
politique algérienne.

Commence alors une période d'attente, pendant
laquelle les journalistes ménagent ce nouveau gouvernement pour lui laisser le temps de mettre en œuvre sa

politique. C'est ainsi que Jean-Marie Domenach rece-
vant à *Esprit*, en 1956, plusieurs témoignages de rappelés, choisit de ne pas les publier mais de les envoyer au
colonel Lacheroy, alors auprès de Maurice Bourgès-
Maunoury au ministère de la Défense. « L'autre le traita
de boy-scout », raconte Pierre Vidal-Naquet [11].

Finalement, c'est à l'automne 1956 qu'éclate l'affaire
des « torturés d'Oran » : « des syndicalistes, des militants,
des personnalités sans appartenance politique », arrêtés
« principalement à Oran, depuis le 5 septembre, dans le
cadre des opérations contre le "réseau communiste" »,
relate Claude Bourdet dans *France-Observateur* le 27 septembre. Il anticipe les conclusions du rapport Provo rela-
tif à cette affaire : « Mais tous ces supplices semblent
spécialement choisis parce qu'ils ne laissent que peu ou
pas de traces ; ce qui permettra de faire "constater" que
les victimes n'ont pas été torturées. »

Le 29 septembre, *L'Humanité*, qui suit l'affaire de près,
peste contre l'enquête administrative ordonnée par le
gouvernement : « L'indulgence de la police pour la police
n'a pas de bornes. » Cette enquête scandalise car elle est
suivie par un journaliste du *Figaro*, Michel-Pierre Hame-
let, qui en publie les détails le 10 octobre 1956. Or, il
entérine la version officielle. Pour lui, les inculpés
invoquent la torture pour excuser aux yeux de leurs
camarades leurs déclarations à la police. Il ne doute que
dans un cas : celui de Blanche Moine, qui porte des
« traces » telles que « marques de liens aux poignets, aux
chevilles, rougeurs vives de frottement sur les parties
saillantes du corps ». Mais il retient l'explication de la
police d'Oran, qui les met sur le compte de l'« état de
surexcitation extrême » de Blanche Moine au moment
de son arrestation… Finalement, la décision que prend
l'Assemblée nationale d'envoyer à Oran sept membres

de la commission de l'Intérieur stoppe l'élan donné aux dénonciations des pratiques de la répression en Algérie par cette affaire. En mars 1957, cette commission rend le rapport contesté par le docteur Hovnanian.

Les changements d'équipe gouvernementale et les décisions d'enquêter créent ainsi un contexte mouvant, qui permet chaque fois à l'actualité de reprendre son cours et d'effacer les affaires qui, un temps, ont focalisé l'attention. Leur enchaînement à partir du printemps 1957 est autant lié à l'accélération des événements à Alger – où tortures, exécutions et disparitions se multiplient – qu'à un contexte favorable aux polémiques. La durée même du gouvernement de Guy Mollet affranchit la presse de son attentisme. Plus le gouvernement dure, moins il est possible d'espérer que les choses changent et moins il est utile de se taire pour ne pas le mettre en difficulté. En réponse, alors que les gouvernements sont informés de ce qui se passe en Algérie, ils combattent ceux qui dénoncent la guerre ou prennent parti pour les nationalistes, sans empêcher la contestation de gagner les rangs de leurs propres partis.

Le gouvernement et les « exactions »

Le gouvernement de Guy Mollet organise sa contre-offensive en médiatisant les atrocités du FLN et en imitant ses prédécesseurs par les saisies, les poursuites judiciaires et la nomination d'une commission d'enquête, qui vient tempérer ses premières dénégations.

Le 1er mars 1957, en effet, Guy Mollet a mis en doute les « prétendus témoignages écrits » et les « lettres reçues » par la presse, au motif que ces documents ne lui ont pas été communiqués [12]. Le 15 mars, cependant, le ministre de la Défense, Maurice Bourgès-Maunoury, admet « quelques exactions », qui « ont été réprimées par le commandement [13] ». La formation de la Commission de sauvegarde entérine cette reconnaissance d'« exactions », dont la sanction est régulièrement réaffirmée. Il n'existe « aucune exaction connue qui n'ait été punie [14] », déclare Robert Lacoste en mai ; puis en décembre : « Chaque fois que j'ai été saisi d'un cas précis, une sanction sévère a été prononcée. » Il en donne même un décompte : « 495 punitions ont été prononcées par les autorités responsables, dont 363 cas passibles des tribunaux militaires [15]. » Il s'appuie sur les travaux d'une commission interne à l'armée, présidée par le colonel Thomazo, connu pour être lié aux milieux activistes algérois. Or, cette commission a surtout recensé des vols, des viols et des délits de droit commun qui, effectivement, ont été punis. Mais il ne s'agit pas, sauf dans quelques cas, de torture ou d'exécutions sommaires [16]. Robert Lacoste profite du glissement sémantique de « torture », « exécutions sommaires » vers le terme plus flou d'« exactions », pour mentir.

Il répond aussi par les atrocités du FLN. « Examiner possibilité faire faire par combattants brochure fortement illustrée : où sont les tortionnaires ? Nécessité agir à fond et sans ménagement dans la voie de la riposte aux salauds que vous savez », exige-t-il dans un télégramme envoyé le 27 mars 1957, en pleine tourmente médiatique, à Pierre Gorlin, son conseiller chargé de l'Information [17]. C'est ainsi que la brochure *Aspects véritables de la rébellion algérienne* est éditée juste après le massacre « de Melouza », qui vient conforter le ministre résidant. *Le Monde* publie d'ailleurs de larges extraits de cette brochure, pour faire pendant au rapport de synthèse de la Commission de sauvegarde, le 14 décembre 1957. Pourtant, l'invocation des violences du FLN est vaine, les opposants à la torture insistant sur le déshonneur de l'armée et de la France, qui ainsi s'avilirait : « Cette "sale guerre" qui nous est imposée, il dépendait de nous que, de notre côté, elle demeurât à peu près propre », argumente Pierre-Henri Simon [18].

En outre, le gouvernement tente d'intimider la presse et les éditeurs par des saisies à répétition. Pratiqué pendant toute la guerre d'indépendance algérienne, ce procédé, plus pernicieux que la censure, suscite l'autocensure des journalistes, soucieux d'éviter de lourdes pertes financières. Alors que la censure vérifie le contenu avant l'impression, la saisie consiste à confisquer le journal au stade de la diffusion des exemplaires imprimés, qui ont donc été fabriqués à perte. Jérôme Lindon, directeur des Éditions de Minuit, relate d'ailleurs qu'il a pallié le refus de la presse de publier certains récits [19]. Dans cet esprit aussi, naît une presse clandestine diffusée sous le manteau, qui reprend systématiquement les textes visés : *Témoignages et documents*, lancé par Maurice Pagat et Robert Barrat en 1957, puis, à partir de 1959, *Vérité-Liberté*, édité par le Comité Maurice Audin.

Sur l'ensemble de la guerre, les trois quarts des saisies de presse ont concerné la torture, les exécutions sommaires et les conditions de détention dans les prisons ou les camps ; pour le reste, il s'agit de manifestes politiques, d'extrême droite ou d'extrême gauche, de textes relatifs à l'objection de conscience ou à la désertion, d'interviews de nationalistes ou d'activistes et, enfin, d'attaques contre le chef de l'État, l'armée et les pouvoirs publics [20]. La saisie, cependant, n'obère pas la circulation des informations, d'autant que, parfois, celles-ci figurent dans d'autres journaux, qui ne sont pas visés. Mais elle fait planer une menace redoutable sur les titres les plus

fréquemment touchés, en métropole et en Algérie :
*Témoignage chrétien, France-Observateur, L'Express, La
Croix, L'Humanité, Le Monde*, sans compter *Alger Répu-
blicain* ou *L'Espoir-Algérie*, qui disparaissent.

Les poursuites judiciaires ne sont pas non plus l'exclu-
sivité du gouvernement de Guy Mollet, même s'il en use
en 1957, notamment contre Georges Montaron, directeur de *Témoignage chrétien*, après la publication du *Dossier Jean Müller*, ou contre Jean-Jacques Servan-Schreiber,
inculpé pour son récit dans *L'Express*. Déclenchées par
des plaintes du ministère de la Défense, ces poursuites
suscitent de telles réactions qu'elles ne dépassent pas le
stade de l'inculpation. Elles s'accompagnent cependant
de perquisitions, voire d'une incarcération. Robert Barrat
en a été la première victime, après avoir publié une interview d'Abbane Ramdane et d'Amar Ouamrane dans
France-Observateur le 15 septembre 1955, sous le titre
« Un journaliste français chez les "hors-la-loi" algériens ».
Arrêté à son domicile et emprisonné, il est libéré au bout
de quelques jours devant l'ampleur des protestations[21].
En avril 1956, Claude Bourdet subit le même sort, pour
une série d'articles relatifs à l'Algérie dans *France-
Observateur*. Henri-Irénée Marrou est lui aussi victime
d'une perquisition pour « participation à une entreprise
de démoralisation de l'armée », après avoir dénoncé dans
« France, ma patrie », paru dans *Le Monde* du 5 avril, les
camps, les représailles collectives et les tortures policières.
En mai, la journaliste de l'hebdomadaire *Demain*,
Claude Gérard, auteur de « Comment j'ai vu le
maquis », est écrouée à la Petite Roquette. André Mandouze, directeur de *Consciences maghrébines*, où il reproduit des textes du FLN, est inculpé d'atteinte à la sûreté
de l'État et emprisonné à la Santé en novembre. C'est

cette dernière affaire, d'ailleurs, qui suscita l'engagement
de Pierre Vidal-Naquet contre la guerre [22].

Des militants contre la guerre

Les victimes de ces poursuites forment un panel partiellement représentatif des intellectuels opposés à la
guerre. Anciens résistants, souvent d'obédience chrétienne et indépendants des organisations de gauche, ils
se rattachent à des courants qui se sont structurés autour
d'une publication : André Mandouze et Robert Barrat
à *Témoignage chrétien*, Jean-Marie Domenach et Henri-
Irénée Marrou à *Esprit*, Claude Bourdet à *Combat*, où a
également été Claude Gérard, puis à *France-Observateur*
avec Gilles Martinet. L'opposition à la guerre d'Algérie
réactive des réseaux tissés dans la Résistance ou dans
l'opposition à la politique coloniale française en Indochine, à Madagascar, en Afrique, au Maroc… L'itinéraire
et les relations des avocats dans les milieux de la gauche
parisienne, en particulier, le révèlent : Pierre Stibbe, par
exemple, a défendu les parlementaires malgaches traduits
en justice après la répression de l'insurrection de 1947,
et il est membre de la direction de l'hebdomadaire
France-Observateur.

Cette opposition reconduit également des modes
d'action et d'organisation éprouvés avant 1954. Professionnels de l'écriture, jouissant d'une notoriété certaine,
ces hommes ont appris à manier avec talent l'arme de la
publication et des déclarations publiques de protestation.
Pour se rassembler, ils privilégient la formule du comité
indépendant de tout parti politique, sur le modèle,
notamment, du Comité France-Maghreb, fondé en 1953
en solidarité avec les nationalistes marocains, où se

retrouvaient, entre autres, Robert Barrat, François Mauriac et Claude Bourdet. Ils fondent le Comité des intellectuels contre la poursuite de la guerre en Afrique du Nord qui, dès le 27 janvier 1956, organise un meeting où Jean-Paul Sartre, André Mandouze, Robert Barrat et Daniel Guérin, notamment, prennent la parole. Cependant, seule la défense des droits de l'homme les réunit par-delà leurs divergences. Au contraire, le choix entre FLN et MNA les déchire, après la parution de *L'Algérie hors la loi* au Seuil, fin 1955, par lequel Francis et Colette Jeanson, qui militent au Comité, s'engagent pour les Frontistes [23].

La contestation gagne aussi l'intérieur des partis de gauche. À la SFIO, une minorité s'est affirmée contre la politique coloniale française depuis la fin des années 1940 et elle s'active contre Guy Mollet en 1956. S'y retrouvent notamment Daniel Mayer, président de la Ligue des droits de l'homme, opposé aux exécutions capitales, Robert Verdier, en désaccord avec les pouvoirs spéciaux, ou encore Alain Savary, qui démissionne du gouvernement à l'automne 1956. Au nom de cette minorité persévérante qui va d'ailleurs se détacher de la SFIO, André Philip dépose une motion pour la paix au congrès de 1956.

Quant au PCF, son soutien aux pouvoirs spéciaux suscite un mécontentement chez des militants qui, localement, n'ont pas craint de produire leurs propres tracts ou brochures dénonçant la loi. Les formulations utilisées par la direction du PCF, comme le slogan prônant « La paix en Algérie », recèlent par ailleurs suffisamment d'ambiguïté pour que des militants les extrapolent, en toute bonne foi, comme synonymes d'une prise de position favorable à l'indépendance. La contestation de la ligne communiste est appelée à grandir parmi les jeunes

recrues, qui sont invitées à partir en Algérie pour y
mener un travail militant à l'intérieur de l'armée. À
Alger, de septembre 1955 à février 1957, Lucien
Hanoun, aidé par Alfred Gerson, un métropolitain spécialiste de ces questions, dirige pour le PCA un réseau
chargé d'éditer et de diffuser *La Voix du soldat*, publication d'une ou deux pages tirée à quelques centaines
d'exemplaires. Le contingent y est appelé à « prolonger
sur le sol algérien la lutte de la classe ouvrière et du
peuple français pour la paix et l'indépendance, pour
l'amitié entre le peuple algérien et le peuple français [24] ».
Il n'est question ni de désertion, ni d'insoumission. Militant communiste, Alban Liechti agit seul lorsqu'il écrit
au président de la République le 2 juillet 1956 : « Je ne
peux pas prendre les armes contre le peuple algérien en
lutte pour son indépendance [25]. » Persistant dans ses
positions en Algérie, il est condamné à deux ans de
prison en novembre 1956, mais *L'Humanité* ne fait campagne pour sa libération qu'en septembre 1957.

Reposant sur divers fondements, la contestation de la
guerre est antérieure à l'année 1957 et dépasse la seule
dénonciation de la torture. Mais cette dénonciation,
impératif moral transcendant les clivages politiques,
amplifie l'opposition à la guerre à partir du printemps
1957, et soude des militants venus d'horizons divers,
dont le Comité Maurice Audin est emblématique. Le
choix entre le MNA et le FLN ou l'approbation de
l'insoumission et de la désertion, en revanche, créent des
divergences restées indépassables jusqu'à la fin du conflit.
Le retour au pouvoir du général de Gaulle en mai 1958
va lancer une pomme de discorde supplémentaire.

8.

D'UNE RÉPUBLIQUE À L'AUTRE

Au printemps 1958, la IVᵉ République connaît de nouveau, et pour la cinquième fois depuis le début de la guerre, une grave crise ministérielle. Avec cette fragilité structurelle, le régime ne peut affronter l'approfondissement du conflit qui se manifeste alors par son internationalisation.

Le FLN y a très tôt travaillé, contre un adversaire qui réduit la question algérienne à une simple affaire interne. L'objectif était déjà affirmé dans la proclamation diffusée le 1ᵉʳ novembre et le FLN a envoyé une délégation, avec Hocine Aït Ahmed et M'Hamed Yazid, à la conférence de Bandoeng en avril 1955. Cette stratégie est rapidement payante : dès l'automne suivant, la question algérienne a été inscrite à l'ordre du jour de l'ONU, provoquant l'ire des représentants français [1]. Le FLN gagne sur la scène internationale une légitimité difficilement contestable, alors que la France y est en difficulté. Les partisans de l'Algérie française, par conséquent, campent sur une ferme opposition à ce qu'ils considèrent comme une ingérence affaiblissant leurs efforts, et le gouvernement de Félix Gaillard est renversé le 15 avril 1958 pour avoir accepté une proposition de médiation des États-Unis et de la Grande-Bretagne. La crise ouverte va se révéler fatale au régime.

De cette crise, la guerre d'indépendance algérienne n'est pas seule responsable. Félix Gaillard s'est aussi épuisé à chercher une majorité qui soutienne ses propositions pour résoudre les problèmes financiers du pays, de même que ses projets de réforme de la Constitution : confrontée à des crises ministérielles récurrentes, la France se retrouve trop souvent sans direction politique. Mais la guerre a accentué l'instabilité consubstantielle au régime, en déchirant ceux qui auraient pu s'unir et appuyer durablement un gouvernement. Le changement de République s'impose. C'est, de toute façon, la condition posée par le général de Gaulle pour revenir au pouvoir.

L'atout maître du FLN : l'internationalisation

Le 8 février 1958, en riposte à des tirs de combattants algériens qui se sont repliés au-delà de la frontière, l'aviation française pénètre dans l'espace aérien tunisien et bombarde le village de Sakiet Sidi Youssef, où une unité de l'ALN s'est installée dans une ancienne mine [2]. Le bilan – soixante-dix morts et cent cinquante blessés, dont des enfants – provoque une réprobation unanime. Habib Bourguiba réplique par le blocus de la base de Bizerte, l'expulsion des ressortissants français, la fermeture des postes consulaires ; sur le plan international, il réclame l'évacuation des troupes françaises et saisit l'ONU. À cette date, les tensions entre la France et la jeune Tunisie indépendante sont ravivées : en janvier, quatre soldats français ont été faits prisonniers par l'ALN en territoire tunisien et, le 29, le gouvernement de Félix Gaillard a approuvé l'exercice d'un droit de suite de son ennemi au-delà des frontières algériennes. Habib

Bourguiba, de son côté, avait promis d'agir pour modérer les Algériens et proposé sa médiation, alors que les contacts entre les autorités françaises et leurs adversaires avaient cessé depuis plusieurs mois. Mais les autorités françaises, percevant cette initiative comme une ingérence, l'avaient rejetée.

L'escalade que représente le bombardement de Sakiet Sidi Youssef accroît l'inquiétude des Américains et des Britanniques, qui redoutent de voir le Maghreb s'embraser. Ils regrettent que la France y consacre des moyens militaires croissants, au détriment du dispositif de l'Alliance atlantique en Europe, et qu'elle y use sa crédibilité. Ils craignent aussi que les Maghrébins finissent par rechercher un soutien soviétique. C'est pourquoi ils proposent leurs services – leurs « bons offices » – pour résoudre la crise franco-tunisienne et, par extension, la question algérienne, à l'origine du risque de déstabilisation de la région. Robert Murphy, ancien envoyé du président Roosevelt à Alger pendant la Seconde Guerre mondiale, et Harold Beeley, pour le Foreign Office, sont chargés de cette mission, qui sera interrompue par le renversement du gouvernement de Félix Gaillard.

Cette intervention anglo-saxonne illustre l'isolement de la France dans sa défense de l'Algérie française. Depuis l'automne 1956, elle a affaibli ses positions sur la scène mondiale par des opérations militaires très critiquées. Cela a d'abord été le cas, le 22 octobre, avec l'interception de l'avion marocain transportant les quatre dirigeants de l'extérieur à l'époque, Ahmed Ben Bella, Hocine Aït Ahmed, Mohammed Boudiaf et Mohammed Khider, ainsi que l'écrivain Mostefa Lacheraf, qui se rendaient de Rabat à Tunis pour participer à une conférence sur une éventuelle association des trois pays du Maghreb. L'aviation française a forcé leur appareil à atterrir à Alger, où ils ont été exhibés à la presse, par des autorités fières de cette prise de guerre présentée comme décisive. Guy Mollet, alors président du Conseil, a couvert cette initiative de l'état-major de l'armée de l'air en Algérie, avalisée par Max Lejeune, secrétaire d'État à l'Armée de terre. Alain Savary, au contraire, l'a condamnée, et a quitté le gouvernement où, secrétaire d'État aux Affaires étrangères, il s'occupait des relations avec la Tunisie et le Maroc[3]. Ce rapt aérien ruinait ses intentions de négocier à l'échelle maghrébine pour dénouer la crise algérienne. Les cinq captifs allaient rester détenus en France jusqu'à la fin du conflit.

À peine deux semaines plus tard, l'expédition de Suez a accentué la dégradation de la situation française. Alors que les États-Unis refusaient d'intervenir militairement à la suite de la nationalisation du canal décidée par Nasser, Londres et Paris, en lien avec Israël, se sont associés pour adresser un ultimatum au raïs égyptien, que ce dernier ne pouvait que rejeter. Le 5 novembre 1956, les forces aériennes britanniques et françaises ont alors bombardé puis attaqué Port-Fouad et Port-Saïd, tandis que Tsahal lançait une offensive terrestre. Mais la conjonction des condamnations russe, américaine et onusienne a stoppé l'opération, ce qui n'a pas empêché Guy Mollet d'être approuvé par une opinion convaincue du danger que représentait un Nasser allié des Soviétiques. « Nous ne disposons que de quelques semaines pour sauver l'Afrique du Nord, qui échapperait au contrôle et à l'influence européenne », assurait le ministre des Affaires étrangères, Christian Pineau, à son homologue américain, quatre mois avant l'expédition[4].

Si la France perd la face aux yeux du monde, le FLN, lui, a joué la carte de l'internationalisation avec succès, pour asseoir sa représentativité et la légitimité de sa revendication nationale. Ses représentants à New York, Abdelkader Chanderli et M'Hamed Yazid, avec Hocine Aït Ahmed jusqu'à son arrestation, ont mené un travail constant dans ce sens à l'ONU. Le FLN y bénéficiait de l'offensive conduite par les pays du groupe afro-asiatique et des non-alignés, qui l'ont accueilli aussi à leurs conférences. Ils ont bataillé pour faire reconnaître la compétence de l'ONU sur la question algérienne, qui a fini par être acquise, grâce à l'effet contre-productif de l'expédition de Suez. Afin d'éviter le vote de résolutions trop défavorables, les émissaires français ont dû alors convaincre que leur pays souhaitait une solution négociée et travaillait en ce sens. La déclaration du sénateur John Kennedy qui, le 2 juillet 1957, s'est prononcé pour une accélération du « mouvement vers l'indépendance politique de l'Algérie [5] », témoigne de la progression de la cause algérienne pendant cette période. Cette tendance a été évidemment renforcée par le bombardement de Sakiet Sidi Youssef, lequel a valu à la France l'hostilité de pays qui, comme les pays scandinaves, avaient évité jusque-là de l'accabler [6].

Ce n'est pas que le FLN et les autorités françaises n'aient eu aucun contact auparavant : des discussions ont été engagées, d'abord au Caire en avril 1956, puis sur l'île yougoslave de Brioni et à Rome l'été suivant, enfin à Tunis en juillet 1957, après une longue interruption liée à l'arraisonnement de l'avion des dirigeants de l'extérieur. Mais, pour les autorités françaises, ces échanges ne valent pas reconnaissance du FLN comme interlocuteur valable, ni ratification de son objectif : l'indépendance. Elles s'en tiennent au triptyque défini par Guy Mollet, « cessez-le-feu, élections, négociations » : le cessez-le-feu suppose un arrêt des combats sans condition, alors que le FLN exige une « déclaration officielle abrogeant les

édits et lois faisant de l'Algérie une terre française[7] »
avant de déposer les armes ; quant aux élections, elles
devraient désigner des représentants qualifiés pour des
discussions, alors que le FLN prétend parler au nom de
tous les Algériens ; les négociations, enfin, en l'absence
d'une reconnaissance préalable de la souveraineté algérienne, laissent toute autre issue envisageable.

C'est donc par l'internationalisation que le FLN
entend imposer ses vues, saper la cause de son adversaire,
voire revigorer la sienne lorsqu'elle peine sur le terrain
militaire. Cette stratégie fera école, pour l'historien Matthew Connelly : selon lui, la guerre d'indépendance algérienne a été une véritable « révolution diplomatique »,
inspirant notamment l'ANC et l'OLP[8]. De fait,
comment les autorités françaises peuvent-elles refuser de
discuter avec les représentants d'une organisation, dont
certains membres sont par ailleurs présents à l'ONU,
reçus par des personnalités officielles d'autres pays et
invités à des conférences internationales ? Comment
peuvent-elles continuer à rejeter une revendication dont
la discussion, au minimum, est souhaitée à l'ONU ? Les
offres de médiation, celle de Bourguiba comme celle des
Anglo-Saxons, rendent la position de la France intenable.
Prenant le relais de contacts directs interrompus, elles
lui montrent le chemin à suivre et l'y engagent contre
son gré.

D'un point de vue pragmatique, la cause indépendantiste n'aurait pu survivre sans l'aide des pays qui la pour-
voient en armes, équipement et subsides, ou qui abritent
les camps d'entraînement de l'ALN et ses instances dirigeantes : chefs militaires, CCE et CNRA, puis Gouvernement provisoire de la République algérienne (GPRA).
Les pays arabes s'y distinguent : le Maroc et la Tunisie
servent de bases arrière immédiates, la Libye, l'Égypte,

l'Arabie Saoudite fournissent et acheminent l'armement. De surcroît, tous collectent des fonds. Les Égyptiens investissent tous les terrains possibles du soutien, de la scène diplomatique à l'aide matérielle, Le Caire concurrençant Tunis pour l'hébergement des leaders algériens. L'enjeu n'est rien moins que l'hégémonie sur un monde arabe dont Nasser entend prendre la tête. Les pays d'Europe de l'Est relaient l'aide militaire ou matérielle, en particulier la Tchécoslovaquie, la Yougoslavie, la RDA et l'URSS, surtout après son rapprochement avec le raïs. Dans les pays du bloc atlantique, les soutiens sont plus prudents, par égard pour l'allié français, et la solidarité vient de forces militantes de la gauche anticolonialiste ou humanitaire, dont la Croix-Rouge qui collecte dons, médicaments, ravitaillement, vêtements… au profit des réfugiés hébergés au Maroc et en Tunisie [9]. Les États-Unis, enfin, sur lesquels comptent les indépendantistes, se maintiennent dans une voie médiane qui agace les Français – Guy Mollet dénonce leur « jeu double [10] » – et déçoit leurs adversaires. Ils ménagent en effet leurs intérêts au Maghreb en œuvrant pour une solution négociée, mais ils épargnent leur allié en s'abstenant d'engager une aide concrète en faveur des nationalistes.

Si elle se réalise au bénéfice du camp algérien, l'internationalisation se double néanmoins de dissensions au sein du monde arabe où les fractures et solidarités traditionnelles rejouent dans cette période. L'aide égyptienne est contestée au sein même du FLN, sur fond de tensions ancestrales entre Machrek et Maghreb ; entre un Orient qui se considère comme la source et le conservatoire d'une civilisation arabo-musulmane préservée d'influences allogènes, et un Occident où les cultures berbères locales et l'influence française, surtout en Algérie, l'auraient altérée. Au Maghreb, par ailleurs, l'objectif de

réaliser « une unité nord-africaine », inscrit dans la proclamation diffusée le 1er novembre, ne résiste pas aux
réalités nationales, dès lors que la France propose des
négociations à ses deux protectorats. Leurs indépen-
dances séparées en 1956 anéantissent tout espoir d'ouvrir
un front à l'échelle des trois pays. Dans ce contexte, « les
meilleurs gestes de solidarité envers les Algériens ne
valaient pas, pour ces derniers, le combat commun que
les frères maghrébins furent accusés de trahir [11] ».

Les points de friction, en outre, sont nombreux. Le
tracé des frontières avec le territoire algérien, pomme de
discorde entre la France et ses deux anciens protectorats,
reste une source de conflits entre les Marocains, surtout,
et les dirigeants potentiels d'un futur État souverain.
L'armée marocaine et l'ALN s'affrontent même, à plusieurs reprises, aux confins des deux territoires, tandis
que la Tunisie, après l'escalade conduisant au bombardement de Sakiet Sidi Youssef, redoute le déploiement
d'une force internationale d'interposition sur sa frontière
occidentale, dont elle perdrait le contrôle. La présence
de dizaines de milliers de réfugiés sur le sol des deux
pays – 80 000 au Maroc et 140 000 en Tunisie – crée
aussi des problèmes de prise en charge et d'encadrement,
d'autant que les États marocain et tunisien cherchent à
affirmer leur autorité. Ils tiennent à contrôler au mieux
les forces algériennes qu'ils accueillent, au prix d'inci-
dents militaires directs ou de mesures de rétorsion, si
nécessaire. Enfin, les convergences éventuelles entre des
nationalistes algériens et certains opposants aux régimes
engendrent des tensions : c'est le cas pour le Tunisien
Salah Ben Youssef, soutenu par l'Égypte, qui a accusé
Habib Bourguiba de brader l'unité arabe en acceptant de
négocier pour accéder à l'indépendance. Les dirigeants
marocains et tunisiens ne verraient donc pas d'un

mauvais œil l'ouverture de discussions entre Algériens et Français, d'autant qu'à ces risques de déstabilisation interne s'ajoute une entrave à leur politique extérieure : leur implication dans le conflit freine la coopération qu'ils souhaitent avec leur ancienne puissance tutélaire.

Pour toutes ces raisons, l'Istiqlal et le Néo-Destour organisent une conférence à Tanger, du 27 au 30 avril 1958. Ils cherchent à inclure les Algériens dans un cadre maghrébin, contre l'emprise égyptienne, à les modérer et à les maîtriser, ainsi qu'à discuter des frontières [12]. Mais la résolution finale élude cette question. Et si elle souhaite la création d'institutions fédérant les trois pays du Maghreb, elle appelle surtout à la formation d'un gouvernement algérien, dans un souci de conciliation avec le FLN. L'accueil favorable du Maroc et de la Tunisie au changement de régime français va cependant enterrer toute velléité d'unité. Après l'échec d'une nouvelle conférence maghrébine en juin 1958 et l'installation d'un pipe-line sur le territoire tunisien pour l'exportation du pétrole d'Algérie, la crise avec le FLN atteint son apogée à l'été 1958. Les Algériens intronisent alors leur gouvernement au Caire, le 19 septembre 1958. La dénomination de « Gouvernement provisoire de la République algérienne » (GPRA) est choisie pour évoquer aux Français le GPRF de la Libération. Révélant cette référence inconsciente au vocabulaire résistant que suscite la formation d'une représentation, en exil, d'un pays occupé, *Le Monde* annonce même ce jour-là un « gouvernement algérien libre », rappelant l'expression de « France libre ».

Les « 3B » y gardent les rênes du pouvoir : Krim Belkacem, vice-président du Conseil, est ministre des Forces armées, Lakhdar Ben Tobbal ministre de l'Intérieur, et Abdelhafid Boussouf est chargé des services de sécurité sous l'appellation de « Liaisons générales et Communications ».

Le colonel Mahmoud Cherif les seconde à l'Armement et au Ravitaillement général. La présidence en est confiée à Ferhat Abbas, et la présence de nombreux politiques, recrutés parmi les divers courants qui ont rallié le FLN, cautionne la respectabilité du GPRA sur la scène internationale : Ahmed Francis, venu de l'UDMA, comme Ferhat Abbas, s'occupe des Affaires économiques et des Finances ; trois ex-centralistes – Abdelhamid Mehri, Benyoucef Ben Khedda, M'Hamed Yazid – sont respectivement aux Affaires nord-africaines, aux Affaires sociales et à l'Information ; l'ouléma Tawfiq El Madani est chargé des Affaires culturelles ; et Lamine Debaghine, ancien secrétaire général du PPA, artisan de la création de l'Organisation spéciale du MTLD, est aux Affaires extérieures [13]. Les prisonniers d'octobre 1956 sont honorés, Ahmed Ben Bella devenant, à l'égal de Krim Belkacem, vice-président du Conseil, et ses quatre codétenus ministres d'État : Hocine Aït Ahmed, Mohammed Khider et Mohammed Boudiaf, capturés avec lui, ainsi que Rabah Bitat, arrêté en mars 1955, condamné aux travaux forcés à perpétuité et transféré en France. Issu du second CCE, ce gouvernement est né sous l'égide des « 3B » pour reprendre l'initiative dans une conjoncture perçue comme défavorable, notamment après l'arrivée au pouvoir du général de Gaulle.

Le coup de force du 13 mai

Après le renversement du gouvernement de Félix Gaillard et la consultation de plusieurs hommes politiques, René Coty appelle Pierre Pflimlin à la présidence du Conseil. Avant même son investiture, celui-ci attise le mécontentement algérois suscité par la mission anglo-américaine de « bons offices », en déclarant vouloir « saisir toute occasion d'engager des pourparlers en vue d'un cessez-le-feu ». Le Comité d'entente des anciens combattants dit « non à tout gouvernement qui tenterait de commettre le crime d'abandon de l'Algérie », et Robert Lacoste renchérit : « Toutes les chimères que l'on nourrit à Paris ou dans d'autres capitales ne peuvent que faire des victimes supplémentaires [14]. » De son côté, le général Salan informe le ministre de la Défense que « l'armée, de façon unanime, sentirait comme un outrage l'abandon de ce patrimoine national », et menace : « On ne saurait préjuger de sa réaction de désespoir [15]. »

C'est cependant l'exécution de condamnés à mort algériens qui déclenche l'engrenage fatal au régime. En effet, Abderrahmane Taleb, le jeune chimiste de la Zone autonome d'Alger, trois fois condamné à mort par le tribunal militaire d'Alger pour sa participation au terrorisme, est guillotiné le 24 avril 1958, ainsi que six autres condamnés à mort, entre le 24 et le 30 avril. *El Moudjahid* annonce des représailles : « L'exécution de l'étudiant Taleb et d'autres patriotes nous met dans l'obligation d'agir. Le couperet de la guillotine doit s'arrêter. Que l'opinion française soit avertie : dès demain, chaque patriote algérien qui monte sur l'échafaud signifie un prisonnier français passé par les armes [16]. » Et, le 10 mai, le FLN rend publique l'exécution de trois prisonniers : « Le 25 avril 1958, le tribunal spécial de l'Armée de libération nationale, siégeant sur le territoire national, a condamné à mort pour tortures, viol et assassinat contre la population civile de la mechta Ramel Souk, région de La Calle, trois militaires français. La sentence a été exécutée le 30 avril 1958 à l'aube [17]. »

Parée de juridisme dans son communiqué, la décision du FLN pose la question de l'application du droit international :

si sa protection est refusée aux « patriotes algériens », pourquoi bénéficierait-elle aux prisonniers français ? Ceux qui
soutiennent cette option, comme *France-Soir*, s'empê-
trent dans la contradiction. Dans son édition du 12 mai,
le quotidien estime qu'« il est maintenant démontré, en
tout cas, que le FLN néglige tout des lois et des coutumes de la guerre. Une convention internationale précise, en effet, qu'une puissance détentrice ne pourra pas
juger des prisonniers pour crimes de droit commun sans
en avoir, au préalable, informé la Croix-Rouge et lui
avoir permis de s'assurer de la régularité du procès ».
Dans cette logique, le quotidien précise que « la France,
légalement souveraine en Algérie, exécute des terroristes
qui ne sont pas couverts par les Conventions de
Genève », mais cette affirmation l'amène à écrire, contre
toute vérité : « Aucun rebelle pris au combat n'a jamais,
même condamné, été exécuté pour le seul fait qu'il por-
tait les armes contre la France [18]. »

En Algérie, les Français activistes favorables à l'instauration d'un régime autoritaire coupé de la métropole,
forts de leurs succès depuis la « journée des tomates »,
prennent la tête d'un mouvement de protestation contre
l'exécution des trois soldats. S'y retrouvent des hommes
d'horizons divers comme Robert Martel, surnommé « le
chouan de la Mitidja » pour ses opinions royalistes,
Joseph Ortiz, militant du poujadisme, Pierre Lagaillarde,
leader de l'Association générale des étudiants d'Alger
(AGEA), et le colonel Thomazo, chef des Unités territoriales, ces formations de maintien de l'ordre composées
de Français d'Algérie, véritables foyers d'agitation ultra.
Des manifestations sont prévues dans plusieurs villes le
13 mai, jour du débat sur l'investiture de Pierre Pflimlin
à l'Assemblée. Les autorités tentent de les canaliser en
organisant une cérémonie d'hommage au monument

aux morts d'Alger, sous la conduite du général Salan.
Mais aux cris de « tous au GG », une partie des manifestants remonte la place du Forum vers le gouvernement
général, qu'ils investissent avec la complaisance du service d'ordre. Les bureaux sont pillés, les dossiers jetés par
les fenêtres, un incendie allumé à la bibliothèque. Soucieux de reprendre la situation en main, les généraux s'y
précipitent dans la soirée : Massu, chef de la 10ᵉ division
parachutiste, Allard, chef du corps d'armée d'Alger,
Salan, commandant en chef. Ils sont tardivement rejoints
par Léon Delbecque, envoyé par Jacques Chaban-
Delmas, alors ministre de la Défense, pour travailler les
milieux politiques algérois en faveur du général de
Gaulle ; il a même gagné à sa cause l'ancien pétainiste
Alain de Sérigny, directeur de *L'Écho d'Alger*.

Activistes, militaires et gaullistes se fondent alors dans
un Comité de salut public de soixante-douze membres.
Malgré des objectifs divergents, un consensus les rassemble : anéantir un régime honni pour son incapacité
à vaincre le nationalisme algérien. Après une journée de
liesse et de confusion, le 15 mai au matin, Raoul Salan,
sous la pression de Léon Delbecque, fait acclamer le
général de Gaulle, qui se déclare alors « prêt à assumer
les pouvoirs de la République ». D'autres Comités de
salut public naissent dans tout le pays. Des personnalités,
comme les avocats Gisèle Halimi et Pierre Braun, ainsi
que des représentants de l'autorité légale, notamment des
préfets, sont arrêtés ou placés sous une surveillance rap-
prochée. Des Algériens, étroitement encadrés par les militaires du Dispositif de protection urbain, qui quadrillent
la ville blanche, rejoignent les manifestations. Le 17 mai,
Jacques Soustelle arrive de métropole, et, du balcon du
gouvernement général, lance une série d'acclamations
liant le retour du général de Gaulle à la sauvegarde de la

République et de l'Algérie française : « Vive la République », « Vive l'Algérie française », « Vive la France », « Vive de Gaulle ».

À Paris, le gouvernement de Pierre Pflimlin, investi dans l'urgence pour éviter de laisser le pouvoir vacant dans de telles circonstances, est fragilisé. Guy Mollet, vice-président du Conseil, se rallie à de Gaulle. La menace, proférée par les insurgés, de l'exécution du plan « Résurrection », qui prévoit des parachutages dans la capitale, ainsi que la formation de Comités de salut public en Corse, où le colonel Thomazo est envoyé d'Alger avec le titre de gouverneur militaire, alarment les défenseurs de la République, partagés entre ceux qui considèrent de Gaulle comme l'ultime recours et ses détracteurs. Ces derniers se recrutent essentiellement au PCF, dans l'entourage de François Mitterrand et dans celui de Pierre Mendès France. Alors que Pierre Pflimlin démissionne et que le pays se retrouve sans gouvernement, une grande manifestation de vigilance républicaine est organisée le 28 mai. Sauveur de la République pour les uns, fossoyeur du régime pour les autres, Charles de Gaulle est investi par l'Assemblée le 1er juin, à la tête d'un gouvernement de cohésion, qui puise dans le vivier de la Résistance : Guy Mollet est vice-président du Conseil, André Malraux délégué à la présidence du Conseil, Michel Debré ministre de la Justice, Jacques Soustelle ministre de l'Information, Edmond Michelet ministre des Anciens combattants et des victimes de guerre. Max Lejeune est reconduit à la tête d'un ministère du Sahara et le portefeuille des Armées est confié à un polytechnicien spécialiste de l'énergie, compétent sur la bombe atomique : Pierre Guillaumat.

Dans l'opinion métropolitaine, le consensus noué autour de la dénonciation de la torture se fissure. Pierre-

Henri Simon, auteur de *Contre la torture*, signataire avec André Malraux d'une protestation contre la saisie de *La Question* d'Henri Alleg, soutient le nouveau gouvernement. C'est aussi le cas de Jean Daniel, à l'origine de la dénonciation de l'exécution sommaire d'Aïn Abid, fin 1955, et de François Mauriac, pour qui le général de Gaulle, tel un monarque doté de pouvoirs surnaturels par la grâce divine, « sait quand et comment il pourra toucher ces écrouelles sur le corps de la France et les guérir [19] ». Profitant de ce climat, André Malraux promet la fin de la torture lors d'une conférence de presse : « Aucun acte de torture ne s'est produit à ma connaissance, ni à la vôtre, depuis la venue à Alger du général de Gaulle. Il ne doit plus s'en produire désormais [20]. »

Malgré la méfiance qu'inspire ce retour au pouvoir à la faveur d'un coup de force, les détracteurs du Général mettent le nouveau gouvernement au défi de répondre à leurs revendications en matière de droits de l'homme. Le 26 juin, *L'Humanité* titre « Alleg à Paris ! » et réclame le transfert des victimes de la torture condamnées et emprisonnées en Algérie. Le Comité Maurice Audin appelle également de ses vœux une rupture avec les habitudes antérieures. En septembre, il participe à l'édition d'un *Dossier sur la torture et la répression en Algérie*, demandant l'instruction des plaintes déposées, une reconsidération du sort des condamnés à mort, l'octroi d'une réparation à toutes les victimes, et surtout « un châtiment public et exemplaire des principaux coupables [21] ». Mais le général de Gaulle répond comme ses prédécesseurs. La Commission de sauvegarde des droits et libertés individuels, créée par Guy Mollet dans la tourmente du scandale de la torture, est chargée d'enquêter sur les faits rapportés, et *Témoignages et documents*, reproduisant le dossier dans son numéro 8, est saisi.

À droite, on met en relief les « fraternisations » avec les « musulmans », qui ont participé à des manifestations rappelant le général de Gaulle, et le retour de la confiance entre le pouvoir politique et l'armée. Elles sont censées exprimer le souhait des Algériens de rester français. Elles restent pourtant un phénomène limité et encadré par des spécialistes de la manipulation des foules. Le dévoilement spectaculaire de jeunes femmes a aussi pu reposer sur de simples menaces [22]. Pour certains contemporains, pourtant, ces « fraternisations » auraient étouffé les aspirations nationales algériennes. « Un espoir habite, n'en doutons pas, tous ces gens, qui, pour la grande majorité, préfèrent, aujourd'hui, l'intégration à l'indépendance », assure un journaliste du *Figaro* le 28 mai. Parallèlement, une fraternisation durable supposant l'intransigeance envers ceux qui la mettent en péril, le châtiment des condamnés à mort est revendiqué, notamment par le Comité de salut public d'Alger : ces exécutions consolideraient en effet la confiance retrouvée entre le pouvoir parisien et les autorités algéroises depuis le 13 mai. « L'armée d'Algérie dispose maintenant, dans le large domaine qui est le sien, d'une liberté d'action suffisante », se satisfait *Le Figaro* du 3 novembre 1958, pour qui elle « se sent désormais comprise, soutenue par le pouvoir civil ».

Pour le général de Gaulle, le rétablissement de l'autorité de l'État, affaiblie par les institutions de la IVᵉ République et par la guerre, prime sur les autres tâches. Dès lors, il met en chantier une nouvelle Constitution renforçant le pouvoir exécutif et prend le contrôle de la politique algérienne, en appelant à ses côtés René Brouillet comme secrétaire aux Affaires algériennes. Après l'approbation de la Constitution par référendum, le 28 septembre, le premier gouvernement de la Vᵉ République, où sont réintégrés les piliers de l'équipe précédente, est formé le 8 janvier 1959 : Michel Debré devenant Premier ministre, Edmond Michelet assure un contrepoint libéral à la Justice ; Jacques Soustelle est délégué auprès du Premier ministre, chargé, entre autres, du Sahara ; Pierre Guillaumat est reconduit aux Armées et André Malraux deviendra ministre d'État chargé des Affaires culturelles, en juillet 1959. En revanche, la présence des socialistes Guy Mollet et Max Lejeune, garants de la cohésion nationale dans la période troublée qui a suivi le 13 mai, n'a plus lieu d'être.

En ce qui concerne l'Algérie, les attentes suscitées par le retour au pouvoir du Général sont contradictoires : restaurera-t-il l'autorité du pouvoir parisien sur l'armée et les activistes d'Algérie ou servira-t-il leurs desseins ? Fera-t-il preuve d'intransigeance à l'égard des nationalistes ou s'autorisera-t-il des mesures de clémence à la faveur du changement de régime ? Si le général de Gaulle a bien été appelé au pouvoir pour sauvegarder l'Algérie française, ses intentions restent, pour tous, un mystère.

Le général de Gaulle : quelle politique pour l'Algérie ?

De fait, les témoignages semblent contradictoires. Outre le général de Gaulle lui-même dans ses Mémoires, plusieurs personnalités ont assuré qu'il s'était déclaré favorable à l'indépendance de l'Algérie avant son retour au pouvoir [23]. Dès 1955, il aurait notamment confié à Geoffroy de Courcel, son futur secrétaire général à la présidence de la République, que « l'Algérie sera[it] un jour indépendante [24] ». Or, si cela signifie qu'il pense l'indépendance inéluctable, cela ne signifie pas qu'il la souhaite, ni qu'il l'envisage à court ou à moyen terme. Cette conviction a pu le guider dans ses décisions, leur conférant *a posteriori* un caractère lucide comparé à l'aveuglement prêté à ses prédécesseurs, sans qu'il ait fait sienne l'option indépendantiste. En outre, penser que le général de Gaulle, une fois au pouvoir, a réussi à manœuvrer pour atteindre un objectif préconçu, semble illusoire eu égard à l'imprévisibilité des événements historiques, créant une conjoncture sans cesse inédite et mouvante, peu propice à l'application maîtrisée d'un plan préétabli. Ce serait croire que les hommes au pouvoir, seuls acteurs de l'Histoire, en tirent les ficelles à leur gré.

Du reste, d'autres témoignages accréditent une préférence du général de Gaulle pour l'association, qu'il a lui-même défendue lors d'une conférence de presse, le 30 juin 1955 : « Aucune autre politique que celle qui vise à substituer l'association à la domination de l'Afrique du Nord française, en y apportant, bien sûr, la fermeté qui est nécessaire et en châtiant tous les crimes, ne saurait être valable, ni digne de la France [25]. » Il la concevait sous deux formes : un lien fédéral avec le Maroc et la Tunisie, et « l'intégration », chère à Jacques Soustelle, pour l'Algérie, « territoire ayant son caractère à lui », « avec toute la participation politique et administrative à fournir par les Algériens ». Il rappelait alors l'ordonnance du 7 mars 1944, abolissant les mesures d'exception qui leur étaient imposées. Cette réforme majeure témoignait déjà de son opposition à l'Algérie française telle qu'elle était.

Son premier discours à Alger, le 4 juin 1958, annonce ainsi l'instauration du collège unique : « Je vous ai compris ! Je sais ce qui s'est passé ici. Je vois ce que vous avez voulu faire. Je vois que la route que vous avez ouverte

en Algérie, c'est celle de la rénovation et de la fraternité[26]. » Le Général déclare « qu'à partir d'aujourd'hui,
la France considère que, dans toute l'Algérie, il n'y a
qu'une seule catégorie d'habitants : il n'y a que des Français à part entière, des Français à part entière avec les
mêmes droits et les mêmes devoirs ». Pesant ses mots
dans ce discours rédigé à l'avance, il parle des « 10 millions de Français d'Algérie », incluant les Algériens, au
contraire de l'usage habituel. Pour de Gaulle, distinguer
les Français des autres, parler d'une « Algérie française »
contre une autre qui ne le serait pas, perd son sens, à
partir du moment où le pays n'a plus qu'une réalité,
celle d'un ensemble d'habitants, tous citoyens. Dans cet
esprit, après 1958, de nouvelles appellations des deux
populations, reposant sur la notion raciale de « souche »
mais équilibrées car construites sur le même modèle,
apparaissent dans le langage administratif : « FSE », pour
« Français de souche européenne », et « FSNA », pour
« Français de souche nord-africaine ».

À l'égard des Algériens réprimés, c'est une politique
de clémence qui est affichée. Des milliers d'internés sont
libérés des centres de triage et de transit militaires
comme des « centres d'hébergement » civils. Les premiers
voient leurs effectifs baisser de 20 500 en avril 1958 à
15 000 durant l'été, avant de fluctuer au gré des libérations et des arrestations, qui ne cessent pas par ailleurs,
et d'atteindre 17 500 en janvier 1959. La baisse est plus
limitée dans les camps d'internement civils, où les effectifs
passent de 7 500 à 6 000 en juillet 1958, avant de remon-
ter[27]. Mais surtout, une fois devenu le premier président
de la Ve République, en janvier 1959, le général de Gaulle
décide de gracier les 200 à 300 condamnés à mort algériens en attente de décision sur leur sort[28]. Il rompt ainsi
ostensiblement avec la politique antérieure : les exécutions

se comptaient par dizaines dans les mois précédant le 13 mai 1958. Depuis, René Coty, dernier président d'un régime appelé à disparaître, les avait suspendues, hormis dans trois cas, pour des raisons inexplicables.

Les exécutions, pourtant, reprennent au printemps 1959. C'est que le geste du général de Gaulle s'inscrit dans la conjoncture du changement de régime, perçue comme opportune pour créer un « climat nouveau », selon ses propres termes : « J'ai voulu, avant d'arriver à la présidence de la République, qu'un climat nouveau s'instaure. Tous les condamnés à mort – dont certains dossiers remontaient déjà à plus de deux ans – ont bénéficié du droit de grâce. J'ai également fait libérer de nombreux prisonniers des camps d'internement, déclare-t-il à *L'Écho d'Oran*. Quoi qu'on en ait dit, cette mesure a été très favorablement accueillie dans la population musulmane, et si l'on constate aujourd'hui de plus en plus de ralliements, cette mesure n'y est pas étrangère [29]. » Sa clémence accule aussi les nationalistes, contraints de saluer cette politique. Si *El Moudjahid* estime que « ces décisions » apportent « la preuve que la légitimité de la cause algérienne s'impose de plus en plus », il note également qu'elles « rectifient la politique inhumaine et absurde des gouvernements précédents [30] » et Messali Hadj apprécie ce « geste courageux [31] ».

De Gaulle s'adresse donc à « la population musulmane », dont l'opinion déterminera l'issue du conflit. Ses mesures de clémence cautionnent auprès d'elle la politique qu'il a définie à l'automne 1958, notamment lorsque, le 3 octobre, il a annoncé un plan de développement du pays. Elles confortent en effet l'opposition entre ceux qui ne chercheraient qu'à « tuer », « détruire » et « haïr », et une politique française nouvelle visant, de façon parfaitement antithétique, à « faire vivre »,

« construire », « coopérer » : « Pourquoi tuer ? Il s'agit de faire vivre ! Pourquoi détruire ? Le devoir est de construire ! Pourquoi haïr ? Il faut coopérer ! Cessez donc ces combats absurdes ! Aussitôt l'espérance refleurira en tous points de l'Algérie. Aussitôt se videront les prisons [32] », assurait-il alors.

De même, la clémence du chef de l'État apporte une nouvelle preuve de sa bonne volonté et lui permet de situer l'intransigeance dans le seul camp algérien. Le 23 octobre 1958, en effet, le général de Gaulle a appelé les « hommes de l'insurrection », qui « ont combattu courageusement » à cesser le feu et à retourner « sans humiliation, à leur famille et leur travail ». Il engageait « leurs chefs » à « prendre contact avec le commandement » et leur promettait d'être « reçus et traités honorablement [33] ». Or, cette offre a été rejetée par le FLN, pour qui elle s'apparentait à un cessez-le-feu sans condition ; mais, soutenue *a posteriori* par des libérations d'internés et par la grâce accordée aux condamnés à mort, elle gagne en crédibilité. Le général de Gaulle accomplit ainsi un geste envers des sympathisants, militants et combattants du nationalisme. D'ailleurs, s'adressant directement aux troupes et à l'encadrement inférieur de l'ALN dans son appel, il tente de court-circuiter le GPRA : la décision de déposer les armes reviendrait à ceux qui luttent, sur le terrain.

Si cette clémence marque un réel changement politique, la politique économique et sociale du général de Gaulle s'inscrit dans la continuité. L'évaluation de ses objectifs s'est appuyée sur le rapport du groupe d'études formé par François Mitterrand, dit « rapport Maspétiol », ainsi que sur les « perspectives décennales de développement économique de l'Algérie », élaborées pour Robert Lacoste par un groupe de travail issu du précédent [34].

Les mesures annoncées le 3 octobre 1958 à Constantine, pour les cinq ans à venir, sonnent alors comme un écho de la politique réformiste de la IVe République. Elles prennent cependant un sens différent : le collège unique ayant été instauré par ailleurs, et en premier, dès le mois de juin, elles accompagnent une action, au plan politique, alors que, pour les gouvernements précédents, les mesures de développement étaient conçues, seules et de façon inappropriée, comme une réponse au nationalisme.

Comme l'a déjà décidé un décret du gouvernement de Guy Mollet, le général de Gaulle assure que 10 % au moins « des jeunes gens qui, en métropole, entreront dans les corps de l'État, les administrations, la magistrature, l'armée, l'enseignement, les services publics français, sera pris obligatoirement dans l'une des Communautés arabe, kabyle ou mozabite ». Réactivant de même la CAPER créée en 1956, il souhaite que vingt-cinq mille hectares de terres nouvelles soient attribués à des « cultivateurs musulmans ». Il promet aussi un relèvement, à égalité avec le niveau métropolitain, des salaires et traitements versés en Algérie, « l'arrivée et l'utilisation du pétrole et du gaz sahariens, l'établissement de vastes ensembles métallurgiques et chimiques, la construction de logements pour un million de personnes, le développement adéquat de l'équipement sanitaire, des ports, des routes, des transmissions ». Il en attend la création de quatre cent mille emplois et fixe l'objectif de scolariser les deux tiers « des filles et des garçons », avant d'atteindre, trois ans plus tard, une « scolarisation totale de la jeunesse algérienne [35] ».

La réalisation de ce plan ne pouvait être confiée à un militaire, alors que depuis mai 1958 le général Salan cumule les pouvoirs de gouverneur général et de commandant en chef. À la fin de l'année, il est rappelé en métropole et nommé inspecteur général de la Défense nationale, fonction qui, vidée de toute réalité, marque sa mise à l'écart. Le rétablissement de l'autorité de l'État en Algérie, outre l'élaboration d'une Constitution renforçant l'exécutif, passe aussi par l'éviction des militaires de toute responsabilité politique : le 13 octobre 1958, le général de Gaulle leur ordonne de se retirer des Comités de salut public. Ses fréquents voyages en Algérie, ainsi que toutes ses correspondances au général Salan, tant qu'il était en poste, ont été autant d'occasions de le marteler [36].

Le 19 décembre 1958 entre en fonction à Alger un binôme inédit, dans lequel le militaire est subordonné au civil : Paul Delouvrier et le général Challe deviennent respectivement délégué général du gouvernement en Algérie et commandant en chef. Inspecteur des Finances en poste à la Communauté européenne du charbon et de l'acier (CECA), le nouveau « DG » a d'abord été envoyé pour « une mission d'information sur la mise en valeur de l'Algérie et l'application du programme de Constantine [37] ». Quant à Maurice Challe, il a été recommandé par le général Ely, chef de l'état-major général de la Défense, où il officiait depuis plusieurs années, et placé auprès du général Salan dès le 18 octobre 1958 pour préparer sa succession.

En coulisses, le renouvellement du personnel des cabinets ministériels, des conseillers ou responsables, pour être moins visible, n'en est pas moins profond. La présidence de la Commission de sauvegarde des droits et libertés individuels, par exemple, revient à Maurice Patin, alors président de la chambre criminelle à la Cour de cassation. Ce haut magistrat, ancien directeur des affaires criminelles et des grâces à la Libération, qui à cette occasion a étudié avec le général de Gaulle les dossiers de grâce de collaborateurs condamnés à mort, part enquêter en septembre 1958 sur « la situation en Algérie [38] ». Par la suite, ses rapports réguliers vont constituer une importante source d'information pour le chef de l'État, qui ira jusqu'à lui confier la présidence du Haut Tribunal militaire chargé de juger les putschistes d'avril 1961.

Au cours du deuxième semestre de l'année 1958, le général de Gaulle a agi dans l'urgence du changement de régime : il a donné la priorité à l'élaboration de la Constitution et à la restauration de l'autorité de l'État, renouvelé le personnel dirigeant et cherché à connaître au mieux la situation sur le terrain. Il a recouru à des effets d'annonce pour son plan de développement et son appel à la « paix des braves », tendu la main à la « population musulmane » en instituant le collège unique et en faisant preuve de clémence. Mais la lutte contre l'ennemi n'est pas suspendue : désormais, le combat contre l'ALN se renforce avec le plan Challe, du nom du nouveau commandant en chef.

9

UNE VICTOIRE MILITAIRE TRAHIE ?

À partir de février 1959, le général Challe lance une série d'offensives portant à son apogée la domination de l'armée sur les maquis. Quasiment anéantie, l'ALN se braque contre les dirigeants du GPRA, au sein duquel les tensions s'exacerbent. Le succès des Français se conjugue ainsi à la montée en puissance des militaires, concrétisée par la création de l'État-major général (EMG), en janvier 1960, pour aboutir à une grave crise.

Mais la pression des nationalistes ne disparaît pas pour autant. La domination militaire française ne règle pas le conflit. Elle servira, en fait, à soutenir les négociateurs français lors des pourparlers que l'annonce de l'auto-détermination, le 16 septembre 1959, rend envisageables, puisque, pour la première fois, un dirigeant français admet l'éventualité de l'indépendance. Pour l'armée, cette réorientation est risquée : elle ruinerait son succès, si les Algériens choisissaient la « sécession ». En ouvrant cette option, le général de Gaulle aurait-il trahi la victoire des militaires ?

Combattre la « guerre révolutionnaire »

Maurice Challe, nouveau commandant en chef en 1959, est très imprégné par une vision du monde issue de la guerre froide, selon laquelle le bloc communiste tenterait de cerner l'Occident, en s'implantant à l'est et au sud de la Méditerranée. Suez serait l'un des verrous de cette expansion, que l'échec de l'expédition franco-israélo-britannique aurait fait sauter : « C'est fini. La porte de l'Afrique est ouverte aux visées soviétiques », commente-t-il, lui qui a contribué à la préparer [1]. Alors en poste à l'état-major général de la Défense, il a collaboré avec les Israéliens et travaillé à convaincre les Britanniques de se joindre à l'opération. Confronté au terrain algérien, il réactive cette analyse liant « visées soviétiques » et conflits au nord de l'Afrique, où l'islam s'ajouterait au communisme pour mettre en péril ce « pauvre Occident » aux États « mûrs pour l'asservissement ou la disparition » et sa « civilisation chrétienne vieille de 2 000 ans [2] ».

Sous son commandement, les principes de la lutte contre la « guerre révolutionnaire », sous une forme dérivée que signale l'usage privilégié du terme « subversion », deviennent les moteurs d'une action reposant sur le 5e Bureau. Certes, le colonel Lacheroy a été désavoué : Jacques Chaban-Delmas, après l'avoir évincé du ministère de la Défense, l'a envoyé en Algérie, d'où le général de Gaulle l'a rappelé en même temps que Raoul Salan, fin 1958. Mais c'est l'ancien adjoint du colonel Lacheroy, le colonel Gardes, qui prend la tête de l'« action psychologique » en Algérie, secondé par le commandant Cogniet, un émule de la Cité catholique. Le 5e Bureau est doté de ressources inégalées : trente-deux officiers à Alger ; cinquante officiers itinérants au lieu de vingt-cinq en 1956 ; réorganisation des Compagnies de haut-parleurs et de tracts, qui sillonnaient les campagnes algériennes, en Compagnies de diffusion et de production, qui multiplient les distributions de tracts, les expositions de panneaux, les projections de films… Le 5e Bureau gère également des structures d'organisation de la population, en particulier des femmes, des jeunes et des anciens combattants, et chapeaute la formation militaire dispensée au Centre d'instruction, de pacification et de contre-guérilla d'Arzew[3].

L'action psychologique touche également les combattants faits prisonniers, suivant une décision héritée du général Salan. À l'origine, en mars 1958, ce dernier a décidé d'ouvrir des camps d'internement spécifiques, les centres militaires d'internés, où seraient assignés à résidence les « rebelles capturés les armes à la main[4] », que les militaires prennent l'habitude d'appeler « PAM » pour « pris les armes à la main ». C'est le résultat d'une réflexion conduite par l'état-major sur les combattants que les commandants de secteur jugent susceptibles de rallier les forces françaises[5]. Les centres militaires d'internés doivent en effet permettre leur « récupération par une formation civique appropriée », en même temps qu'ils servent à la « recherche du renseignement par leur interrogatoire » ; ainsi, ils ne constituent pas des camps de prisonniers de guerre. La traduction en justice, pratiquée pour des faits relevant du combat, reste possible pour « ceux qui ont commis des exactions ou qui font preuve d'un fanatisme susceptible de nuire à l'état d'esprit d'ensemble », selon les termes du général Salan. Finalement, le sort du prisonnier appartient au commandant de secteur, qui décide de son internement ou de sa traduction en justice – quand il n'a pas été exécuté. Approuvée par Jacques Chaban-Delmas, puis retardée par le changement de régime, l'ouverture des centres militaires d'internés a lieu en juillet 1958. À la fin de l'année suivante, 2 170 détenus y sont regroupés ; ils seront 5 000 en 1961[6].

Comme l'action psychologique, la recherche du renseignement bénéficie d'effectifs accrus. À l'automne 1958, le général Salan a fait quadrupler ceux du service central dont dépendent les DOP, et décidé d'en doter chaque secteur militaire. Le général Challe y travaille, et leur accorde un camouflage : dans chaque corps d'armée, les DOP composent des bataillons d'infanterie, impossibles à distinguer des autres sur le papier. Le général Challe crée également des Centres de renseignement et d'action, dirigés par les officiers de renseignement des secteurs militaires, afin de centraliser le travail de tous les services. La ferme Améziane en est un « centre précurseur et modèle [7] », que les militants contre la torture ont démasqué et dénoncé : utilisée dès l'été 1956, elle est devenue une annexe du centre de triage et de transit du Hamma, consacrée aux interrogatoires menés par les DOP [8].

Ce renforcement de l'action psychologique et de la recherche du renseignement répond aux ambitions de Maurice Challe. Il entend donner l'assaut final à une ALN asphyxiée par les barrages établis aux frontières tunisiennes et marocaines. Formés d'une haie électrifiée doublée de barbelés et de champs de mines antipersonnel, ils coupent toute circulation transfrontalière sur plus de 500 km à l'ouest et près de 400 à l'est, du littoral au Sahara. C'est le ministre de la Défense du gouvernement de Maurice Bourgès-Maunoury, André Morice, qui leur a donné une impulsion décisive. Sa directive du 26 juin 1957 dotait des moyens matériels et humains nécessaires l'aménagement d'un barrage avec la Tunisie, auquel il donne son nom – la ligne Morice –, et qui a servi de modèle au bouclage du territoire. Entre janvier et mai 1958, les attaques algériennes depuis la Tunisie restent vaines en l'absence d'un armement lourd approprié, blindés ou aviation notamment. Les passages d'armes et de combattants, venus ressourcer les maquis de l'intérieur, chutent considérablement : 200 armes par mois en 1959 contre 1 000 à 1 200 en 1957 ; 4 000 hommes tués, 600 faits prisonniers lors de la « bataille des frontières » en 1958 contre 2 000 entrées réussies chaque mois en 1957 [9].

Le plan du général Challe est d'anéantir cette ALN démunie, en ciblant, les unes après les autres, les régions montagneuses où elle se replie. Des commandos de chasse, « têtes chercheuses [10] », sont concentrés dans une zone délimitée qu'ils occupent en nomades pour traquer les maquisards sans relâche, jusqu'aux assauts décisifs portés avec l'appui d'autres unités. Ils sont relayés par les troupes de secteur qui conservent l'avantage acquis ; puis l'offensive est lancée ailleurs, avec le renfort des hommes prélevés sur la zone vaincue auparavant, où le dispositif peut être allégé. Les effectifs français gonflant ainsi au fur et à mesure de leur progression, le plan Challe est d'abord appliqué dans les régions où l'ALN est la moins implantée, avant de toucher celles où elle offre un potentiel de résistance plus élevé : les Français attaquent successivement les massifs de l'Oranie en février 1959, ceux de l'Algérois en avril, puis l'est du pays en juillet, où les opérations « Étincelle », « Jumelles » et « Rubis » balayent la wilaya 3 en Kabylie, les Aurès et la wilaya 2 au nord.

Malgré les consignes qui circulent au sein de l'ALN – « diviser les compagnies », « intensifier […] le sabotage des routes et surtout la pose de mines », « moyen le plus efficace, le plus rentable et le moins coûteux pour semer la peur dans les rangs ennemis [11] » –, les Aurès restent, au dire du général Challe, « la seule région où les katibas soient restées entières et assez fortes [12] » au printemps

1960 ; ailleurs ne subsistent que « des embryons de sections, occupés surtout à échapper à nos troupes [13] ».

Ces opérations militaires s'accompagnent de déplacements massifs de populations, portant le nombre de camps de regroupement à 1 242 en octobre 1959. Plus d'un million de personnes y vivent alors, dans des conditions qui alarment le personnel d'aide sociale et médicale. Leurs rapports font état d'enfants « âgés d'un mois à quatre ans dans des états de maigreur épouvantable », de bébés, « qui avaient été admis à l'hôpital », dont « une trentaine sont morts », d'enfants « décharnés qui survivent pour combien de temps encore », de « gamines de 8 à 10 ans qui n'étaient pas malades et qui sont mortes de faim [14] ». Plus que jamais les Algériens, enjeu de la guerre, subissent les conséquences meurtrières de l'action militaire.

Dans la logique de la lutte contre la « guerre révolutionnaire », les supplétifs augmentent fortement. S'ils servent au « maintien de notre potentiel », explique le général Challe, en renforçant les effectifs nécessaires à l'application de son plan, leur « utilisation » présente aussi un intérêt politique et tactique : outre que « nous ne pacifierons pas l'Algérie sans les Algériens », « le meilleur chasseur de fellagha est le FSNA [15] ». Dans ces conditions, les harkis doublent en un an, de 28 000 en décembre 1958 à 56 000 en novembre 1959 ; les *moghazni* atteignent les 20 000 fin 1960 et, à la même date, les GAD comptent 62 000 hommes dont seulement 28 000 sont armés [16]. Les GMPR, quant à eux, ont été transformés en Groupes mobiles de sécurité (GMS), assimilés aux CRS.

Dans l'optique de l'autodétermination, l'armée crée en décembre 1959 des Centres d'éducation civique et militaire, dispensant aux harkis des stages de formation propres à orienter leur choix en faveur de la France [17]. Cependant, malgré la publicité faite par l'armée autour des commandos de chasse, tel le commando Georges, formé avec des ralliés par Marcel Bigeard en janvier 1959, les autorités militaires surveillent très étroitement le comportement des supplétifs. Les désertions avec armes et munitions, même si elles sont très peu nombreuses, restent une source d'approvisionnement recherchée par les maquis, dans le contexte de pénurie liée aux barrages. La faiblesse de l'armement remis aux GAD témoigne également de la méfiance du commandement, qui craint de le voir passer à l'ALN. Quant au double jeu, par le versement de cotisations au FLN ou la livraison d'informations à l'ennemi, il inquiète d'autant plus qu'il est difficile à repérer. Les ralliés, en particulier, sont licenciés dès qu'ils deviennent suspects.

La valorisation politique de la présence des Algériens au sein des forces françaises conduit à une exagération des effectifs proclamés. En réalité, la courbe des ralliés ne dépasse pas les 3 000 et les harkis ne représentent pas plus de la moitié des hommes des commandos [18]. L'ajout des appelés et des militaires de carrière algériens permet en outre d'obtenir un total très élevé de « musulmans » dans les forces françaises, alors que les logiques de leur présence diffèrent : les appelés ont été soumis à la conscription, et l'engagement, lorsqu'il est antérieur à 1954, ne manifeste pas une volonté de défendre l'Algérie française [19]. Au contraire, la guerre d'indépendance déstabilise les officiers de carrière algériens. Une cinquantaine d'entre eux ont rejoint l'ALN, où ils sont connus sous le terme de « DAF », pour « déserteurs de l'armée française » ; parmi eux, quelques-uns des cinquante-deux signataires d'une lettre adressée au président Coty en janvier 1957, demandant « un règlement pacifique dénué

de toute violence[20] », qui ont démissionné huit mois
plus tard, estimant qu'« il ne [leur] est plus possible, par
[leur] présence au sein de l'armée française, de continuer
à cautionner une politique qui fait la ruine de l'Algérie,
[leur] patrie, et la honte de la France[21] ». S'il paraît peu
élevé, le nombre de ces hommes, qui ont quitté l'armée
française où ils avaient choisi de s'engager, doit être mis
en relation avec le total des officiers de carrière algériens,
évalués à 335 seulement en 1962[22].

L'augmentation du nombre des supplétifs, ainsi que
l'exploitation politique de leur présence, va lourdement
hypothéquer l'avenir de ces hommes. Pourtant, contrairement aux ambitions du commandement, la diversité
de leurs motivations, parmi lesquelles l'intention politique est marginale, n'a pas permis de les utiliser pour
former un « parti de la France » algérien, qui aurait
contrebalancé les voix favorables à la « sécession » lors du
scrutin d'autodétermination prévu.

Pourtant, étant donné la nature de la lutte menée par
les nationalistes, la victoire militaire française est relative.
Si les maquis plient, les Algériens résistent sur le « plan
particulier » décrit par le général Salan[23]. Le terrorisme
continue, se manifestant par le jet d'une grenade sur un
marché ou à la terrasse d'un café, par exemple. Il est
même perçu comme un moyen de contrarier le plan
Challe : « Porter tous nos efforts sur l'intensification des
attentats en ville. Viser surtout les officiers SAS, les
pilotes d'avion et autres spécialistes dont le remplacement
est très difficile pour l'ennemi », prescrivent des consignes
de l'ALN en wilaya 3[24]. Et l'organisation politico-
administrative – le *nizam* – perdure. Les réseaux, les cellules et les structures diverses sont reconstitués au fur et
à mesure de leur démantèlement par les forces de l'ordre

françaises, qui arrêtent régulièrement leurs membres. Leur persistance, cependant, dit bien la persévérance des Algériens dans leur engagement pour l'indépendance. En janvier 1961, étudiant les structures du *nizam* créées au congrès de la Soummam, les services français eux-mêmes reconnaissent cette persistance. Car même si « dans la pratique, excepté certaines régions de la wilaya 2, ces organismes n'arrivent pas à voir le jour, ou ne peuvent subsister une fois implantés », ils « vont évoluer, se transformer, s'adapter aux circonstances locales et aux nécessités de l'heure, et recouvrir le territoire d'une organisation éloignée, certes, des structures du congrès, mais diversifiée et vivace [25] ».

Les coups portés à l'ALN, cependant, ébranlent le camp algérien dans son ensemble, par ses répercussions au plan politique : les rapports de forces entre l'intérieur et l'extérieur, ainsi qu'entre les institutions dirigeantes, sont modifiés, surtout que le GPRA souffre d'une composition et d'un fonctionnement défaillants.

La crise du camp algérien

Dans les wilayas, la domination des Français démoralise leurs adversaires. La coupure avec la direction siégeant à l'extérieur, imposée par les barrages, le dénuement qu'ils provoquent, ainsi que la pression exercée par le plan Challe, s'accompagnent d'une perte de confiance, à différents degrés de la hiérarchie : au sein de l'ALN, chez les combattants et les cadres subalternes envers leurs supérieurs, mais aussi à l'échelon le plus élevé, entre les officiers commandant les wilayas et le GPRA. Certes, révoltes et complots ont existé pendant toute la guerre, et ils prospèrent sur des divisions internes, structurelles, du camp algérien : rancœur contre ceux de l'extérieur, au train de vie parfois fastueux, en tout cas indécent pour ceux qui risquent la mort au combat, dans des maquis où règne la misère ; persistance des appartenances locales, constitutives de clientèles et sources d'opposition multiples, entre Kabyles et Arabes, entre les Chaouias et les autres, entre ceux des Aurès et d'ailleurs… Mais, exacerbées par les succès militaires français, les contestations se durcissent.

C'est ainsi qu'une réunion inter-wilayas est convoquée par le colonel Amirouche, chef de la wilaya 3, du 6 au 12 décembre 1958. Ce dernier souhaite étudier, avec ses homologues, les possibilités d'entraide face à leurs difficultés, au cœur desquelles la pénurie d'armement et les infiltrations ennemies – c'est alors l'époque de la bleuïte [26]. Cette réunion, à laquelle ont assisté les colonels Abidi Hadj Lakhdar, de la wilaya 1, Si M'hammed de la 4 et Si Haoues de la 6, marque en elle-même une réaffirmation de la légitimité de l'intérieur contre un extérieur très critiqué. Mais le colonel Amirouche, convoqué par le GPRA à Tunis, est tué en chemin par l'armée française le 29 mars 1959, avec le colonel Si Haoues, qui l'accompagnait. Leur mort prive cette initiative de tout débouché [27].

D'autres contestent leur commandement. C'est le cas d'une quarantaine de cadres de la wilaya 3, conduits par les lieutenants Allaoua Zioual et Sadek Ferhani, en septembre 1959. Se nommant les « officiers libres », comme les Égyptiens qui portèrent Nasser au pouvoir, ils demandent au GPRA de trancher entre Mohand Oul Hadj et Abderrahmane Oumira, tous deux revendiquant la succession du colonel Amirouche, et d'enquêter sur des détournements de fonds collectés. Lorsque arrive la réponse du GPRA, intronisant le commandant Mohand, l'anarchie guette la wilaya, entre les tractations conduisant à la soumission de certains conjurés, la dissidence de ceux qui se sont émancipés de toute tutelle, et la promotion de ses fidèles par le commandant Oumira, qui place ses pions pour rester en lice. Le plan Challe ajoute au désordre, en sapant le moral des hommes : « De jeunes combattants se demandaient ce qu'ils deviendraient si la France gagnait », note un protagoniste de l'affaire [28]. Cette offensive pèse aussi sur le cours des événements, en éliminant notamment le lieutenant Sadek, fait prisonnier, et le commandant Oumira, tué au combat. La disparition de son rival permet en effet au commandant Mohand d'asseoir son autorité dans sa région, moyennant la concession de l'autonomie au lieutenant Allaoua. Pendant plusieurs mois, la crise a entretenu un cercle vicieux : elle s'est nourrie du pessimisme engendré par le plan Challe, mais elle l'a facilité, aussi, en affaiblissant la wilaya à un moment crucial.

À cette démoralisation s'ajoute, en 1959, la paralysie du GPRA, consécutive aux luttes d'influence et aux tensions entre ses membres. Krim Belkacem, le ministre des Forces armées, autour de qui s'organisent les rapports de forces, en constitue le repère : c'est pour ou contre lui que les différents protagonistes se positionnent, en sa faveur ou à son détriment que se nouent les intrigues, à son actif ou à son passif que sont versés les succès et les revers de la cause indépendantiste.

Or, au sein du trio qui exerce réellement le pouvoir, l'homme fort du GPRA commence à perdre du terrain. Tout d'abord, il paie l'échec de l'organisation du commandement à son profit. Au printemps 1958, en effet, les « 3B » ont décidé de créer deux Comités opérationnels militaires (COM) pour diriger l'ALN depuis l'extérieur : à Ghardimaou, en Tunisie, pour les wilayas 1, 2

et 3 ; à Oujda, au Maroc, où siège déjà le commandement
de la wilaya 5, pour les wilayas 4, 5 et 6. Le COM-est
revient au colonel Mohammedi Saïd, soutenu par Krim
Belkacem, tandis que le COM-ouest est confié au colonel
Houari Boumediene, recruté dans la clientèle d'Abdelhafid Boussouf. Trop jeune pour être un militant de longue
date – il a moins de trente ans –, ce jeune officier est issu
d'une famille paysanne des environs de Guelma. Formé à
l'école coranique, ancien élève de la Zeytouna de Tunis
puis de l'université d'Al-Azhar, au Caire, où il a commencé
à militer, il est revenu en Oranie en 1955 puis a succédé à
Abdelhafid Boussouf à la tête de la wilaya 5 en 1957 [29].
Outil de sa montée en puissance, le COM-ouest s'appuie
sur les hommes de son équipe.

En revanche, très contesté par le colonel Ali Kafi qui,
à la tête de la wilaya 2, ne reconnaît pas son autorité, le
COM-est est dissous en septembre 1958 et ses membres
sont sanctionnés. À ce revers, pour Krim Belkacem,
s'ajoute l'échec du commandant Mouloud Idir, son
second au ministère des Forces armées. Ce déserteur de
l'armée française a hérité d'une culture professionnelle
valorisant une armée moderne, strictement hiérarchisée,
solidement structurée et dotée d'un matériel perfec-
tionné. Il souhaite substituer aux maquis intérieurs une
force militaire répondant à cet idéal, formée à l'extérieur.
L'application de ses principes se concrétise par une mise
au pas autoritaire des soldats, dans des camps d'instruction installés en Tunisie, y compris pour les trois cents
hommes du sous-lieutenant Hamma Loulou, volontaires
pour franchir les barrages – une exception. L'opposition
que suscite la réorganisation du commandant Idir
devient cependant si véhémente que les forces algériennes de Tunisie sont gagnées par un état d'esprit séditieux, propice aux révoltes et aux complots. Visant en

particulier le ministre des Forces armées et son adjoint, cette agitation rejaillit en réalité sur l'ensemble du GPRA, qui en sort affaibli.

La mutinerie conduite par le capitaine Ali Hambli est à cet égard exemplaire. Replié de la wilaya 1, ce dernier est d'abord arrêté en avril 1958 pour avoir vertement critiqué le luxe et la tranquillité de ceux de l'extérieur. Libéré en octobre 1958, il reçoit le commandement d'une *katiba*, avec l'ordre de repasser la frontière. S'y refusant, approuvé par ses hommes et bientôt rejoint par d'autres soldats dissidents, il constitue un groupe de trois cents réfractaires. En janvier 1959, l'armée tunisienne intervient elle-même, en vain, pour réduire cette troupe qui vit sur le pays. Mais elle n'est vaincue que trois mois plus tard, au prix d'un assaut mobilisant plus d'un millier de soldats algériens. Promis à une mort certaine, comme ses partisans capturés, Ali Hambli choisit alors de rallier l'armée adverse, contactée de l'autre côté du barrage, avec cent cinquante soldats, ce qui vaut à cette affaire d'être exploitée médiatiquement par les Français.

D'une tout autre ampleur est le complot Lamouri, véritable projet de coup d'État [30]. Mohammed Lamouri, militant de la première heure, devenu colonel en wilaya 1, nommé au COM-est, a été sanctionné lors de la dissolution de cet organisme. Exilé à Djeddah, il passe au Caire et y contacte Ali Zeghdani, dit Mustapha Lakhal, dont l'opposition aux dirigeants algériens, qu'il critique pour leur incompétence, est notoire. Cet ancien officier de la wilaya 4, formé à l'école militaire cairote, bénéficie de la protection des services égyptiens de Fathi Al Dib. Les deux hommes, en outre, mettent Abdelhafid Boussouf au courant de leur entreprise, dirigée plus particulièrement contre Krim Belkacem. Puis ils rejoignent la Tunisie, où ils exploitent l'opposition au commandant

Idir, pour échafauder un plan de prise du pouvoir, passant notamment par l'arrestation des ministres présents à Tunis. Ils s'appuient en particulier sur les colonels Nouaoura et Aouachria, qui refusent, comme Ali Hambli et ses hommes, de passer les barrages. Le 12 novembre 1958, cependant, les conjurés sont arrêtés en pleine réunion par la Garde tunisienne, appelée par un GPRA informé du complot, mais méfiant envers ses propres forces : vingt-cinq officiers sont appréhendés par la suite et plus d'un millier de soldats désarmés. À la suite d'une instruction fondée sur des interrogatoires marqués par des sévices, le 20 janvier 1959, treize conjurés passent devant une Haute Cour de justice présidée par le colonel Boumediene. Condamnés à mort, les quatre principaux artisans du complot sont exécutés le 16 mars 1959, tandis que leurs coinculpés, dégradés, se voient infliger des peines de quatre mois à deux ans de prison. L'appel aux Tunisiens révèle la défaillance du GPRA, dont l'ascendant sur les troupes reste précaire jusqu'à l'été 1959, lorsque le commandant Idir donne sa démission.

C'est cependant la mort d'Allaoua Amira, au Caire, qui bloque l'instance dirigeante du camp algérien. Cet ami de Lamine Debaghine, avec qui il travaillait au ministère des Affaires étrangères, meurt défenestré alors qu'il se trouvait aux mains des services d'Abdelhafid Boussouf. Il était interrogé sur une campagne de dénigrement qu'il animait contre Ferhat Abbas, dont il n'avait jamais accepté, en tant que militant nationaliste radical de longue date, la promotion à la tête du GPRA. Deux camps se forment alors : Ferhat Abbas et Abdelhafid Boussouf se retrouvent objectivement opposés à Lamine Debaghine, qui, démissionnaire, exige des explications, ainsi qu'à Krim Belkacem, qui l'appuie, dans l'espoir de mettre le président du GPRA en difficulté et de lui ravir sa fonction. Il estime cette revendication justifiée par sa qualité de seul chef historique resté vivant, et libre.

Cette affaire illustre à quel point les membres du GPRA s'opposent et comment ils se positionnent au gré de la conjoncture, suivant des rapprochements fragiles, nés des seules circonstances et susceptibles de se désagréger suivant l'évolution des événements. Leurs clivages reposent sur leur ancrage politique originel dans des tendances divergentes, tels l'UDMA, les activistes et les centralistes du MTLD, dont ils reproduisent les désaccords, ainsi que sur des ambitions individuelles, légitimées par la participation au déclenchement de l'insurrection. Ainsi se constituent des clientèles, repérées par leur attache régionale – autour de Krim Belkacem gravite le « groupe kabyle », par exemple –, et se nouent des alliances occasionnelles, à la fois pour promouvoir leurs intérêts et nuire à ceux des autres. Cette configuration stérilise le GPRA, dont le redressement implique une refonte des institutions, mais suivant des modalités assurant à chacun la neutralisation de ses adversaires : il faut donc un arbitrage externe. Après l'affaire Amira, en juillet 1959, d'un commun – quoique difficile – accord, le GPRA s'en remet à sept colonels, dont Houari Boumediene, auxquels s'ajoutent les « 3B », qui s'invitent, de force, à leurs réunions. Du 11 août au 16 décembre 1959, celles-ci, pleines de péripéties, aboutissent à une recomposition du CNRA, dont les hommes du colonel Boumediene, très présents, détiennent les clés. Convoqués à Tripoli du 16 décembre 1959 au 18 janvier 1960, les membres de ce troisième CNRA s'emploient à diminuer les « 3B », en dénonçant avec véhémence leurs détournements de fonds. Leurs principales décisions sont l'organisation du commandement de l'ALN par la

création d'un État-major général (EMG), et la désignation d'un nouveau GPRA, à qui ils assignent une série
d'objectifs, au premier rang desquels figure le projet de
rebondir sur la proposition française d'autodétermination.

Mahmoud Cherif, Benyoucef Ben Khedda, Tawfiq El
Madani et Lamine Debaghine quittent le gouvernement
et leurs attributions sont redistribuées. Abdelhamid
Mehri s'occupe ainsi des Affaires sociales et de la
Culture, et Abdelhafid Boussouf hérite d'un ministère
d'envergure, le ministère de l'Armement et des Liaisons
générales (MALG). Krim Belkacem, quant à lui, reprend
le flambeau des Affaires extérieures. Ferhat Abbas reste
président, Lakhdar Ben Tobbal à l'Intérieur, Ahmed
Francis aux Finances, M'Hamed Yazid à l'Information.
Krim Belkacem et Ahmed Ben Bella sont rejoints par
Mohammed Boudiaf à la vice-présidence, tandis que
Hocine Aït Ahmed, Mohammed Khider et Rabah Bitat
restent ministres d'État.

Le nouveau GPRA consacre l'affaiblissement de Krim
Belkacem, dont le ministère des Forces armées est carré-
ment supprimé. Sa mise à l'écart des affaires militaires,
cependant, ne bénéficie pas à ses deux ex-comparses,
mais au nouvel EMG, issu du COM-ouest et dirigé par
le colonel Houari Boumediene. Théoriquement, en effet,
l'EMG est soumis à un Comité interministériel de guerre
(CIG), formé des « 3B », mais, en réalité, il s'en éman-
cipe et constitue une institution autonome. Ainsi organisé et libre de toute soumission au pouvoir politique, le
commandement de l'ALN fait contrepoids au GPRA et
se pose en instance dirigeante alternative.

Il s'appuie sur l'armée des frontières, en passe de devenir le point fort du potentiel militaire algérien, suivant
des conceptions que n'aurait pas reniées le commandant

Idir. Bloqués par les barrages, les soldats, recrutés parmi les réfugiés, se massent dans les pays voisins : 2 000 hommes au Maroc en 1957, 10 000 en 1962 ; 2 000 en Tunisie en 1957, 8 000 en 1958, 15 000 en 1960 et 22 000 en 1962 [31]. Plus nombreuses, les troupes stationnées en Tunisie sont aussi mieux équipées, la marine française contrariant l'accès des chargements d'armes et d'équipement aux côtes marocaines. L'encadrement de ces troupes est assuré par des déserteurs de l'armée française et par des hommes formés dans les écoles militaires d'Égypte, de Syrie ou d'Irak. Par son organisation, enfin, cette ALN extérieure prend l'allure d'une armée professionnelle, dotée de services d'intendance, du génie, des transmissions... En attendant d'entrer dans le pays, elle reçoit, à partir de 1960, la mission d'obliger les Français à maintenir des troupes aux frontières, en les harcelant, sans chercher à passer les barrages.

Cette armée, l'EMG la tient fermement en main grâce à l'écrasement définitif de la rébellion entretenue par le capitaine Zoubir, au Maroc, à partir de décembre 1959. Comme d'autres, sa révolte est partie de la pénurie affectant les wilayas et des ressentiments contre ceux de l'extérieur. En effet, sorti d'Algérie en quête d'armes et de ravitaillement, excédé par l'inaboutissement de ses demandes auprès du commandement de la wilaya 5, il a lancé une vaste campagne de protestation, très suivie par des soldats remontés contre le luxe qu'affichent leurs supérieurs et souffrant, dans les camps militaires, de leur autoritarisme. Le capitaine Zoubir en a saisi Krim Belkacem, alors ministre des Forces armées, et a revendiqué le commandement des bases algériennes du Maroc. Empêtré dans ses problèmes internes, cependant, le GPRA l'a appelé à la raison, alors que les Français caressaient l'espoir de détourner sa dissidence à leur profit ; le GPRA a temporisé en formant une commission d'enquête et en ordonnant aux dirigeants installés au Maroc de modérer leur train de vie.

Après le CNRA de Tripoli, Lakhdar Ben Tobbal est envoyé en tournée pour exhorter les soldats partisans du capitaine Zoubir, qui se comptent par milliers, à rentrer dans le rang. Sûr de leur soutien, le chef des mutins tente alors l'épreuve de force, en encerclant le ministre et ses accompagnateurs. Négociant sa reddition contre la protection du prince héritier du Maroc, le futur Hassan II, il finit par être neutralisé, tout en ayant la vie sauve. Mais le mouvement de contestation persistant en son nom, il est remis aux autorités algériennes, à la suite d'un accord bilatéral, en août 1960. Traduit devant un tribunal formé par l'EMG, présidé par Houari Boumediene, il est condamné à mort et fusillé. Ses partisans sont dispersés ou éliminés lors d'une grande vague de purges.

L'annonce de l'autodétermination surprend donc un camp algérien en pleine crise, au point que le premier GPRA n'est pas en mesure d'y répondre. Il faut attendre la formation de son successeur, sommé par le CNRA de réagir, pour que des négociations soient entamées.

De l'autodétermination aux premiers échanges

Le 16 septembre 1959, le général de Gaulle annonce à la radio et à la télévision qu'il a décidé le « recours à l'autodétermination », pour sceller le destin de l'Algérie : « la sécession », « la francisation complète », ou « le gouvernement des Algériens par les Algériens [32] ». Il ne rejette explicitement que la première, « où certains croient trouver l'indépendance » alors qu'elle « entraîne-rait une misère épouvantable, un affreux chaos politique, l'égorgement généralisé et, bientôt, la dictature belli-queuse des communistes ».

Le chef de l'État s'explique en égrenant les raisons pour lesquelles « le problème difficile et sanglant » de l'Algérie doit être résolu. Le texte de son discours peut être lu comme une synthèse des motivations qui l'ont poussé, *in fine*, à accepter l'indépendance. Ce « pro-blème », en effet, obère le « redressement » de la France opéré depuis mai 1958 : retour de la « cohésion natio-nale », création d'« institutions solides », « équilibre des finances » permettant de « bâtir le progrès social », orga-nisation de la communauté entre « la France, onze États d'Afrique et la République malgache ». Il compromet aussi la puissance française dans le monde, malgré le fait que « notre voix est écoutée ». Le Général choisit ainsi de parler quelques jours après la visite du président Eisenhower à Paris et le lendemain de l'ouverture de la XIVe session de l'ONU. Et il prend des engagements tangibles à l'intention de la communauté internationale : il invite « les informateurs du monde entier à assister, sans entraves, à cet aboutissement décisif » et programme le vote « au plus tard quatre années après le retour effectif de la paix », lorsque « embuscades et attentats n'auront pas coûté la vie à plus de deux cents personnes par an ». Enfin, outre que la poursuite de la guerre entrave le déve-loppement du pays et son rayonnement international, elle serait vaine si, « par extraordinaire malheur », les Algériens souhaitaient l'indépendance. Dans ce cas « la France cesserait, à coup sûr, de consacrer tant de valeurs et de milliards à servir une cause sans espérance ».

Le Général aurait-il trompé ceux qui l'ont porté au pou-voir en conduisant une politique favorable au maintien de

la France en Algérie, avant de se raviser et de décider
une autodétermination qui rend l'indépendance possible ? Car, en attendant, ceux qui croyaient en lui pour
garder l'Algérie française ont pu penser que la réforme
du collège unique, le plan de Constantine, l'appel à la
« paix des braves » et le plan Challe, manifestant une
volonté nouvelle d'agir et d'investir en Algérie, prépa-
raient un avenir commun à la métropole et à ses trois
départements outre-Méditerranée. Dans son discours du
16 septembre 1959, le Général clame au contraire que
sa décision vient parachever quinze mois d'action depuis
son retour au pouvoir. La « pacification » serait indispensable à une consultation qui ne peut avoir lieu dans un
pays en guerre, le collège unique garantirait un « suffrage
vraiment universel » seul susceptible de la légitimer, et le
plan de Constantine illustrerait sa volonté de « traiter un
problème humain », qui ne se réduit pas à « rétablir
l'ordre ou donner aux gens le droit de disposer d'eux-
mêmes ».

De Gaulle donne ainsi une cohérence, *a posteriori*, aux
diverses mesures composant cette politique algérienne
dont les visées restaient incertaines pour ses contemporains, qui ont vécu ces quinze mois dans l'interrogation
– parfois teintée de soupçon – à son égard. Pourtant,
historiquement, à l'échelle de la décision politique, ce
délai qui sépare le coup de force du 13 mai et le changement de cap radical de la politique algérienne est relati-
vement court. La politique algérienne ne s'infléchit
vraiment que quinze mois après le changement de
régime, car il fallait, avant de la définir et, éventuellement, de lui donner une tonalité nouvelle, s'informer,
placer des hommes de confiance aux postes clés, tester
la réaction de l'adversaire et des Algériens, mesurer
l'état des forces sur le terrain, jauger les réactions de la

communauté internationale... La rupture de la politique algérienne ne pouvait être immédiate. L'annonce de l'autodétermination n'est ni un revirement soudain, ni le but vers lequel tendait implicitement le Général depuis son retour au pouvoir, mais l'effet différé du changement de régime, qui impliquait une redéfinition de la politique algérienne, dans un délai que le temps de l'histoire permet d'apprécier à sa juste mesure.

Le passage de l'annonce de l'autodétermination à l'ouverture de négociations n'a toutefois rien d'évident. Outre que le GPRA est incapable de se présenter à des discussions dans l'état où il se trouve, le dispositif prévu par le général de Gaulle ne supprime pas les obstacles que posait le triptyque de Guy Mollet. L'indépendance, en effet, n'est pas préalablement admise, elle n'arrive qu'au terme du processus, et l'hypothèque de la représentativité du GPRA n'est pas levée. Au contraire, même, comme la « paix des braves » un an plus tôt, la procédure proposée le court-circuite, puisque le général de Gaulle s'adresse aux Algériens. Eux seuls sont maîtres de leur destin et leurs suffrages sont décrétés seuls légitimes pour décider du sort du pays.

En comparaison avec le triptyque antérieur, néanmoins, la fonction des élections et celle d'éventuelles négociations, totalement repensées, sont autant d'ouvertures pour le GPRA. Les élections, en effet, ne servent pas à désigner des représentants qualifiés pour des discussions, elles règlent définitivement le conflit ; et elles peuvent aboutir à l'indépendance, ce qui, sans valoir une reconnaissance préalable, est un engagement inédit de la part d'un responsable politique français. Par ailleurs, les négociations ne viennent pas clore un processus dont l'issue reste improbable ; s'il devait y en avoir, elles devraient intervenir, au contraire, dès le départ pour permettre le « retour effectif de la paix » indispensable au scrutin. Certes, dans son discours, le général de Gaulle ne mentionne pas de négociations. Mais comment compte-t-il obtenir un cessez-le-feu, si ce n'est en prenant langue avec l'adversaire ? Implicitement, l'autodétermination suppose des discussions avec le GPRA. Le chef de l'État s'en dévoile d'ailleurs le 10 novembre 1959 : « Si les chefs de l'insurrection veulent discuter avec les autorités des conditions de la fin des combats, ils peuvent le faire [33]. »

Il relance ainsi le GPRA qui, tout en acceptant le principe de l'autodétermination, a répondu, le 28 septembre 1959, qu'il était « le dépositaire et le garant des intérêts du peuple algérien jusqu'à ce que celui-ci se soit librement prononcé ». Des intermédiaires éloignés, comme, par exemple, l'ambassadeur marocain à Bonn, ont noué des contacts officieux. Ils témoignent de la volonté française, que rend publique la déclaration du 10 novembre. Le GPRA désigne alors comme représentants ses vice-présidents et ministres d'État emprisonnés, ce qui lui permet de ne pas laisser cette déclaration sans réponse, tout en retardant l'échéance des premières rencontres, sachant que le général de Gaulle n'avaliserait probablement pas de tels interlocuteurs.

C'est qu'il faut au deuxième GPRA le temps de se consolider. Il prend appui sur un renouvellement de l'internationalisation, avec son nouveau ministre des Affaires extérieures, Krim Belkacem. L'Égypte a déjà été mise à distance, pour avoir protégé les fomenteurs du complot Lamouri, et, après l'affaire Amira, le GPRA a renoué avec une implantation privilégiée à Tunis. La Chine, qui l'a reconnu dès sa proclamation, devient alors un soutien essentiel, en particulier sur le plan militaire. Elle accueille quatre délégations algériennes, de

décembre 1958 à octobre 1960, ainsi qu'une représentation permanente. Les Algériens continuent de se posi-
tionner en dehors des deux blocs, où ils ne peuvent se
reconnaître idéologiquement ni s'inscrire sans risque
pour l'indépendance future de leur pays. Les pays afri-
cains, nouvellement libérés de la tutelle française, entrent
également dans le giron des nations soutenant leur cause.
Les projets de coopération vont jusqu'à prévoir la levée
de volontaires, à qui une instruction serait dispensée
dans des camps de l'ALN. Les conférences africaines
s'ajoutent au lot des rencontres internationales auxquelles les Algériens participent.

Le général de Gaulle, de son côté, creuse le sillon de
l'autodétermination. Au cours d'une de ses « tournées
des popotes » en Algérie, en mars 1960, il parle d'« Algérie algérienne », puis il envoie Jean Amrouche proposer
à Ferhat Abbas des contacts directs, et, enfin, le 14 juin
1960, appelle de nouveau le GPRA à discuter « de l'arrêt
des combats, de la destination des armes, du sort des
combattants ; ». Trois délégués algériens, emmenés par
Ahmed Boumendjel, ancien dirigeant de l'UDMA en
poste au ministère de l'Information, sont alors envoyés à
Melun où, le 26 juin 1960, ils rencontrent trois émissaires français conduits par Roger Moris, secrétaire général des Affaires algériennes. Mais l'entrevue tourne court.
Trois jours suffisent pour mesurer l'ampleur du désaccord : aux Français, qui restreignent la discussion aux
conditions techniques d'un cessez-le-feu, les délégués
algériens répliquent qu'ils ne sont pas venus négocier une
reddition. Pour le GPRA, le cessez-le-feu doit être pré-
cédé d'un accord sur l'organisation de l'autodétermination, l'enjeu principal étant d'inclure les départements
sahariens dans la consultation, alors que le général de
Gaulle les tient à l'écart.

Mais la rapidité de cet échec s'explique aussi par l'affaire Si Salah, un ancien de l'Organisation spéciale devenu chef de la wilaya 4, qui envisagea une paix séparée. Sa tentative est née du mécontentement des chefs de l'intérieur, envers un GPRA incapable de les épauler. Le commandant Si Salah a réuni, au début de l'année 1960, un conseil de wilaya, et projeté un congrès intérieur pour désigner des représentants allant négocier avec la France. Déclarant son exaspération au GPRA, ralliant le commandant Mohand en wilaya 3, le commandant Si Salah, à force de contacts avec les autorités locales françaises qui répercutent ses intentions, finit par obtenir une entrevue avec le général de Gaulle. Le 10 juin 1960, il se rend à l'Élysée, avec les commandants Si Mohammed et Si Lakhdar, auteur d'un rapport vilipendant les « moudjahidines de salon », les « champions des banquets et des réceptions[34] ». Mais, à leur retour, une vague d'exécutions purge la wilaya des contestataires ; le commandant Si Mohammed devenant l'artisan d'une reprise en main, le commandant Si Lakhdar est exécuté, tandis que Si Salah est arrêté. Le GPRA, peut-être informé de ce qui se tramait avant l'entrevue élyséenne, en a appris l'existence, en tout cas, trois jours avant la rencontre de Melun.

Du point de vue français, l'affaire Si Salah marque-t-elle une tentative sérieuse de conclure une paix avec les maquis, excluant le GPRA avec qui les premiers contacts officiels n'avaient pas encore eu lieu ? Pourtant, quatre jours seulement après avoir reçu Si Salah, le général de Gaulle a lancé l'appel décisif conduisant à la rencontre de Melun ; et rien de concret n'est sorti de l'entrevue avec Si Salah, si ce n'est un encouragement à prospecter dans les autres wilayas. Dans cette affaire, le général de Gaulle, fort de son expérience de résistant, a prouvé sa

capacité à exploiter les dissensions entre forces de l'intérieur et forces de l'extérieur, créant ainsi une pression sur
ses adversaires. En miroir, cependant, le GPRA apporte
la démonstration de son autorité, en envoyant un émis-
saire, Ahmed Bencherif, assurer la mise au pas de la
wilaya, et en ordonnant d'amener Si Salah à Tunis. Mais
ce dernier sera tué dans une embuscade française le
20 juillet 1961.

Avec la première rencontre officielle depuis le changement de régime, en écho à l'autodétermination, l'année
1960 constitue le véritable dernier tournant de la guerre ;
sans compter qu'avec l'insurrection des Barricades,
l'Algérie française entre en dissidence et que la reprise en
main de l'armée devient plus pressante que jamais.

IV

EN FINIR
(1960-1962)

10

L'ALGÉRIE FRANÇAISE EN DISSIDENCE

En se déclarant prêt à assumer l'indépendance, le général de Gaulle a perdu le bénéfice du doute qui l'avait protégé, jusque-là, d'une nouvelle mobilisation des Français d'Algérie contre le pouvoir parisien. À la recherche d'un nouveau 13 mai, ceux-ci renouent, après l'autodétermination, avec le cycle des manifestations insurrectionnelles enclenché le 6 février 1956 contre Guy Mollet. En janvier 1960, c'est le rappel du général Massu qui sert de détonateur à la révolte algéroise.

Maîtriser l'armée devient encore plus crucial, alors que Paul Delouvrier a entamé, en 1959, une reprise en main qui, pour être nécessaire, n'en représente pas moins un véritable défi. Le rapport de forces se joue au plus haut niveau, entre Paris et Alger, où, en avril 1961, la tentative de putsch consacre ce bras de fer. Mais il se joue aussi au sein de l'institution militaire, que le pouvoir politique tente de purger des organismes tels que le 5ᵉ Bureau ou les DOP, significatifs d'un investissement de l'armée en dehors de ses territoires ordinaires d'intervention et outils potentiels d'un militantisme dangereux pour l'autorité légitime.

L'échec de l'insurrection de janvier 1960, ainsi que celui du putsch d'avril 1961, font cependant de l'Algérie française une cause « peau de chagrin [1] », qui se radicalise en même temps qu'elle se réduit. L'OAS puise dans le vivier de l'activisme ultra et de divers courants de l'extrême droite ; sa répression illustre la réorientation du conflit dans ses deux dernières années : les partisans de l'Algérie française deviennent à leur tour des ennemis.

Comment reprendre en main l'armée ?

La restauration de l'autorité de l'État est une constante de l'action du général de Gaulle, alors que les événements du 13 mai ont porté les militaires d'Algérie au faîte de leur puissance : outre leur implication dans les Comités de salut public, ils cumulent alors, à chaque échelon du découpage territorial, les pouvoirs civils et militaires. Les chefs des corps d'armée d'Oran, d'Alger et de Constantine, les généraux Rethoré, Massu et Olié, y font aussi fonction de préfet IGAME [2]. De même, leurs subordonnés disposent des attributions des préfets dans les zones – qui correspondent aux départements –, et celles des sous-préfets dans les secteurs – équivalents des arrondissements. La direction des services de police, en outre, revient au colonel Godard. Le dessaisissement des autorités civiles a ainsi atteint son stade le plus avancé après mai 1958.

Or, prendre les commandes du pays et de la politique algérienne implique de remettre les militaires à leur place : celle d'exécutants d'un pouvoir dont ils respectent les desseins, quels qu'ils soient. Il faut les expulser du champ politique où ils se sont installés comme acteurs de la défense de l'Algérie française – d'où leur retrait des Comités de salut public – et restaurer une armature administrative civile, exécutante des projets gouverne-mentaux et chargée, notamment, d'organiser le scrutin d'autodétermination. C'est ainsi que, après un premier décret, le 4 juillet 1959, qui permet à Paul Delouvrier de nommer trois préfets IGAME, la récupération des pouvoirs civils franchit des seuils décisifs entre février 1960 et mars 1961, lorsque plusieurs décrets rétablissent progressivement préfets et sous-préfets dans leurs attributions [3]. Par ailleurs, après la sanction du colonel Godard, qui suit l'insurrection des Barricades, les services de police sont remis à un préfet, Jacques Aubert.

Le délégué général, Paul Delouvrier – puis son successeur Jean Morin –, est l'acteur décisif de la restauration de l'autorité de l'État. Il intervient dans tous les domaines où sa compétence le lui permet : réintroduction du corps préfectoral, maîtrise de l'internement grâce à des commissions comprenant des représentants civils, et tentative de contrôle des regroupements par le biais de la politique agraire. Inaugurant cette reprise en main, Paul Delouvrier a procédé en commandantant des enquêtes administratives, sur lesquelles il s'est appuyé pour agir et pour créer des instances d'inspection chargées de vérifier le respect et l'exécution de ses consignes.

C'est ainsi qu'après plusieurs rapports sur les camps de regroupement, dont deux sont reproduits par la presse métropolitaine, il rend publique une circulaire datant du 31 mars 1959, adressée aux commandants des trois corps d'armée [4]. Il leur annonce que « dès réception de cette note, aucun regroupement ne devra être opéré sans [son] accord », et affirme son « intention de n'autoriser que les regroupements absolument nécessaires sur le plan militaire ou résultant de la volonté des populations elles-mêmes ». Toutefois, l'opposition du général Challe l'oblige à tempérer sa fermeté. Il se replie sur la formation de commissions itinérantes chargées d'étudier la viabilité des camps, avant de créer, en novembre 1959, une Inspection générale des regroupements de population,

confiée au général Parlange, l'initiateur des regroupements et des SAS. Le délégué général renoue avec une
ambition ancienne : utiliser les camps de regroupement
comme base géographique et humaine d'une éventuelle
réforme agraire. Le projet est lancé sous le slogan des
« mille villages » qui seraient à aménager, grâce au soutien financier du plan de Constantine [5].

En 1961, le « dégroupement » devient le mot d'ordre
officiel. Il accompagne la trêve décidée par le général
de Gaulle à l'occasion des pourparlers d'Évian [6]. Cette
« interruption des opérations offensives » s'est traduite
par le rétablissement de la liberté de circulation,
contraire aux zones interdites, dans treize arrondissements d'Algérie, où les camps de regroupement devaient
aussi être supprimés. Le 29 mai 1961, dans une circulaire
commune, Jean Morin et le commandant en chef, le
général Gambiez, préconisent ainsi « la réduction systé-
matique des centres de regroupement qui n'assurent pas
à leurs habitants les ressources nécessaires à leur existence » et « l'amélioration de ceux qui constituent un
progrès certain par rapport aux conditions de vie antérieures ». Ils conditionnent aussi l'ouverture de nouveaux
camps à « la création de centres ruraux » qui « garan-
tissent à leurs habitants une augmentation substantielle
des revenus familiaux [7] ». Très éloignées de la réalité du
terrain et sans le support d'instances d'exécution, leurs
prescriptions sont vouées à l'échec. Le commandement,
aux échelons inférieurs, garde l'initiative : le nombre de
camps passe de 2 123 en septembre 1960 à 2 392 en
avril 1961, et la population y vivant augmente : de
1,8 million à plus de 2 millions sur la même période [8].
La sécheresse de l'année 1961, en outre, décourage le
départ des familles, devenues dépendantes de l'assistance
pour survivre.

La réflexion sur les camps d'internement, quant à elle, suit une enquête sur les « centres d'assignation à résidence surveillée », demandée au général Alix. Rendue en avril 1959, elle pointe le risque de « transformer le pays en un vaste camp de concentration » en continuant à interner des suspects sans motif, sans fin ni objectif [9]. Paul Delouvrier charge alors son conseiller Éric West-phal, un « fils de pasteur », « marqué par l'ouverture d'esprit des protestants » et considérant « l'indépendance comme inéluctable [10] », de procéder à une déflation des effectifs. Ce dernier utilise une commission existante, mais peu active jusque-là, qu'il réunit fréquemment : la Commission d'examen des assignations à résidence, habilitée à proposer des libérations. Le nombre des inter-nés diminue, après avoir atteint 19 500 dans les centres de triage et de transit en mars 1959 et plafonné à 11 000 dans les « centres d'hébergement » entre avril et septembre [11]. Par ailleurs, le général Alix ayant préconisé le contrôle des « méthodes d'interrogatoire », « des conditions d'internement et de détention », une Inspec-tion générale des centres d'internement est formée le 1er janvier 1960.

Jean Morin favorise les libérations en créant des Com-missions consultatives départementales pour accélérer le traitement des dossiers. En juillet 1961, le nombre d'internés chute à 3 500 dans les centres de triage et de transit, ainsi que dans les « centres d'hébergement ». Cinq d'entre eux ferment même, entre octobre 1960 et octobre 1961. En outre, l'Inspection créée en janvier 1960 est étoffée par sa transformation en Commission d'inspection des centres de détention administrative en décembre 1960.

Contre la torture et les exécutions sommaires, en revanche, Paul Delouvrier a déclaré *a posteriori* avoir buté sur le silence des autorités parisiennes, auxquelles il s'est adressé pour savoir comment procéder. Néanmoins, au cours d'une tournée dans le pays, suivant la progression du plan Challe – « dans la mesure où la guerre était gagnée sur le terrain, donc où le FLN perdait de sa force, j'avais davantage de chances d'être écouté », explique-t-il [12] –, il aurait parlé aux commandants des secteurs pour « leur faire sentir », « sans grandes proclamations », qu'il était animé d'une « volonté inébranlable [13] ». Il affirme que la torture et les exécutions sommaires ont reculé en 1959. Pourtant, la recherche d'une victoire militaire ne se prête pas à une telle évolution. Dans le corps d'armée d'Alger, une directive du général Massu ne les écarte pas : le respect dû à la personne humaine, qu'il ne manque pas de rappeler, s'efface devant les « fauteurs de troubles » passibles d'une « justice simple, immédiate et d'une exemplaire sévérité » ; et, au cours des interrogatoires, si la « persuasion » échoue, « il y a lieu d'appliquer les méthodes de coercition dont une directive particulière a précisé le sens et la portée [14] ».

C'est finalement après les Barricades, dans le cadre d'une réaffirmation de la légitimité de l'autorité de l'État, que la torture et les exécutions sommaires sont explicitement proscrites par le gouvernement. En recourant à ces pratiques alors qu'elles sont restées juridiquement interdites et condamnables, en effet, l'armée s'est affranchie des règles légales, théoriquement seules légitimes. Elle leur a substitué ses propres normes et dicte sa loi, au sens propre de l'expression. Le commandement explique ainsi aux enquêteurs venus de Paris que les militaires pallient les insuffisances de la répression légale, en sanctionnant eux-mêmes ceux qu'ils ont pris sur eux d'arrêter et de désigner comme coupables : « Les troupes hésitent devant les complications qu'entraîne la remise des coupables ou des suspects à des autorités judiciaires trop éloignées », écrit le président de la Commission de sauvegarde, Maurice Patin, d'où leur « tendance à procéder elles-mêmes à des interrogatoires suivis d'exécutions sommaires [15] ». L'armée se substituerait à la justice de l'État et exercerait une forme de justice parallèle.

Prenant ce raisonnement au mot, le gouvernement décide de renforcer la répression judiciaire du nationalisme, dans l'idée d'obtenir, mécaniquement, un recul de ces pratiques. Le 12 février 1960, un décret crée des procureurs militaires, magistrats civils appelés ou rappelés sous les drapeaux, envoyés dans les secteurs militaires pour enquêter sur les personnes arrêtées par l'armée et, le cas échéant, les traduire devant les tribunaux militaires. Les juges d'instruction civils et les tribunaux correctionnels n'interviennent donc plus, et l'enquête, menée sans avocat, s'affranchit des règles de l'instruction, que le commandement perçoit comme autant de contraintes, sources de lenteur et d'inefficacité.

Les instructions contre la torture et les exécutions sommaires accompagnent alors l'entrée en vigueur du décret, le 1er juin 1960. Le 17 mai, en effet, Michel Debré lui-même souligne que le gouvernement « attache une importance essentielle à ce que cette réforme ait pour corollaire l'application en toutes circonstances, d'un traitement humain aux personnes appréhendées et la disparition totale du recours, pendant les interrogatoires, à des méthodes de coercition physique quelles qu'elles soient [16] ». Puis, le 18 juillet, Pierre Messmer, ministre des Armées, vu le « nombre anormal et inquiétant d'homicides à la suite de tentatives d'évasion », demande que soient sanctionnées « toutes négligences ou défaillances » ayant permis au prisonnier de s'enfuir, et il donne compétence aux procureurs militaires pour enquêter [17]. Mais le commandement bloque ces textes : les consignes de Michel Debré parviennent aux corps d'armée en novembre 1960 seulement, et celles de Pierre Messmer en mars 1961 ; en outre, le texte du ministre des Armées n'est envoyé à l'échelon élémentaire qu'à la fin du conflit, le 21 février 1962. Et les procureurs militaires n'ayant aucun pouvoir pour contraindre les troupes à les informer de leurs arrestations, celles-ci ont pu, jusqu'à la fin du conflit, appréhender, détenir et interroger des individus sans contrôle extérieur, avec une liberté qui autorise toutes les pratiques.

Le contrôle de l'internement et des regroupements trouve aussi ses limites. Les trois généraux, successivement titulaires de l'Inspection générale des centres d'internement ou de la présidence de la Commission d'inspection des centres de détention administrative, ont rencontré maintes difficultés avec les militaires : ils ont contesté leurs pratiques sans pouvoir les combattre, critiqué les conditions de détention dans les centres de triage et de transit sans obtenir de changement, n'ont pas pu accéder à des lieux de détention que l'armée gardait secrets. Le général Parlange, chargé de l'Inspection des camps de regroupements, finit par démissionner le 22 décembre 1960. Les tentatives pour contrôler l'internement et les regroupements, ainsi que pour lutter contre la torture et les exécutions sommaires, achoppent sur la poursuite de la guerre et, surtout, sur l'inertie que savent opposer les militaires à toute consigne venue de l'autorité civile, empiétant sur la capacité d'initiative dont ils jouissent concrètement.

Du strict point de vue de la restauration du pouvoir politique, cependant, l'importance des instructions gouvernementales et de ces instances de contrôle réside dans leur existence même. Avec l'ensemble des textes, des propos et des attitudes du chef de l'État, des membres et des représentants du gouvernement, elles signifient clairement la nécessité de se soumettre à la loi. Elles ont pour fonction d'affirmer la seule autorité légitime, issue des instances étatiques parisiennes et de leurs prolongements en Algérie. Après les Barricades et le putsch, la reprise en main passe aussi par des sanctions individuelles et par la dissolution de certains organismes militaires.

Les Barricades ou l'urgence d'une répression

Mue par une méfiance traditionnelle envers le pouvoir parisien, l'avant-garde activiste s'est rapidement réorganisée après le changement de République : Robert Martel a fondé le Mouvement populaire du 13 mai (MP 13) dès l'été 1958, Joseph Ortiz et Jean-Claude Pérez le Front national français (FNF) en novembre 1958. D'autres acteurs du 13 mai, après avoir intégré le nouveau régime, renouent avec l'activisme contre l'autodétermination et s'enferrent dans une opposition irréductible au pouvoir, comme Pierre Lagaillarde : leader de l'organisation étudiante AGEA en mai 1958, il est en tête des manifestants qui prennent le Gouvernement général. Il est cependant neutralisé, comme beaucoup d'autres membres des Comités de salut public, par son élection à l'Assemblée nationale en novembre 1958, sous l'étiquette de l'UNR, le parti gaulliste. Député d'Alger, il dirige l'insurrection des Barricades et, arrêté, il s'enfuit en Espagne, début décembre 1960, lorsque le tribunal chargé de le juger lui accorde de comparaître libre. Il participera alors à la création de l'OAS à Madrid, où le régime franquiste accueille, après les Barricades comme après le putsch, les partisans de l'Algérie française entrés en dissidence contre le régime.

En janvier 1960, la protestation des activistes est déclenchée par le départ du général Massu. Ce dernier, en effet, est relevé du commandement du corps d'armée d'Alger pour avoir confié, dans une interview à un journaliste allemand, son désappointement sur la politique algérienne du général de Gaulle. Il mettait aussi en doute l'obéissance de l'armée au chef de l'État, dont il évoquait même la succession. Sa mutation témoignant de la résolution du général de Gaulle à suivre la voie de l'auto-détermination, les activistes appellent à la grève. Ils font circuler un mot d'ordre de rendez-vous le dimanche 24 janvier 1960, en bas de l'esplanade qui s'étend du Gouvernement général vers le littoral, dont le monument aux morts, à mi-parcours, est devenu le centre de gravité traditionnel de leurs rassemblements. Ils comptent installer un pouvoir insurrectionnel, protégé et consolidé par une fraternisation avec l'armée.

Le FNF et les étudiants emmenés par l'AGEA, dirigée par Jean-Jacques Susini depuis l'élection de Pierre Lagaillarde à l'Assemblée, bénéficient du concours des Unités territoriales (UT). Ces dernières sont des formations de maintien de l'ordre composées d'Européens appelés à y exercer de façon ponctuelle mais régulière, pour des périodes variant de 24 heures à un mois pour le commandement de l'Unité. Elles s'apparentent à des milices encadrées par des militaires. Des Algériens y ont été intégrés à partir de juin 1958, tout en y restant très minoritaires, pour prolonger « l'esprit du 13 mai [18] », selon Maurice Challe. Celui-ci a aussi organisé une Fédération des unités territoriales et des autodéfenses, censée constituer l'« ossature de l'Algérie française nouvelle dans l'union des communautés [19] », dirigée par le commandant Victor Sapin-Lignières. Son adjoint, Marcel Ronda, relie les UT aux ultras : il est responsable du service d'ordre du FNF.

Disposant de plusieurs centaines d'hommes, les activistes prennent possession du centre-ville dès le 24 janvier au matin. Ils submergent les Algérois de tracts les appelant à manifester, tandis qu'un message radiodiffusé de Paul Delouvrier les invite au calme, ce qui est plutôt le cas. Mais, dans l'après-midi, les activistes érigent des barricades qui bouclent un secteur englobant le PC installé par Pierre Lagaillarde à la faculté, et celui de Joseph Ortiz, au siège de la Fédération des UT. En réplique, les parachutistes reçoivent ordre de les cerner, et les gendarmes mobiles sont lancés dans un assaut qui leur coûte 14 morts et 123 blessés, soit plus que chez les insurgés, qui comptent 8 morts et 20 blessés dans leurs rangs [20]. Le loyalisme de la gendarmerie contraste avec l'attitude des autres militaires : outre que le colonel Gardes, chef du 5e Bureau, a rejoint le Comité directeur de l'insurrection, les soldats du cordon de sécurité formé autour des barricades, placés pour plusieurs jours en situation d'attente passive, sympathisent avec ceux qu'ils encerclent et ouvrent des brèches pour le passage des hommes ou du ravitaillement. Face à la menace, Michel Debré fait un voyage éclair à Alger, Paul Delouvrier et Maurice Challe sont mis en sécurité à l'extérieur de la ville, et le général de Gaulle apparaît en uniforme à la télévision : il exhorte les Français d'Algérie à ne pas « écouter les menteurs et les conspirateurs », et somme les soldats de ne pas « s'associer, à aucun moment, même passivement, à la rébellion [21] ».

Privés des ralliements qu'ils escomptaient, les insurgés finissent par se rendre le 1er février. Joseph Ortiz prend la fuite, Pierre Lagaillarde et Jean-Jacques Susini sont arrêtés, et les officiers complices ou complaisants sont relevés de leurs fonctions. C'est le cas, parmi beaucoup d'autres, du colonel Gardes, qui dirigeait le 5ᵉ Bureau, et du colonel Godard, nommé à la tête de la Sûreté nationale en Algérie après le 13 mai 1958. Les organismes militaires compromis sont également dissous. Le 11 février 1960, le 5ᵉ Bureau est supprimé, et ses différents secteurs d'activité sont ventilés entre les autres Bureaux de l'armée, qui récupèrent les missions les plus proches de leurs attributions traditionnelles[22]. Puis, le 1ᵉʳ mars 1960, les UT, devenues des Unités de réserve (UR), sont fondues dans les unités d'active.

Les DOP, qui jouissent de l'autonomie, sont aussi pris pour cible. Leur hiérarchie est liée aux activistes et contrôle des groupes contre-terroristes[23]. Mais la lutte contre l'OPA, dont l'importance s'est accrue avec la réduction des maquis, nécessitant leur maintien, ils ne sont pas supprimés. Ils sont transformés le 10 mai 1960 en Unités opérationnelles de recherche (UOR). S'il permet de masquer leur pérennité, alors que la presse les dénonce, ce changement de nom s'accompagne aussi d'une soumission théorique à l'autorité militaire locale : ces unités sont aux ordres des commandants de secteur, en attendant une intégration totale à la chaîne de commandement, après le putsch, lorsqu'une enquête conclut que la hiérarchie des DOP « a tendance à constituer un État dans l'État[24] ». Jusqu'à leur suppression le 5 avril 1962, les UOR ont assumé toute mission requérant leur savoir-faire de services spéciaux, interrogatoire des combattants et surveillance des ralliés, notamment[25].

Ces décisions essentielles sont assumées par un nouveau ministre des Armées, Pierre Messmer. Cet ancien des FFL, qui a fait carrière dans la haute administration coloniale en Afrique, fidèle exécutant de la politique gaulliste, a remplacé Pierre Guillaumat, désormais cantonné dans des attributions de sa stricte compétence : délégué auprès du Premier ministre, il est chargé de l'énergie atomique. Ce remaniement ministériel illustre le renouvellement du personnel dirigeant sous la période gaulliste, écartant du pouvoir ceux qui ne peuvent pas ou ne veulent pas assurer l'exécution des décisions du chef de l'État. Le général de Gaulle adosse ainsi sa politique à des hommes de confiance, pour qui elle est lourde à porter : quand elle ne heurte pas leurs convictions personnelles, il arrive qu'ils renoncent par épuisement ou qu'ils s'avèrent incapables d'affronter les événements qu'elle déclenche.

En novembre 1960, las de subir les foudres des opposants à une politique qu'il ne maîtrise pas, Paul Delouvrier lui-même démissionne. Lui succède Jean Morin, dont l'ami Georges Bidault est devenu un fervent défenseur de l'Algérie française. Le général de Gaulle, cependant, qui connaît Jean Morin depuis septembre 1944, choisit ce membre du corps préfectoral qui, par sa culture professionnelle, serait plus enclin que son prédécesseur à accepter le rôle d'agent exécutant. Dans ses affectations précédentes, Jean Morin a aussi acquis une expérience de l'action économique et sociale, nécessaire au plan de Constantine[26].

À Paris, au même moment, le 22 novembre 1960, Louis Joxe est nommé ministre des Affaires algériennes pour assurer la conduite des négociations et relayer la politique du chef de l'État, sans passer par le Premier ministre dont l'attachement à l'Algérie française est notoire. Le commandement en chef, enfin, devient également, en 1960-1961, une fonction instable : le général Challe est rappelé le 23 avril 1960 ; son successeur, le

général Crépin, crédité d'une confiance suffisamment
solide pour avoir précédemment remplacé le général
Massu à Alger, est relevé dix mois plus tard seulement,
en février 1961, par le général Gambiez. Et ce dernier
perd ses attributions au profit du général Ailleret, après
le putsch, alors que l'évolution générale de la guerre a
exposé le pays à la révolte militaire.

Le bras de fer, jusqu'au putsch

Après les Barricades, les ultras algérois ont perdu leurs
leaders, emprisonnés ou en fuite. En juin 1960, le
bachaga Boualam, un notable de l'Ouarsenis qui a
recruté parmi les siens les Beni Boudouane, des troupes
fidèles à l'Algérie française, prend alors la tête d'un nouveau rassemblement, le Front Algérie française (FAF),
qui absorbe la jeunesse ultra en mal d'activisme. Il don-
nera à l'OAS son slogan le plus connu : « Le FAF frappe
où il veut, quand il veut [27]. »

Sans plan précis, le FAF se prépare à l'émeute lors du
dernier voyage du général de Gaulle en Algérie, prévu
du 9 au 14 décembre 1960. Alors que le chef de l'État
se rend dans plusieurs villes du pays, où il est accueilli
sous les acclamations des Algériens et les huées des Européens, le FAF lance un mot d'ordre de grève générale. À
Alger, cherchant le combat de rue, ses membres harcèlent
les forces de l'ordre, gardes mobiles et CRS, et se livrent
à des ratonnades. Le 11 au matin, les Algériens manifestent à leur tour, brandissant leur drapeau, sans que
des consignes aient été données par le FLN. Ce sont des
parachutistes, appelés en renfort, qui leur sont opposés.
Ils tirent sur la foule, avant d'être relevés sur ordre de
Jean Morin, pour qui les soldats, « lorsqu'ils voient se

dresser devant eux des drapeaux FLN, sont enclins à ne pas faire de différence entre la ville et le *bled*, où ils combattent depuis des années contre les fellaghas » ; les gardes mobiles et les CRS, au contraire, agissent en professionnels de la répression des manifestations de masse, « qu'ils ont l'habitude d'affronter en milieu urbain [28] ». Ainsi s'expliquerait le déséquilibre du bilan fourni par l'ancien délégué général : 61 morts dont 55 Algériens, rien qu'à Alger, pour la seule journée du 11 décembre. Or, d'autres manifestations ont eu lieu dans le pays, notamment à Oran, où des activistes ont provoqué des affrontements meurtriers avec des Algériens, faisant 18 morts, officiellement. Et il faut attendre le mercredi 14 décembre pour que le retour au calme soit acquis. Le général de Gaulle a écourté son voyage en rentrant la veille à Paris.

Ces manifestations témoignent du revirement opéré en 1960 : le général de Gaulle a été acclamé – et conspué – comme l'homme de la négociation avec le GPRA, l'homme de l'indépendance pour les uns, de l'abandon pour les autres. L'évolution du conflit, en 1961, ne le dément pas, surtout que les échanges avec le GPRA, même ponctués d'échecs et plombés par des désaccords durables, impliquent des gestes indispensables envers l'adversaire, interprétés comme autant de désaveux par les militaires et tous ceux qui participent à la répression du FLN sur le terrain.

C'est ainsi que les exécutions de condamnés à mort, qui ont repris après la grâce collective de janvier 1959, cessent en décembre 1960 en Algérie et fin janvier 1961 en métropole. Or, les tribunaux permanents des Forces armées continuent de prononcer des condamnations à mort – un peu plus de 270 en 1961 – jusqu'au 9 mars 1962. Les militaires, qui en composent le jury, manifestent ainsi au pouvoir parisien leur volonté répressive.

Par la suite, reprenant à son compte la logique de substitution à des pouvoirs publics jugés défaillants, l'OAS a elle-même enlevé des condamnés pour les tuer : en janvier 1962, l'un de ses commandos a brûlé vifs quatre détenus de la prison d'Oran, dont Hamdani Adda, ancien chef de l'ALN dans la région de Tiaret, deux fois condamné à mort par le tribunal permanent des Forces armées de la ville [29]. La contradiction née de la permanence des condamnations, contre l'arrêt des exécutions, illustre le bras de fer avec les partisans de l'Algérie française, dont la tentative de putsch constitue l'apogée.

Le samedi 22 avril 1961 au matin, Radio-Alger, rebaptisée Radio-France, annonce que l'armée a pris le pouvoir, sous la conduite des généraux Challe, Zeller et Jouhaud, en liaison avec le général Salan, depuis l'Espagne, où il s'est volontairement exilé depuis le 30 octobre 1960. En leur nom, Maurice Challe proclame qu'ils souhaitent tenir « le serment de l'armée de garder l'Algérie, pour que nos morts ne soient pas morts pour rien », contre « un gouvernement d'abandon » qui « s'apprête aujourd'hui à livrer définitivement l'Algérie à l'organisation extérieure de la rébellion [30] ». Dans la nuit précédente, le 1er régiment étranger parachutiste, conduit par le commandant Denoix de Saint-Marc, a marché sur Alger et les putschistes ont pris le Palais d'été où réside Jean Morin, le siège de l'état-major interarmées où s'est installé le général Challe, ainsi que le Gouvernement général, le commissariat central, le siège de la radio, l'hôtel de ville… Jean Morin et le général Gambiez, notamment, ont été faits prisonniers.

Dans le pays, le commandement hésite et, la plupart du temps, attend, soumis à diverses influences contrariant les espoirs des putschistes. Celle des hommes du contingent, d'abord, qui, las de la guerre, ne sont guère tentés par une aventure risquant de la prolonger. Pendus à leurs transistors, ils sont galvanisés par l'appel du général de Gaulle le dimanche soir : « J'interdis à tout Français, et d'abord à tout soldat, d'exécuter aucun de leurs ordres. » Ils pétitionnent, s'opposent à leurs supérieurs séditieux, allant parfois jusqu'à les menacer de leurs armes. Louis Joxe et le général Olié, ensuite, envoyés en urgence, se déplacent en hélicoptère et en avion d'Oranie jusqu'à Constantine pour s'assurer la loyauté du haut commandement. Les préfets et sous-préfets, enfin, à qui Jean Morin a pu faire passer la consigne d'intercéder auprès des autorités militaires, interviennent en faveur de l'autorité légitime.

Les volte-face du général Gouraud, commandant du corps d'armée de Constantine, illustrent le partage des cadres militaires entre tentation de la révolte et esprit d'obéissance : ayant d'abord reconnu l'autorité du général Challe, il appelle ses subordonnés au loyalisme après la visite de Louis Joxe et du général Olié, puis, admonesté par le général Zeller, se ravise. Dans l'ouest du pays en revanche, le général de Pouilly a choisi, avec le préfet IGAME Marcel Gey, de se replier à Tlemcen pour mettre l'autorité légitime à l'abri : le colonel Argoud, en effet, vient s'installer à Oran pour chercher le ralliement du corps d'armée, qu'il n'arrive cependant pas à obtenir. À Alger, la confusion règne : le général Vézinet, commandant du corps d'armée, ayant été fait prisonnier, c'est le général Arfouilloux, l'un de ses subordonnés, qui est nommé pour le remplacer, à la fois par l'autorité légitime et par le général Challe.

Le général Salan, arrivé le dimanche, compte s'appuyer sur un mouvement populaire, au grand dam de Maurice Challe pour qui l'institution militaire doit seule s'assurer la maîtrise des événements. Malgré le

discours du général de Gaulle, l'affolement gagne la
métropole quand, à minuit, apparaissant défait sur les
écrans de télévision, Michel Debré appelle les volontaires
à occuper le tarmac des aérodromes pour empêcher
l'arrivée de forces séditieuses. L'article 16, qui donne tous
les pouvoirs au président de la République, entre en
vigueur. Mais si, le lundi, la foule algéroise acclame les
généraux putschistes sur le Forum, leur cause est perdue,
faute des ralliements militaires suffisants, même si
25 000 hommes, sur les 400 000 alors présents en Algérie, les ont soutenus [31]. Maurice Challe se rend le mardi
25 avril, suivi du général Zeller, tandis qu'Edmond Jouhaud et Raoul Salan prennent la fuite.

Les sanctions pleuvent : 3 régiments sont dissous,
200 officiers sont placés aux arrêts de rigueur, 534 officiers et 574 sous-officiers mis en congé spécial ou
radiés [32]. L'administration civile est aussi purgée des
fonctionnaires aux comportements déloyaux ou équivoques : 200 d'entre eux sont arrêtés et 6 commissaires
de police révoqués, rien qu'à Alger [33]. Deux juridictions
d'exception créées pour la circonstance, le Tribunal militaire et le Haut Tribunal militaire, jugent 150 officiers,
dont les artisans du putsch eux-mêmes. Les généraux
Challe et Zeller, qui se sont rendus, bénéficient d'un
verdict clément : quinze ans de prison. Mais les généraux
Salan et Jouhaud, en fuite, sont condamnés à mort par
contumace, ainsi que le général Gardy et les colonels
Argoud, Broizat, Gardes, Godard et Lacheroy. Avec le
colonel Dufour, ce sont eux qui, de métropole, ont conçu
cette tentative de prise du pouvoir. Cherchant un chef
pour l'accomplir, ils s'étaient d'abord adressés au général
Massu, qui a refusé, avant d'obtenir l'assentiment du
général Challe. Mais ils ont surévalué les possibilités
d'adhésion spontanée du commandement à leur entre-

prise, et sous-estimé, au contraire, l'union des métropolitains derrière le chef de l'État. Ils se sont lancés dans
l'action sans avoir réglé des questions essentielles :
s'agit-il de renverser le régime ou de prendre le pouvoir
à Alger le temps d'écraser l'ennemi ? Les civils doivent-ils
être associés ou tenus à l'écart ? Est-il nécessaire d'intervenir en métropole ou le contrôle de l'Algérie suffit-il ?

Le général Ailleret, qui prend la tête des forces françaises en Algérie une dizaine de jours après la tentative
de putsch – il est d'abord adjoint du général Gambiez
avant de lui succéder officiellement, au mois de juin
1961 –, fait partie des trois responsables remarqués
comme les plus loyaux, avec les généraux de Menditte et
Simon [34]. Son profil contraste avec celui de ses prédécesseurs. Loin de croire aux vertus de l'action psychologique, « une doctrine erronée [35] », il travaille à l'avenir :
commandant des armes spéciales depuis 1952, il
s'occupe de l'arme nucléaire. En janvier 1957, c'est lui
qui a choisi le site de Reggane pour effectuer les essais,
qu'il supervise en personne. Il n'a pris un commandement opérationnel, dans le nord-est du Constantinois,
près de la frontière tunisienne, qu'en mai 1960, une fois
sa « tâche », « passionnante », accomplie, par l'explosion
de la première bombe atomique française [36].

Cette conscience de la nécessité de moderniser
l'armée, alors que le conflit algérien, en s'éternisant,
mobilise ses ressources financières, matérielles et
humaines, explique-t-elle qu'il ait accepté de conduire
ses pairs vers l'indépendance ? Il insiste plutôt, dans ses
Mémoires, sur l'inutilité de poursuivre la guerre contre
la volonté des Algériens : l'action psychologique a échoué
« parce qu'elle était incapable de trouver un sentiment à
exploiter », au contraire des « rebelles » qui ont prospéré
sur « la volonté de voir partir les Européens et d'accéder à

l'indépendance [37] ». Par ailleurs, chez les engagés, l'esprit
de discipline, qui imprègne la culture militaire, a fini par
l'emporter, malgré les désertions au profit de l'OAS.

La cause désespérée de l'OAS

L'Organisation armée secrète (OAS) naît dans un premier temps à Madrid, fin janvier 1961, dans le cercle
des exilés de l'Algérie française. Le général Salan et les
meneurs des Barricades en fuite, Pierre Lagaillarde et
Jean-Jacques Susini, en sont les fondateurs. À une date
indéterminée, d'après leurs témoignages respectifs, ils
auraient choisi le nom de leur organisation en conciliant
le souhait de Susini de faire référence à l'Armée secrète
de la Résistance et celui de Lagaillarde, attaché aux mots
d'« organisation » et de « clandestine [38] ».

Puis elle est refondée sur le sol algérien par ceux qui,
passés de Madrid à Alger à l'occasion du putsch, sont
entrés dans la clandestinité après son échec. Le colonel
Godard la dote alors d'un organigramme jamais pleinement réalisé, mais dont les structures disent le savoir-
faire de l'ancien chef de la Sûreté algérienne et restituent
la diversité des hommes, civils et militaires, qui s'y
retrouvent : l'« organisation des masses » est confiée au
colonel Gardes, l'« action psychologique et propagande »
à Jean-Jacques Susini et Georges Ras, ancien journaliste
à *La Voix du Nord*, et l'« organisation renseignements-
opérations » à Jean-Claude Pérez et au colonel Dufour,
dont dépend le « Bureau d'action opérationnelle » du
lieutenant Roger Degueldre, déserteur du 1er régiment
étranger parachutiste, qui dirigera les commandos deltas.
L'ensemble est chapeauté par un conseil supérieur réunissant les généraux Salan, Jouhaud, Gardy, les colonels

Gardes et Godard, ainsi que Jean-Jacques Susini et Jean-Claude Pérez [39].

Cette seconde OAS se manifeste par l'assassinat du commissaire principal d'Alger chargé de la combattre, Roger Gavoury, le 31 mai 1961, et par sa première émission de radio pirate le 5 août suivant. Ceux de Madrid, le fondateur Pierre Lagaillarde, allié à Joseph Ortiz, ainsi que les colonels Argoud et Lacheroy qui les ont rejoints depuis le putsch, ne la rallient qu'après une longue période de dissidence, en novembre 1961. L'Organisation possède également une branche métropolitaine, animée par le capitaine Pierre Sergent et le lieutenant Jean-Marie Curutchet, qui contrôlent mal l'industriel André Canal, dit « le monocle », chargé des plasticages symbolisant l'OAS dans la mémoire des Français.

À l'image de son cercle dirigeant, l'OAS recrute en Algérie dans les milieux de l'activisme pied-noir et des militaires sortis du rang. Leur engagement, situé à l'aboutissement des échecs des Barricades et du putsch, est porté par une logique de résistance de plus en plus désespérée pour garder l'Algérie française. Contrainte à la clandestinité, l'OAS n'est d'ailleurs pas une organisation centralisée. Elle se présente comme une constellation d'éléments violents se réclamant d'elle, sans en être forcément maîtrisés, et reste sans projet ni stratégie clairement définis. Elle se construit par la récupération et l'absorption de tous ceux qui, individuellement ou organisés en groupuscules, sont prêts à passer à l'action au nom de l'Algérie française. Ainsi, deux assassinats antérieurs au putsch, qui lui sont imputés, n'ont pas été commis sur ses ordres : celui de l'avocat libéral Mᵉ Popie, le 25 janvier 1961, par des hommes d'André Canal, qui, à cette date, n'a pas encore rejoint l'OAS, et celui de Camille Blanc, maire d'Évian, où sont prévues des négociations

franco-algériennes, le 31 mars, dont les auteurs n'ont pas
été identifiés [40].

Par les liens personnels qui unissent ces hommes,
l'OAS forme une nébuleuse aux points d'ancrage dispersés sur les territoires métropolitain et algérien. Soudés
contre l'indépendance, ils sont toutefois divisés sur le
statut de l'Algérie française qu'ils souhaitent – intégrée ?
associée ? fédérée ? séparée de la métropole ? – et sur les
moyens de s'opposer à une évolution qu'ils sentent
inéluctable. Cette impuissance, et la conscience qu'ils ont
de s'engager dans une cause condamnée, les pousse à la
violence qui finit par devenir plus qu'un simple moyen
d'action : leur raison d'être. La haine pour le chef de
l'État, cible privilégiée compte tenu de sa politique, en
est aussi un moteur. À défaut de proposer une alternative, l'OAS tente de détruire la marche vers l'indépendance en s'en prenant à tous ceux qui en sont les acteurs
ou qui la soutiennent.

L'OAS se manifeste en métropole par des lettres de
menaces, par des plasticages et par un racket destiné à
remplir des caisses qu'alimentent aussi les hold-up. En
Algérie, elle opère par une gradation allant de la menace
à l'exécution par un commando, en passant par un avis
de condamnation à mort et un plasticage d'avertissement. Ses membres se procurent matériel, armes – du
simple pistolet au lance-roquettes et au mortier –, voitures, uniformes et faux papiers par complicité dans les
forces de l'ordre ou par vol. À Alger, elle mène une
action terroriste, mêlant explosions et mitraillage, tandis
qu'à Oran les services français comptabilisent aussi, à
partir de novembre 1961, des « manifestations de
masse » comprenant « grèves, agitation, ratonnades [41] »,
pour mieux rendre compte de ses activités.

L'OAS mobilise les Français d'Algérie par ses mots d'ordre, comme, le 23 septembre 1961, lorsqu'il leur est demandé de manifester bruyamment en tapant sur des casseroles. À ces démonstrations populaires s'ajoute une irruption dans l'espace public par des tracts, une presse clandestine – *Appel de la France, Journal de l'OAS* tire jusqu'à soixante mille exemplaires fin janvier 1962 [42]–, des émissions pirates et des inscriptions de slogans sur les murs. Cette présence de l'OAS signale une stratégie d'affichage et de visibilité autant qu'elle révèle sa popularité. L'OAS exprime en effet, par sa résistance aveugle, un déni de la réalité partagé par tous ceux pour qui l'Algérie française, pourtant en train de disparaître, reste la seule patrie concevable, que ni la métropole ni une Algérie indépendante ne sauraient remplacer. L'Organisation se nourrit ainsi de complicités aux degrés divers, passives, tacites ou franches. Les clandestins trouvent dans la population les conditions de leur survie. Les milieux policiers, en particulier, majoritairement pieds-noirs dans les villes, sont très pénétrés. De leur côté, les militaires, dont les péripéties du putsch ont révélé à la fois la crise morale et l'attentisme face aux risques d'un engagement aventureux, échaudés, en outre, par la répression qui s'en est suivi, répondent moins aux attentes de l'Organisation armée.

Sur le plan politique, au fur et à mesure qu'elle perd du terrain dans la classe politique et dans l'opinion métropolitaine, la défense de l'Algérie française est rejetée à l'extrême droite, où l'OAS se ressource dans trois courants, suivant la distinction de Guy Pervillé [43]. Le premier d'entre eux, le courant fasciste, autour de l'organisation des frères Sidos, Jeune Nation, est représenté notamment par Jean-Jacques Susini. Peu répandu, ce courant véhicule un discours raciste de défense de l'« ethnie

française » ou de la « civilisation blanche » en Algérie. Le
deuxième, « traditionaliste et contre-révolutionnaire »,
rassemble les nostalgiques du pétainisme, comme
l'avocat Jean-Louis Tixier-Vignancour, et les fondamentalistes catholiques qui, outre Robert Martel ou Jean-
Marie Bastien-Thiry, cerveau de l'attentat du Petit-
Clamart contre le général de Gaulle le 22 août 1962,
comptent nombre d'officiers : les colonels Lacheroy,
Argoud, Gardes… Pour eux, seul un État fort et autoritaire, tel le régime de Vichy ou le régime de Salazar au
Portugal, serait capable de garder l'Algérie. Plus largement, enfin, la défense de l'Algérie française puise dans
le vivier des nationalistes qui, convaincus du déclin du
pays et de l'expansion sournoise du communisme,
prônent la défense de l'intégrité du territoire national et
la fidélité aux engagements pris auprès des « musulmans » favorables à la France, pour former, dans la fraternité entre les populations, une Algérie nouvelle. La revue
Esprit public, qui s'en fait le porte-parole, étend aux
milieux universitaires, avec des hommes comme Raoul
Girardet ou François Bluche, le panel des défenseurs de
l'Algérie française [44].

Ces valeurs guident également un homme comme
Jacques Soustelle. Exclu de l'UNR au printemps 1960, il
fonde avec Georges Bidault, que le général Salan désigna
comme son successeur potentiel à la tête de l'OAS, le
Comité de Vincennes. Ce rassemblement de personnalités très diverses, parmi lesquelles d'anciens ministres, tels
Robert Lacoste, André Morice ou Maurice Bourgès-
Maunoury, ou encore le bachaga Boualam, est voué à la
défense de l'Algérie comme « terre de souveraineté française », « partie intégrante de la République ». Il s'agit de
rejeter toute « sécession », de refuser toute négociation y
conduisant, et de travailler à « la fraternité de tous les

Français au nord et au sud de la Méditerranée à quelque communauté qu'ils appartiennent, au sein d'une seule et même patrie [45] ».

Contrairement à ce qu'elle recherche, cependant, l'existence de l'OAS hâte le règlement du conflit. Elle presse les négociateurs français de conclure rapidement la paix, le prolongement de la guerre faisant le lit du radicalisme et de la violence. Et elle a aussi contribué à l'exporter, d'Algérie en métropole.

11

QUAND LA GUERRE GAGNE LA MÉTROPOLE

La guerre, ce n'est pas seulement le théâtre des opérations militaires ni la seule Algérie : son issue se décide aussi en métropole, où le FLN s'est implanté contre le MNA et a tenté d'ouvrir un second front.

Par ailleurs, la contestation des méthodes françaises reste vigoureuse. La découverte du réseau Jeanson, doublée d'une mobilisation en faveur de l'insoumission, révèle un engagement radicalisé pour la cause algérienne ou, à tout le moins, contre la poursuite de la guerre. Vigilance et mobilisation n'ont pas disparu avec l'accession du général de Gaulle au pouvoir.

À la convergence de ces deux tendances – développement du FLN et prégnance de la contestation –, l'événement du 17 octobre 1961 marque l'ultime automne de la guerre. La répression décuplée des manifestants algériens déclenche un cycle de manifestations quasi ininterrompu, jusqu'à la grande mobilisation du 13 février 1962. L'opinion métropolitaine est lasse de la guerre, d'autant que pendant cette période l'OAS atteint son apogée.

Vers un second front ?

Les centaines de milliers d'Algériens vivant en métropole constituent d'emblée un enjeu pour les organisations rivales du MNA et du FLN. Outre la manne financière qu'ils représentent, leur adhésion témoignerait de la représentativité de l'organisation qui les rallierait, sous les yeux des dirigeants français ; par ailleurs, leur implantation géographique pourrait être exploitée pour porter la guerre en France, dans les régions où ils se concentrent : en région parisienne, très majoritairement, mais aussi dans le Nord, la Moselle, le Rhône et les Bouches-du-Rhône [1].

Le MNA, bénéficiant de solides appuis, résiste au FLN jusqu'en 1957-1958, en particulier dans son bastion du Nord, jamais complètement vaincu. Depuis l'étouffement de la crise berbériste, en 1949, la fédération de France du MTLD a été reprise en main par Messali Hadj [2]. Le MNA récupère l'organisation de cette fédération, même si certains responsables, comme M'Hamed Yazid ou Tayeb Boula-hrouf, passent au FLN, quand ils n'ont pas participé à sa fondation, comme Mohammed Boudiaf ou Mourad Didouche [3]. La présence de Messali Hadj sur le territoire français sert l'aura du mouvement : il est successivement assigné à résidence à Niort, aux Sables-d'Olonne, à Angoulême et à Belle-Isle-en-Mer.

Le MNA, enfin, a fait fructifier le capital de sympathie et de solidarité accumulé par l'ex-MTLD auprès du mouvement ouvrier français : les minoritaires de la SFIO, Marceau Pivert, Oreste Rosenfeld ou Jean Rous, des avocats comme Yves Dechézelles ou Pierre et Renée Stibbe, les trotskistes du PCI, les membres des comités qui animent la contestation de la guerre, retrouvent au MNA un type d'organisation et des modes d'action qui leur sont familiers, alors que le FLN est identifié à un appareil coercitif, recourant à la violence et se moquant du soutien des forces françaises. Dans le sillage du

MTLD, qui participait aux défilés traditionnels de la fête du Travail et de la Fête nationale, et qui a perdu six hommes sous les tirs de la police, le 14 juillet 1953, le MNA recourt à la manifestation, tant à Paris qu'en province, en 1955 et 1956[4]. Il proteste ainsi, le 9 mars 1956, contre les pouvoirs spéciaux, en discussion à l'Assemblée nationale.

L'implantation du FLN n'a pas reposé sur des hommes sortis des rangs du militantisme métropolitain. Elle a été prise en charge, au sommet, par des émissaires de la direction frontiste, qui cherche à discipliner la communauté des immigrés, dont certains persistent à cotiser dans leur région d'origine. Après Mourad Tarbouche, intronisé par Mohammed Boudiaf en janvier 1955, Mohammed Salah Louanchi est envoyé fin 1955 par Abbane Ramdane, qui dépêche également, en octobre 1956, Abdelmalek Temam, pour diffuser les principes de la Soummam. Puis, le CCE mandate Mohammed Lebjaoui fin 1956, et Omar Boudaoud en juin 1957. Ce roulement est imposé par les arrestations de la DST, qui déciment la direction de la fédération de France. La stabilisation de son comité fédéral n'est permise que par son expatriation à Cologne, au printemps 1958.

Il perd deux de ses membres, pour des raisons internes : Mohammed Harbi qui, ne concevant pas la fédération comme un organe d'exécution des initiatives et orientations décidées par le CCE, démissionne en septembre 1958 ; Messaoud Guedroudj, qui est envoyé dans un camp au Maroc, pour « complot », à la suite de semblables désaccords[5]. Se fixe alors le « Comité des cinq », en fonction jusqu'à la fin du conflit : sous la houlette d'Omar Boudaoud, qui assure l'interface avec le CCE puis le GPRA, ainsi que les contacts avec les réseaux de soutien, Kaddour Ladlani s'occupe des structures de la fédération, strictement cloisonnées, jusqu'à l'échelon élémentaire de la cellule, Abdelkrim Souici des finances, des étudiants, de l'Amicale générale des travailleurs algériens (AGTA) et de la Suisse, Ali Haroun de l'information, de la presse, de la formation des cadres et de l'action envers les détenus, Saïd Bouaziz des renseignements et de l'Organisation spéciale chargée des attentats[6].

La bataille pour le contrôle de l'émigration oppose les groupes armés des deux organisations. De source française, près de quatre mille Algériens auraient été tués par des compatriotes en métropole, pendant la guerre, et près de huit mille blessés[7]. Le MNA, qui a hérité des troupes de choc du MTLD, n'est pas en reste, même si la victoire du FLN signale sa domination en la matière. Plusieurs indicateurs témoignent de son succès et, en miroir, de l'effondrement de son rival : dès juillet 1955, les syndicalistes étudiants rallient le FLN en fondant l'Union générale des étudiants musulmans algériens (UGEMA), après une rude bataille autour du « M », symbole d'une identité rattachée à l'islam[8] ; en janvier 1957, la grève appelée par le FLN, en France comme en Algérie, à l'occasion des débats onusiens, mobilise travailleurs et commerçants, à son bénéfice ; en mai 1958, l'organe de presse de l'USTA, le syndicat messaliste, cesse de paraître pour un an ; l'AGTA en récupère les membres. Si le MNA perd ses forces, le FLN, qui craint les manœuvres d'infiltration et qui entend signifier sa supériorité, accueille les cadres messalistes en les intégrant aux échelons subalternes.

Messali Hadj, libre de toute assignation à partir de janvier 1959, s'installe près de Chantilly, où il anime d'ultimes réunions publiques jusqu'au printemps. En 1961, la désagrégation de son mouvement conduit à une dissidence exploitée par les services français : alors qu'il refuse de répondre à un appel de Louis Joxe, l'invitant aux négociations pour troubler le FLN, des contestataires créent le Front algérien d'action démocratique (FAAD), manipulé par la police. Messali Hadj restera en France jusqu'à son décès, en 1974 [9].

En métropole, confortant l'image que certains militants français ont de lui, le FLN n'est pas conçu comme une organisation politique, même si les termes « militant », « adhérent » et « sympathisant » sont utilisés pour décrire différents degrés d'implication dans ses activités. Il est conçu comme un appareil de contrôle et d'encadrement de la masse émigrée, en soutien au combat mené outre-Méditerranée : « le FLN n'est pas un parti d'opposition mais l'autorité officielle de l'Algérie qui dirige la lutte du peuple algérien contre l'occupant français », analyse Kaddour Ladlani [10]. Dans cet esprit, la solidarité politique, que les organisations françaises auraient pu manifester par des pétitions, des tracts, des grèves ou des manifestations, n'est guère recherchée, et les Français souhaitant soutenir la cause indépendantiste sont inclus dans des réseaux inféodés à l'appareil.

Cette conception porte en elle la coercition exercée sur les Algériens de France, qui ne sont pas des « militants », « adhérents » ou « sympathisants » d'une organisation politique, avec laquelle les liens seraient librement consentis. Ils constituent une ressource mobilisée par l'appareil, dont le pouvoir, en tant qu'« autorité officielle », s'imposerait légitimement. La principale activité de la fédération de France est en effet la collecte de fonds, assimilée au paiement d'un impôt, enrichie par le prélèvement d'amendes, pour consommation d'alcool, essentiellement, et de taxes spécifiques, comme celles payées par les proxénètes. Et, tel un appareil d'État, la fédération de France organise des comités de justice, d'hygiène et d'éducation, dont l'activité reste très secondaire.

Au contraire, la prise en charge des détenus et internés occupe largement la fédération, qui assure aux Algériens arrêtés secours et assistance, sous la forme, notamment, d'allocations versées aux familles ou de colis. Le collectif d'avocats, formé par Mourad Oussedik au début de l'année 1957, dont Jacques Vergès devient le représentant médiatique, participe également de cet objectif. Les quelque 10 000 détenus de métropole – 5 971 dans les prisons et 5 048 dans les camps d'internement, au moment de l'autodétermination [11] – sont associés au combat pour l'indépendance, dont ils relaient les actions par divers moyens. Le lendemain de la répression du 17 octobre 1961, par exemple, les internés du camp de Mourmelon boycottent la permanence d'aide sociale, assurée chaque semaine par les pouvoirs publics français. Les prisonniers se battent aussi pour leur propre compte, en juin 1959 et en novembre 1961, quand, lors de deux grandes grèves de la faim, ils obtiennent du garde des Sceaux, Edmond Michelet, un régime de détention assoupli, dit « politique », puis protestent contre les manquements à son application [12].

Il n'est donc pas dans la logique du FLN d'ouvrir un second front en métropole, sauf lors de la tentative d'août 1958, suivant les directives du CCE. Le 25 août, à 0 heure, une série d'attaques est lancée par des commandos armés, pour provoquer fusillades, explosions et incendies, dans la Seine, en Normandie et dans le Midi. En région parisienne, elles prennent pour cible une annexe de la préfecture de police, le commissariat du XVIIIᵉ arrondissement, la Cartoucherie de Vincennes, un hangar de l'aérodrome du Bourget… ainsi que des dépôts d'essence à Gennevilliers et Vitry. Autour du

Havre et de Rouen, ainsi que dans le Midi, ce sont les installations pétrolières qui sont visées. Si ces attentats se soldent par des résultats globalement mitigés, l'incendie du dépôt de carburant de Mourepiane, au nord de Marseille, qui dure dix jours, provoque la mort d'un pompier et blesse 19 personnes, en est la manifestation la plus stupéfiante pour l'opinion métropolitaine, plus accoutumée aux attentats individuels qu'à des actions armées portant la guerre au plus près d'elle [13].

Cependant, après le coup d'éclat de cette nuit du 25 août 1958, après les arrestations et le couvre-feu décidé dans la région parisienne par le préfet de police, Maurice Papon, nommé en mars 1958, venant de Constantine, ne persistent que des attaques sporadiques jusqu'à la mi-septembre. C'est que l'Organisation spéciale ne dispose pas des forces nécessaires à l'instauration et à l'entretien d'un climat d'insécurité généralisé, en France. Elle se manifeste essentiellement par l'assassinat de personnalités algériennes réputées favorables à la France, ou de représentants de l'Algérie française – Jacques Soustelle, par exemple, est visé en septembre 1958 –, ainsi que par des attentats contre des policiers ou des militaires. Cette activité ne permet cependant pas, là encore, de parler d'un « second front » ouvert en métropole par les nationalistes. De fait, la fédération de France est prioritairement destinée à l'exploitation de la ressource que constitue l'immigration.

En réponse, Maurice Papon transpose les principes appliqués outre-Méditerranée [14]. Il trouve en région parisienne un terreau favorable. Depuis la fin de la Seconde Guerre mondiale, bien qu'il n'existe plus de force policière destinée spécifiquement à la surveillance des Algériens, la police a continué de s'y adonner. Elle a déjà recouru à des techniques appelées à faire florès pendant la guerre, notamment le bouclage de quartiers entiers suivi de contrôles systématiques d'identité [15]. Par rapport à l'Algérie, d'où arrive Maurice Papon en 1958, cependant, c'est l'action sociale qui fait office d'action psychologique, pour contrebalancer les effets de la lutte contre le FLN dont les Algériens sont victimes [16]. Le préfet de police organise des rafles dans les garnis parisiens, notamment après les attentats du 25 août, conduisant à des arrestations massives et à des détentions au Vélodrome d'hiver, aux gymnases Japy et Jaurès, ainsi qu'au Palais des Sports. Puis, en janvier 1959, est ouvert le Centre d'identification de Vincennes, où chaque détenu, arrêté dans ce type d'opérations ou à la suite d'un contrôle d'identité, est fiché, puis relâché, assigné à domicile ou interné dans l'un des quatre camps métropolitains, ouverts entre 1957 et 1959, à Mourmelon, à Thol, à Saint-Maurice-l'Ardoise et au Larzac [17]. Si ces camps s'apparentent aux « centres d'hébergement » d'Algérie, le centre de Vincennes assure une fonction identique à celle des centres de triage et de transit militaires, lieux de passage, de contrôle de « suspects » et de collecte de renseignements. Témoignant du caractère massif des arrestations et du fait que des Algériens étrangers à toute activité nationaliste pouvaient en être victimes, en 1960, 67 281 d'entre eux sont passés par Vincennes, dont 63 392 ont été libérés, sans autre forme de poursuite [18].

Les hôtels, qui sont souvent le lieu de la collecte de fonds, sont la cible d'actions visant à les désorganiser pour déstabiliser l'appareil FLN. À partir de juin 1958, les opérations « meublés » regroupent personnel des services sociaux et personnel policier. Elles associent inspection sanitaire – laquelle peut justifier la fermeture de l'établissement –, recensement des locataires, perquisitions et arrestations. Elles ont existé jusqu'à la fin de la guerre, au contraire des opérations « osmose » qui, lancées en janvier 1959, sont officiellement arrêtées en juin 1960, à la demande du ministre de la Justice, Edmond Michelet. Il s'agissait, cette fois, de déplacer arbitrairement des locataires d'un hôtel à un autre afin de perturber le suivi des Algériens instauré par le FLN.

Les SAS trouvent également un pendant métropolitain, dans le Service d'assistance technique aux Français musulmans d'Algérie (SAT-FMA), créé en août 1958, où les services administratifs sont instrumentés, au profit d'objectifs policiers. Le SAT-FMA centralise la délivrance de tout papier aux Algériens et les dirige vers un Bureau de renseignements. Recrutant en partie parmi les anciens des SAS d'Algérie, le SAT-FMA dispose d'antennes, à Nanterre et dans plusieurs arrondissements. Il gère aussi le centre de Vincennes.

Enfin, la préfecture de police de Paris se dote d'une force supplétive, le 30 novembre 1959, dont les effectifs atteignent 850 hommes fin 1960. Elle est commandée par le capitaine Raymond Montaner, responsable de l'antenne SAT-FMA de Nanterre, un ancien d'Indochine et d'Algérie, où il a dirigé une SAU – l'équivalent urbain des SAS. Elle s'installe dans des hôtels et cafés réquisitionnés, dans les XIIIᵉ, XIVᵉ et XVIIIᵉ arrondissements. Le FLN contre-attaque en assassinant tout collaborateur et en multipliant les attentats contre ces supplétifs, faisant 24 morts et 67 blessés dans leurs rangs [19].

Leurs résultats – recrutement d'indicateurs et arrestations de cadres – sont opposés à tous ceux qui en dénoncent la violence, en particulier la torture, pratiquée dans les caves de la Goutte d'Or. En juillet 1961, François Maspero publie ainsi *Les Harkis à Paris* où Paulette Péju a rassemblé des témoignages éloquents. Dès mars

1961, Michel Debré lui-même a rappelé à l'ordre le préfet de police, et, à partir de juin 1961, les supplétifs quittent les quartiers de la capitale pour être cantonnés au fort de Noisy, à Romainville, d'où ils sortent pour des opérations ponctuelles.

Si second front il devait y avoir en métropole, il serait ainsi parisien et opposerait un dispositif préfectoral, policier, aux Algériens. Reste à savoir cependant si ce dispositif, spécifique d'une région marquée par une forte concentration d'immigrés et par les conceptions de son préfet de police, n'a pas aussi, au moins partiellement, existé ailleurs. Divers indices le suggèrent : outre que des supplétifs opèrent à Valence en 1957 [20], les archives départementales du Rhône ont conservé la trace d'un SAT-FMA à Lyon et un centre similaire à celui de Vincennes a fonctionné dans les Bouches-du-Rhône. Autant qu'un « système Papon [21] », le dispositif parisien serait ainsi emblématique du système de répression métropolitain, aux équivalences repérables avec le système de lutte contre le FLN en Algérie, mais où les forces de police tiendraient le rôle dévolu aux miliaires.

À la différence de l'Algérie, cependant, la métropole est aussi le siège d'une intense « bataille de l'écrit [22] », qui entretient l'opposition à la guerre et exerce sur le pouvoir une pression permanente pour un règlement du confit.

Des pourfendeurs de la guerre aux « porteurs de valises »

Les ralliements au général de Gaulle et l'attentisme résultant du changement de régime sont le présage d'une régression des polémiques, malgré les efforts du cartel d'organisations auteur du *Dossier sur la torture et la répression*, qui tient notamment, en janvier 1959, un « meeting d'information et de protestation pour la fin de la torture en Algérie » et, fait nouveau, en France[23]. *Le Monde* et *Témoignage et documents* ont en effet dénoncé les sévices infligés par la DST à des militants algériens, dont les récits allaient composer l'équivalent métropolitain de *La Question* : *La Gangrène*, éditée par Jérôme Lindon, chez Minuit.

Au printemps 1959, la contestation des méthodes françaises s'étend aux camps de regroupement, lorsque le secrétaire général du Secours catholique, Mgr Rodhain, décide d'alerter ses concitoyens sur la « sous-alimentation » du « million de réfugiés » algériens, auxquels l'assistance des organisations caritatives ne suffit plus. « Des hommes ont faim. Des enfants ont faim […]. Il y a un devoir pour l'autorité du pays à [y] remédier », assène-t-il en conclusion de son rapport à Paul Delouvrier, qu'il fait connaître par une interview dans *La Croix*[24]. *Le Monde*, qui a publié un article sur le sujet dès le 12 mars, entretient le scandale en divulguant un autre rapport, celui d'un stagiaire de l'ENA, Michel Rocard, transmis au quotidien par deux membres du cabinet d'Edmond Michelet : Gaston Gosselin et Joseph Rovan. Toute la presse, jusqu'au *Figaro*, s'empare de la dénonciation de ces camps, auquel l'Assemblée nationale consacre un débat le 9 juin, tandis que le FLN en fait le thème d'une campagne internationale[25].

Au même moment, la saisie de *La Gangrène* réactive les souvenirs de la bataille d'Alger. Alors que les protestations fusent, cette affaire prouve que, loin des espoirs et promesses suscités par le changement de régime, les violations des droits de l'homme et la coercition de l'opinion se poursuivent. Jusqu'au printemps 1960, la

dénonciation des méthodes françaises s'approfondit :
désormais, elle s'appuie moins sur des affaires individuelles que sur des révélations propres à reconstituer le
système de répression dans son ensemble.

La mort d'Aïssat Idir, annoncée par l'Union générale
des travailleurs algériens, fin juillet 1959, est l'une des
dernières affaires de la guerre. Celui qui fut son premier
secrétaire général, nommé titulaire du premier CNRA, a
été arrêté, interné, torturé, puis traduit en justice et
inculpé d'atteinte à la sûreté extérieure de l'État. Acquitté
par le tribunal permanent des Forces armées d'Alger, il a
été repris par les militaires à sa sortie de prison et détenu
au centre de triage et de transit de Birtrata. Le 17 janvier
1959, il y aurait lui-même déclenché un incendie en
fumant et, gravement brûlé, il serait décédé le 26 juillet
1959, après plusieurs mois de soin. Mais si, à l'époque,
Paul Delouvrier a défendu la thèse de l'accident, confir-
mée par une enquête de la Commission de sauvegarde,
il avoua par la suite que « jamais [il] n'[a] su la vérité »,
car « la Commission Patin n'avait pu juger que sur la
base des rapports établis par les gendarmes, donc des
hommes à disposition du commandement militaire [26] ».

À l'automne 1959, une série de publications insiste
sur la généralisation de la torture et des disparitions,
contre la thèse d'abus isolés : *Les Temps modernes* reproduisent deux *Cahier vert des disparitions* qui recensent, à
l'initiative de Jacques Vergès, près de deux cents
plaintes ; *Témoignages et documents* présentent une analyse de Pierre Vidal-Naquet décortiquant le système
d'arrestation, de détention et d'interrogatoire ; *Témoignage chrétien* recueille le témoignage d'officiers rappelés
sur l'enseignement de la torture au centre Jeanne-d'Arc [27].
Un rapport de la Croix-Rouge sur les camps d'internement, rendu public par *Le Monde* le 5 janvier 1960, va

dans le même sens. Ses délégués, qui dénoncent « les officiers responsables » du centre de triage et de transit de Bordj-Menaïel, où ils ont vu des traces de sévices sur des internés, concluent que « les conditions misérables de ce camp sont voulues et font partie d'un système ».

La polémique porte cependant moins sur les faits que sur la divulgation de ce rapport, venue, une nouvelle fois, du ministère de la Justice. Alors que Gaston Gosselin et Joseph Rovan assurent l'intermédiaire avec les dirigeants algériens détenus depuis l'arraisonnement de leur avion en octobre 1956, ils cherchent une réaction des autorités et les incitent à ouvrir des négociations : si un « système » existe, en effet, il est né de la guerre et ne pourra disparaître qu'avec elle. Ce geste leur vaut d'être renvoyés, à la demande du Premier ministre, Michel Debré. Persévérant, cependant, Edmond Michelet les remplace par Hervé Bourges, venu de *Témoignage chrétien*, avant d'être contraint de quitter le gouvernement en août 1960. L'organisation de fuites, ainsi que l'opposition récurrente entre le Premier ministre et le garde des Sceaux, témoigne néanmoins que la critique de la guerre gagne les instances étatiques, alors que sous la IVe République les éventuels désaccords s'y manifestaient sans publicité.

La dernière affaire éclate au printemps 1960. Djamila Boupacha, violée par ses tortionnaires, est soutenue par un comité dans lequel se retrouvent notamment, autour de son avocate Gisèle Halimi, Germaine Tillion et Simone de Beauvoir. Mais l'information judiciaire ouverte n'aboutit pas, en raison du blocage du commandement, qui refuse de communiquer au juge d'instruction les photographies nécessaires à l'identification des coupables présumés [28]. Au même moment, les affaires Alleg et Audin rebondissent avec le procès qui s'ouvre à

Alger, le 14 juin 1960, contre des membres du PCA accusés d'atteinte à la sûreté extérieure de l'État et reconstitution de ligue dissoute : tous deux figurent en effet parmi les prévenus. Malgré l'absence de Maurice Audin, disparu depuis son arrestation, et les sévices relatés par Henri Alleg dans *La Question*, le tribunal condamne les accusés à des peines variant de cinq ans à vingt ans de réclusion criminelle – deux d'entre eux seulement sont acquittés[29].

Toujours mobilisé par ailleurs, le Comité Maurice Audin a obtenu en 1959 le transfert en métropole de la plainte déposée par sa femme. Il a aussi révélé le nom des militaires et des fonctionnaires ayant participé à l'arrestation et à l'interrogatoire du jeune mathématicien. En avril 1960, le Comité attaque en diffamation *La Voix du Nord*, où Georges Ras, futur chef de l'« Action psychologique et propagande » de l'OAS, nie la possibilité du décès de Maurice Audin sous la torture. Deux mois plus tard, le procès, retentissant, l'étaye au contraire par de nombreux témoignages qui décrivent le dispositif de répression algérois, dont celui de Paul Teitgen, ancien secrétaire général de la préfecture de police d'Alger. Mais l'instruction concernant la disparition se solde par un non-lieu, en vertu de l'amnistie, le 20 avril 1962.

En 1960, les Français découvrent aussi la radicalité de l'engagement de certains de leurs compatriotes, qui ont choisi de se mettre au service du FLN ou qui défendent l'insoumission et la désertion. Démantelé en février, le plus célèbre des réseaux de « porteurs de valise », voué essentiellement au transport de fonds en Suisse, a été formé à l'automne 1957 par Francis Jeanson, qui a très tôt clamé son soutien au FLN dans *L'Algérie hors la loi*, corédigé avec sa femme Colette, et s'est investi individuellement dans l'aide matérielle, avant de l'organiser collectivement[30]. Très affaibli par les arrestations, ce réseau est ranimé un temps par Henri Curiel, militant de la première heure, jusqu'à ce qu'il soit pris à son tour, en octobre 1960. Francis Jeanson de son côté, en fuite, a tenu une conférence de presse clandestine le 15 avril, au cours de laquelle il plaidait pour l'action secrète et illégale contre la guerre, en lien avec le FLN et englobant désertion et insoumission.

Le débat est d'autant mieux lancé que l'existence de « Jeune Résistance », réseau de prise en charge des déserteurs et des insoumis, a aussi été révélée. Il a été créé notamment par Jean-Louis Hurst, militant communiste, qui, après sa désertion en septembre 1958, a travaillé pour le réseau Jeanson. En raison de leur caractère commun d'actions interdites, aide directe au FLN et rejet de l'institution militaire sont liés. Ils s'entrecroisent dans la genèse, les activités et les hommes des organisations qui les défendent. Ils se dévoilent aussi ensemble à l'opinion métropolitaine. Une dizaine de jours après les déclarations de Francis Jeanson, sortent deux livres aussitôt saisis : *Le Déserteur*, signé Maurienne, pseudonyme de Jean-Louis Hurst, publié par Jérôme Lindon chez Minuit, et *Le Refus*, de Maurice Maschino, édité par François Maspero.

Le procès du réseau Jeanson devant le tribunal militaire de Paris, du 5 septembre au 1er octobre 1960, fournit au collectif d'avocats du FLN, autour de Jacques Vergès et Mourad Oussedik, une occasion supplémentaire d'appliquer leur principe de transformation de l'enceinte judiciaire en arène politique. Alors que des témoins comme André Mandouze, Vercors, Claude Bourdet et Paul Teitgen viennent cautionner l'engagement des prévenus, le président du tribunal permanent des Forces armées interdit de prononcer le mot

« guerre [31] ». Roland Dumas, en outre, lit un télégramme de soutien de Jean-Paul Sartre, ainsi qu'une lettre censée venir de l'illustre philosophe, mais rédigée par Marcel Péju [32]. La lettre de démission de Paul Teitgen à Robert Lacoste le 24 mars 1957, également lue à l'audience, est publiée [33]. Le verdict même du procès – condamnation de dix-sept membres du réseau à des peines allant jusqu'à dix ans de prison – importe peu au regard du débat provoqué sur la légitimité de la guerre menée par les Français. D'autres « porteurs de valise », notamment dans des réseaux provinciaux, vont continuer leur action, tels l'abbé Robert Davezies et Robert Bonnaud, l'auteur de *La Paix des Nementchas*, arrêtés en 1961.

Le débat sur l'insoumission mobilise les adversaires et les partisans de la guerre, à travers leurs manifestes. Le *Manifeste des 121*, à initiative d'intellectuels liés aux *Temps modernes*, dont Maurice Blanchot, son premier rédacteur, est rendu public le lendemain de l'ouverture du procès Jeanson. Il soutient la « guerre d'indépendance nationale » du « peuple algérien », contre une « guerre d'Algérie » devenue « une action propre à l'armée », prête à affronter le « pouvoir civil ». Cet argument d'une guerre liberticide, dangereuse pour le régime républicain, qui sera renforcé par l'entrée en action de l'OAS en 1961, vient enrichir le discours contre la guerre, sous cette Ve République née d'un coup de force alliant civils et militaires. À ce manifeste signé entre autres par Simone de Beauvoir, André Breton, Daniel Guérin, Marcel Péju, Alain Resnais, Simone Signoret, Pierre Vidal-Naquet…, répond un *Manifeste des 185*, dont Michel Déon, André François-Poncet, le colonel Rémy, Thierry Maulnier, pour qui c'est un « acte de trahison que de calomnier et salir systématiquement l'armée », surtout que la guerre serait imposée par « une minorité de rebelles fanatiques, terroristes et racistes [...] armés et soutenus financièrement par l'étranger ».

Les signataires du *Manifeste des 121* sont réprimés, voire sanctionnés. Les perquisitions conduisent à des gardes à vue et à des inculpations, Robert Barrat étant même écroué, les fonctionnaires sont suspendus ou révoqués, comme Laurent Schwartz, qui enseignait à l'École polytechnique, et les artistes frappés par diverses mesures de rétorsion. C'est que leur mobilisation porte ses fruits : le 27 octobre 1960, une grande manifestation pour la paix est organisée à l'initiative de l'UNEF, le syndicat étudiant qui sent la cause de l'insoumission gagner les jeunes gens.

Cette réussite consacre aussi le renouvellement de l'engagement des forces syndicales et politiques contre la guerre, depuis que l'autodétermination a ouvert l'espoir de son règlement et que les Barricades en ont démontré l'urgence. L'année 1960 a été ponctuée par des journées d'action, manifestations et débrayages, notamment à l'ouverture de la rencontre de Melun, puis à la suite de son échec, pour réaffirmer la nécessité de trouver une solution au conflit. Leurs organisateurs sont toutefois désunis et forment trois pôles, dont les divergences idéologiques obèrent le rapprochement. Autour du PCF gravitent la CGT et le Mouvement de la Paix ; au PSU, formé par les minoritaires de la SFIO, qui l'ont quittée, se rattachent des organisations de gauche indépendantes des communistes et des socialistes, tandis que l'UNEF a su concilier la FEN et la CFTC, le 27 octobre 1960. Au-delà, c'est le putsch qui réactive la mobilisation syndicale, avec un appel à cesser le travail le 24 avril 1961 pour témoigner de la vigilance des Français face aux périls menaçant leurs libertés ; puis la démonstration algérienne du 17 octobre 1961 ouvre le dernier cycle des manifestations de rue [34]. Cette chronologie nationale est soutenue par des initiatives locales, à un rythme à peu près identique, comme aux usines de Renault-Billancourt, où les délégations à la mairie de Boulogne, meetings, débrayages…, après un reflux en 1959, reprennent en 1960, s'accroissent avec le putsch et se maintiennent dans les premiers mois de l'année 1962 [35].

L'automne 1961 ou la nécessité d'en finir

Pour Maurice Papon, le nombre d'arrestations effectuées, d'armes ou d'argent saisis, de poursuites judiciaires entamées et d'internements prononcés sont autant de succès à son actif. Cette répression exaspère pourtant les Algériens, et tous ceux qui, pour être basanés, en subissent les conséquences, au point que, le 12 octobre 1961, l'ambassade du Maroc proteste officiellement [36]. La coercition du FLN, dès lors, n'explique pas à elle seule la participation de vingt mille Algériens à la manifestation du 17 octobre 1961. Ces derniers se dressent contre la vexation des contrôles d'identité et leur cohorte de violences, brimades et insultes, contre les arrestations et perquisitions arbitraires [37]… La fierté d'affirmer un sentiment national nié par la colonisation – ce qui ne signifie pas approbation du FLN et de ses méthodes – a aussi pesé dans leur sortie au cœur de la capitale, ce soir-là. La dignité des manifestants frappe ainsi les journalistes, qui insistent sur la tenue endimanchée des hommes venus des garnis, des foyers et des bidonvilles de la région parisienne, dont celui de Nanterre : « un enchevêtrement de tôles ondulées, de cubes bricolés avec des briques ramassées Dieu sait où, de clapiers confectionnés avec des planches en mauvais état et qui abritent dix

personnes », décrit un journaliste de *France-Observateur*
le 26 octobre 1961. Comme beaucoup de ses confrères,
ce dernier est parti à la découverte de ce « terrain vague
où s'entassent 250 familles », avec un seul point d'eau,
après le 17 octobre, pour comprendre la démonstration
qui venait d'avoir lieu.

À l'origine, la recrudescence des attentats contre les
policiers, depuis l'été, par une Organisation spéciale que
contrôle mal le Comité fédéral, a motivé l'adoption d'un
couvre-feu, le 5 octobre 1961, après une réunion de
Maurice Papon avec les représentants des syndicats de
policiers : les « travailleurs musulmans algériens »
devront « s'abstenir de circuler » de 20 h 30 à 5 h 30
« dans les rues de Paris et de la banlieue parisienne » ; il
leur est aussi « très vivement recommandé » de « circuler
isolément, les petits groupes risquant de paraître suspects
aux rondes et patrouilles de police » et les « débits de
boissons tenus et fréquentés par des Français musulmans
doivent fermer chaque jour à 19 heures [38] ».

Ce sont les responsables locaux, en région parisienne,
qui demandent au Comité fédéral l'autorisation de défier
le couvre-feu par des défilés au-delà de 20 h 30, en espé-
rant qu'il tombe en désuétude, comme en 1958 [39]. Après
concertation, le mot d'ordre est lancé pour la soirée du
17 octobre, avec plusieurs cortèges : des Champs-Élysées
vers la Concorde, de la place de la République et de
Saint-Lazare vers l'Opéra, ainsi que dans le Quartier
latin. Conscient de l'état d'esprit de la police, le Comité
fédéral ordonne d'éviter les provocations. Il interdit le
port de toute espèce d'arme – les manifestants sont
fouillés à leur départ – et recommande aux cadres ou
militants recherchés de ne pas s'exposer aux arrestations,
en s'abstenant de participer à cette initiative. Les

femmes, en revanche, sont mobilisées et des Français des réseaux de soutien sont placés en observateurs.

Le préfet de police s'organise : il faut « intercepter les convois à leur arrivée, cueillir les manifestants le plus souvent aux bouches du métro, les faire monter dans les cars et les diriger aussitôt sur les centres de Vincennes ou de Beaujon, sur le Palais des Sports et la caserne de la Cité [40] ». Sur le terrain, ces consignes donnent lieu à des arrestations massives, pour lesquelles des autobus sont réquisitionnés, et à une chasse au faciès par les patrouilles qui ratissent les artères parisiennes. L'ensemble de la presse en témoigne dès le lendemain, et révèle la violence des charges policières, au pont de Neuilly, à l'Opéra, place Saint-Michel et au carrefour de l'Odéon. Les forces de l'ordre tirent sur les manifestants et les pressent contre les vitrines. Sur le boulevard Bonne-Nouvelle, par exemple, après des premiers coups de feu tirés par le chauffeur d'un car de police, « des policiers casqués, portant gilet pare-balles, sont accourus. Ils ont à leur tour tiré une dizaine de coups de feu. Les Nord-Africains s'enfuient dans toutes les directions. Ils se réfugient dans les couloirs des immeubles. Une confiserie a sa vitrine brisée et saccagée, ainsi que la terrasse du "Gymnase" et la devanture d'une chemiserie. Sept hommes restent sur le trottoir, grièvement blessés », raconte *France-Soir* dans son édition du 19 octobre 1961.

Selon la préfecture, 11 538 Algériens ont été arrêtés. Et si une partie de la presse incrimine le FLN pour avoir provoqué la police, avec ses attentats et la décision de manifester, tous s'accordent pour dénoncer les violences commises lors de leur interpellation ou de leur détention. Le 20 octobre, *France-Soir* décrit l'entassement, le harcèlement policier, le manque de nourriture et de

soins, dans les centres où ils ont été conduits. Le lendemain, *Le Figaro* distingue les « violences à chaud »,
« compréhensibles, sinon excusables », des « violences à
froid », « intolérables ». Jusqu'à la fin du mois, avec,
notamment, plusieurs repêchages de corps dans la Seine,
rapportés entre le 24 et le 27 octobre, la manifestation
et sa répression occupent les quotidiens [41].

Le bilan donné par la préfecture de police ne retient
pourtant que deux morts, dont un métropolitain, tué
d'un coup de crosse, devant le cinéma le Rex. Au conseil
municipal de Paris, où siège Claude Bourdet, au Sénat,
où Gaston Defferre s'active pour la formation d'une
Commission d'enquête, les forces de l'ordre sont mises
en accusation. Leurs détracteurs réclament une épuration
de la police parisienne, en insistant sur l'influence que
l'extrême droite y exerce, grâce aux hommes recrutés sur
leur anticommunisme par le commissaire Jean Dides, au
début des années 1950, pour former un réseau de lutte
contre les éléments du bloc ennemi, en cette période de
guerre froide. Mais le ministre de l'Intérieur, Roger Frey,
protège la police de toute intrusion externe et loue son
efficacité. Il réussit à faire échouer la formation d'une
commission parlementaire en arguant de l'ouverture
d'informations judiciaires, les deux types d'enquête étant
juridiquement inconciliables.

La contestation du bilan, cependant, perdure. Dans
son numéro 13, *Vérité-Liberté*, l'organe clandestin du
Comité Maurice Audin, avance le chiffre de cent qua-
rante morts, d'après une enquête interne de la police,
que les historiens n'ont pas retrouvée ; il correspond en
fait au nombre de cadavres « nord-africains » entrés à
l'Institut médico-légal en septembre et octobre 1961 [42].
Aujourd'hui, les évaluations varient d'une quarantaine de
morts, d'après les seules archives policières, et pour la

seule soirée du 17 octobre, à deux cents morts, environ,
d'après différentes sources et sur une période englobant
l'automne [43]. C'est toute cette saison, en effet, qui est à
prendre en compte, dans la mesure où, dès septembre,
les autorités avaient noté une augmentation du nombre
de cadavres maghrébins retrouvés sur la voie publique,
sans que les circonstances de leur décès aient pu être
élucidées. Or, dès avant la manifestation, la responsabilité des policiers a été évoquée, au ministère de l'Intérieur
même. Le 4 octobre 1961, au cours d'une réunion, un
de ses responsables a demandé « aux représentants de la
préfecture de police si les découvertes récentes de nombreux cadavres FMA [Français musulmans d'Algérie]
dans la Seine, la Marne et les canaux de la capitale
avaient un rapport avec les paroles de M. Papon : "Pour
un coup reçu nous en rendrons dix" » ; et, malgré une discussion sur la responsabilité éventuelle du FLN et du
MNA, « la possibilité d'une entrée en scène de groupes
"antiterroristes" plus ou moins spontanément constitués »
a été retenue [44]. Il pourrait s'agir de groupes « para-poli-
ciers », ainsi définis par Jean-Paul Brunet : « des groupes,
soit de policiers qui n'étaient pas en service, soit d'amis
politiquement très proches d'eux, et qui enlevaient des
Algériens ou les recevaient des mains de patrouilles de
policiers, pour aller se "faire justice eux-mêmes" [45] ».

L'existence de ces groupes s'inscrit dans le contexte de
cet automne, où l'OAS atteint son apogée. Elle bénéficie
de relais obscurs dans les cabinets ministériels – si ce
n'est à Matignon, d'après les rumeurs –, dans les milieux
parlementaires et dans la presse, où *Carrefour*, *Rivarol*,
Le Figaro, *L'Aurore*, *Combat*… reprennent ses thèses. Au
nom de l'Algérie française, le général de Gaulle a même
été victime d'un attentat, à Pont-sur-Seine, le 8 septembre 1961. Inquiètes, les autorités dissolvent le

Comité de Vincennes le 22 novembre 1961, à l'occasion
d'un meeting proclamant l'OAS « seul pouvoir effectif
en Algérie [46] ». Au Comité se nouaient des liaisons dan-
gereuses entre l'Organisation et les partisans métropolitains de l'Algérie française, comme Jean Dides ou Jean-
Marie Le Pen. Ce dernier a commencé sa carrière politique comme jeune député poujadiste élu en 1956, réélu
en 1958, après avoir contracté un engagement volontaire
chez les parachutistes ; Dides, le créateur du réseau policier de lutte contre le communisme, a été révoqué depuis
et est devenu conseiller municipal de Paris.

L'existence de l'OAS fournit aux opposants à la guerre
un thème central de mobilisation : celui d'un conflit
liberticide et suicidaire, à terme, pour le régime républicain. S'ils fouillent dans les sources d'inspiration politique de ses membres pour l'argumenter, ils dénoncent
aussi l'arsenal répressif construit contre l'OAS. Preuve
que l'exceptionnel tend à devenir la règle d'un régime
pourtant républicain, il se fonde sur les méthodes éprou-
vées – et déjà dénoncées – contre les partisans de l'indépendance : internement, jusqu'à spécialisation d'un
camp, celui d'Arcole, en Algérie ; réforme de la garde à
vue ; recours à des juridictions spécifiques au fonctionnement simplifié ; et, non des moindres, pratique de la
torture, dénoncée par Pierre Vidal-Naquet dans *Esprit* en
mai 1962 [47]. Méfiants envers les forces de l'ordre d'Algérie, les pouvoirs publics envoient, en décembre 1961,
quelques dizaines de policiers de métropole à Alger, formant la mission C ; mais ils recourent aussi aux services
de la police parallèle des « barbouzes », dirigés par Lucien
Bitterlin, formée dans le creuset d'une organisation
contre-terroriste se réclamant du gaullisme, le Mouvement pour la Communauté (MPC) [48]. Les barrières
juridiques érigées pour la défense des libertés indivi-

duelles et collectives sont tombées à la faveur de la guerre.

Contre les partisans de l'Algérie française, cependant, le général de Gaulle peut s'appuyer sur l'opinion métropolitaine. Seuls les communistes, au nom de la paix, se sont opposés à l'autodétermination, qu'ils assimilaient à un « refus total de négocier », signifiant que « la guerre va durer [49] ». Au contraire, interrogés par les sondeurs après le discours du Général, les Français de métropole sont 54 %, contre 17 %, à approuver l'autodétermination, et ils sont 75 % lors du référendum du 8 janvier 1961 [50]. Après le 17 octobre, des protestations ont fusé, un meeting à la Sorbonne a rassemblé la CGT, l'UNEF, le SNES, la CFTC le 21 octobre, et deux manifestations sont organisées le 23 octobre puis le 1er novembre à l'initiative, notamment, du PSU. Puis, le 18 novembre, huit mille à dix mille étudiants défilent pour la paix en Algérie, avec des représentants du PC, de la CGT, du PSU ainsi que, entre autres, Jean-Paul Sartre, Simone de Beauvoir et Laurent Schwartz, du Comité Maurice Audin. Et les mobilisations ne cessent plus, en réponse aux plasticages de l'OAS qui deviennent quasi quotidiens : journée d'action le 29 novembre, manifestations de plusieurs dizaines de milliers de personnes le 19 décembre... jusqu'à la mobilisation du 8 février 1962, après la multiplication d'attentats, dont l'un, visant André Malraux, défigura la petite Delphine Renard. La répression va aussi *crescendo* : une centaine de blessés le 19 décembre, huit morts, au métro Charonne, le 8 février 1962 [51]. Plus de cinq cent mille personnes suivent alors leurs obsèques, le 13, et les orateurs expriment une volonté d'en finir très largement partagée dans le pays. C'est dans ce contexte que les accords d'Évian sont signés.

12

SORTIR DE LA GUERRE

19 mars 1962 : cette date symbolique, celle du cessez-le-feu, au lendemain de la signature des accords d'Évian, dit la fin d'une guerre meurtrière. En ce printemps 1962, pourtant, la guerre n'en finit pas de tuer, même si les accords règlent le conflit entre les deux parties en présence, qui cessent de s'affronter.

La longueur, la difficulté et les échecs récurrents des négociations, dont résultent les accords d'Évian, soulignent la gravité des enjeux du règlement du conflit. Avec l'avenir de l'Algérie se joue celui du million de Français y vivant ; d'un point de vue stratégique, en outre, les autorités françaises doivent gérer une perte de souveraineté tout en sauvegardant des intérêts économiques et militaires. Néanmoins, si les discussions finissent par aboutir, c'est qu'il s'agit, surtout, de mettre un terme à un conflit de plusieurs années, un conflit resté sans solution militaire.

Mais les accords d'Évian ne sont que le point de départ d'un processus de sortie de guerre, en plusieurs étapes : après le cessez-le-feu est prévue une période d'administration provisoire, à l'issue de laquelle doit être organisé le référendum d'autodétermination. Or, si l'affrontement franco-algérien cesse, d'autres se prolongent ou naissent dans le *no man's land* chronologique de la transition, entre le cessez-le-feu et le scrutin.

L'OAS, en effet, tente d'exploiter la défaillance d'ordre public et de souveraineté que constitue cette période pour faire capoter le processus enclenché. Par ailleurs, les groupes armés algériens, qui font irruption dans un pays dégagé de la tutelle française et sur la voie de l'indépendance, contribuent aux violences et au désordre.

Pour l'historien, la fin du conflit ne coïncide pas avec le 19 mars 1962, elle se situe bien au-delà de cette date, d'autant qu'une guerre civile algérienne succède à la violence de la période transitoire. Il faut attendre septembre 1962 pour qu'enfin le pays renoue avec la paix par l'installation d'un pouvoir indépendant.

Ultimes négociations

La question de la souveraineté sur le Sahara est au cœur du différend entre les deux parties, dès la première entrevue à Melun, en juin 1960. Cette question cause également la rupture des deux rencontres suivantes, qui ont eu lieu à Évian, du 20 mai au 13 juin 1961, et à Lugrin, du 20 au 28 juillet 1961, grâce à l'entregent d'Olivier Long, diplomate suisse, et de Tayeb Boulahrouf, représentant du FLN à Rome. Le GPRA est prêt à négocier des concessions économiques, mais il refuse de discuter la souveraineté algérienne sur le Sahara, alors que les Français envisagent de le conserver et de limiter le territoire de l'Algérie indépendante à sa partie septentrionale. Ce sont la pérennité des essais nucléaires français et l'exploitation des gisements d'hydrocarbures, découverts en 1956 à Hassi Messaoud et à R'Mel, qui sont en jeu. Le GPRA mobilise alors les Algériens, appelés à manifester contre la partition du pays, le 5 juillet 1961, tandis qu'en France Alain Peyrefitte s'en fait le promoteur par une campagne médiatique, cartes à l'appui [1].

Les divergences portent aussi sur le statut des Français d'Algérie et sur celui des bases militaires. Une commission dirigée par Ahmed Francis, au GPRA, a défini la position tenue avec fermeté par Krim Belkacem qui, en vertu de sa fonction ministérielle, conduit désormais les délégations, face à Louis Joxe. Les « Européens », dit Krim Belkacem à Évian, ont « le droit de lier leur sort à la nation algérienne et même de s'y fondre » ; quant à ceux qui « se refusent à être algériens », ils pourront, « néanmoins, rester eux aussi en Algérie, y vivre, y travailler », mais sans statut spécifique [2]. Le principe d'unité du peuple algérien, qui sous-tend cette position, s'oppose aux garanties revendiquées par les négociateurs français, qui voudraient ériger les Français d'Algérie en minorité protégée par des dispositions particulières. Le GPRA leur propose la fusion dans un ensemble national, dépourvu de niches communautaires. Quant au désaccord sur les bases militaires, il reprend les termes des divergences sur le Sahara : si le GPRA admet la nécessité de ménager les intérêts français, il rejette l'idée d'enclaves échappant à sa souveraineté. Or, « la base navale de Mers el-Kébir sera pour la France ce que Gibraltar est à l'Angleterre », a déclaré Georges Pompidou lors de réunions préparatoires officieuses [3].

Outre ces désaccords, l'agencement même du cessez-le-feu, du référendum et d'accords politiques entre les deux parties pose problème : dans quel ordre procéder ? Si le cessez-le-feu précède logiquement le scrutin, quand les accords interviennent-ils ? Avant ou après le cessez-le-feu ? Avant ou après l'autodétermination ? Pour le GPRA, les accords doivent précéder l'ensemble, car le cessez-le-feu ne peut être proclamé sans condition, et l'organisation même de l'autodétermination doit être discutée. Mais les autorités françaises, qui dans un premier temps tentent d'obtenir un cessez-le-feu préalable à toute autre étape, sont réticentes : de tels accords ne pourraient-ils pas être assimilés à une prédétermination, anticipant l'indépendance, alors que seule la consultation des habitants de l'Algérie est habilitée à en décider ? D'un autre côté, cependant, la France peut-elle prendre le risque d'organiser le référendum sans avoir négocié l'avenir de sa présence militaire et économique, ni le statut de ses ressortissants ?

Les contacts s'accompagnent de mesures et de manœuvres qui, pour faire partie du jeu dans ce type de situation où il faut à la fois amadouer et tester l'adversaire, n'en brouillent pas moins les cartes. Louis Joxe invite ainsi le MNA à la table des négociations le 30 mars 1961. Puis l'ouverture des pourparlers d'Évian s'accompagne de la libération de six mille détenus, du transfert des cinq ministres d'État algériens au château de Turquant, de la libération de Mostefa Lacheraf et d'une trêve unilatérale : l'interruption des opérations offensives. Celle-ci limite l'action des forces de l'ordre à la « légitime défense » et à « la poursuite des auteurs d'attentats [4] ». Décrétée pour un mois renouvelable, elle reste effective jusqu'au 12 août 1961, après l'échec des pourparlers de Lugrin. Or, cette trêve piège le GPRA : s'il en déclarait une à son tour, il se priverait de la pression exercée sur le terrain et, de fait, concéderait un cessez-le-feu inconditionnel, qu'il a toujours refusé. Il choisit donc de laisser cette trêve sans réponse, mais elle apparaît alors comme un gage de la bonne volonté française, contre l'intransigeance prêtée à son adversaire.

En dehors de tout contentieux bilatéral, enfin, l'affaire de Bizerte retarde l'avancement des échanges. Le 6 juillet

1961, en effet, Habib Bourguiba demande aux Français d'évacuer cette base et, face à son refus, l'attaque. Or, la France envoie des parachutistes et oppose ses militaires aux Tunisiens venus manifester, tuant des centaines d'entre eux. Les relations diplomatiques entre les deux pays sont rompues. Deux semaines avant la rencontre de Lugrin, un tel événement augure mal les discussions sur les conditions d'une présence militaire française en Algérie. Il incite les Algériens à la plus grande méfiance et renforce ceux qui sont opposés à toute concession.

L'EMG, en effet, guette le moindre faux pas du GPRA et adopte une position commode : rejeter les discussions, par principe, pour en laisser la responsabilité à l'instance politique, contrainte de prendre sur elle échecs et concessions éventuels. Par ailleurs, les membres du CNRA demandent à être associés à un processus mené en dehors de leur contrôle. Soutenus par l'EMG, qui cherche toute occasion de mettre le GPRA en difficulté, ils se réunissent de nouveau à Tripoli, après la rupture de Lugrin, du 9 au 27 août 1961. Les pourparlers sont au centre des querelles. À l'EMG, radical, qui plaide pour une solution militaire du conflit – irréaliste, vu la domination française – est majoritairement opposée, avec pragmatisme, la nécessité d'un règlement négocié. Les anciens de l'UDMA, cependant, que la modération de leur culture politique originelle et l'acculturation de leur leader, Ferhat Abbas, rendent suspects à l'heure où la négociation suppose d'instaurer un rapport de forces avec la France, sont écartés : la présidence de ce troisième GPRA revient à Benyoucef Ben Khedda, qui reprend aussi les Finances à Ahmed Francis. À l'image du nouveau président, ce sont les ex-centralistes qui sortent vainqueurs du remaniement et qui, de fait, seront les artisans du règlement du conflit [5].

Saad Dahlab succède ainsi à Krim Belkacem aux Affaires étrangères, mais ce dernier récupère le ministère de l'Intérieur, retiré à Lakhdar Ben Tobbal, dont Benyoucef Ben Khedda ne veut plus au gouvernement. Il devient ministre d'État, avec Hocine Aït Ahmed, Mohammed Khider et Rabah Bitat. Abdelhafid Boussouf conserve le puissant MALG, qui lui assure la mainmise sur les services de sécurité, et M'Hamed Yazid l'Information. Krim Belkacem, Ahmed Ben Bella et Mohammed Boudiaf restent vice-présidents. En France, ce remaniement est interprété comme un raidissement, sur la foi de convictions marxistes hâtivement prêtées au nouveau leader du GPRA. En réalité, si celui-ci ne cache pas l'admiration qu'il porte à la Chine populaire, c'est en raison du développement de ce pays et de son rang sur la scène diplomatique mondiale. Une admiration partagée, du reste, par les autres dirigeants algériens qui y sont allés en délégation et qui rêvent de hisser l'Algérie indépendante au même niveau [6].

La formation du troisième GPRA est favorable au règlement du conflit. Elle marque un sursaut du politique sur le militaire, alors que l'EMG travaille à la prise du pouvoir. Contre le danger des extrémistes – côté français, les partisans de l'Algérie française sont allés jusqu'au putsch et l'OAS fait des ravages – la volonté d'aboutir l'emporte alors sur tous les désaccords. En témoignent la relance des échanges par discours et déclarations interposés, ainsi que la permanence des contacts officieux, à l'automne 1961. Le 5 septembre, le général de Gaulle lève le principal obstacle, en reconnaissant la souveraineté algérienne sur le Sahara. Puis les modalités de règlement du conflit sont définies : discussions apurant les désaccords, cessez-le-feu, période de gouvernement du pays par une instance provisoire, scrutin d'autodétermination. Pour éviter une

nouvelle rupture publique, exploitable par les extrémistes, partisans d'une perpétuation du conflit, cependant, la phase finale est préparée dans l'ombre par des
hommes comme Mohammed Benyahia, ex-centraliste,
ancien directeur de cabinet de Ferhat Abbas, Redha
Malek, directeur d'*El Moudjahid*, Claude Chaylet,
conseiller de Louis Joxe, Bruno de Leusse, directeur des
Affaires politiques au ministère des Affaires algériennes,
et Louis Joxe lui-même.

Puis, du 11 au 18 février 1962, la rencontre des
Rousses se tient à l'échelon ministériel. La délégation
française comprend les trois signataires des futurs accords
d'Évian : Louis Joxe, Robert Buron, ministre des Travaux
publics, représentant du MRP, dont il signifie l'assentiment, et Jean de Broglie, secrétaire d'État au Sahara,
apportant celui des Indépendants. Les Algériens ont
envoyé le vice-président du GPRA, Krim Belkacem, et
trois ministres : Saad Dahlab, M'Hamed Yazid et Lakhdar Ben Tobbal. En tant que chef de la délégation, Krim
Belkacem signera seul le texte final, mis au point à Évian,
après une ultime phase de pourparlers, du 7 au 18 mars
1962. Le rôle joué par la Suisse, où résident les Algériens
pendant les pourparlers, fait du Jura et de la Haute-
Savoie les régions idéales de rencontres devant se tenir,
pour des questions de souveraineté, symboliquement, en
territoire français. Évian offre en outre des conditions
optimales de sécurité pour les allers et retours de la délégation algérienne, qui n'a qu'à traverser le lac Léman,
lorsque son hélicoptère est cloué au sol pour des raisons
climatiques [7].

Les accords se décomposent en trois grandes parties,
dont la première définit les « conditions et garanties de
l'autodétermination » : organisation de la consultation,
composition et pouvoirs de l'Exécutif provisoire gérant

le pays entre le cessez-le-feu et le vote, accords de cessez-
le-feu et déclaration d'amnistie, permettant la libération
de tous les détenus et internés [8]. La deuxième partie,
« déclarations de principes », anticipe l'indépendance par
une série de dispositions relatives au statut des Français
vivant en Algérie, à l'exploitation des richesses sahariennes, à la pérennité de la présence militaire française
ainsi qu'à la coopération économique, financière, cultu-
relle et technique. Les Français d'Algérie auront trois ans
pour choisir entre la nationalité algérienne et la nationalité française. Le texte leur assure « toutes libertés énon-
cées dans la Déclaration universelle des droits de
l'homme », ainsi que la possibilité de « transporter leurs
biens mobiliers, liquider leurs biens immobiliers, transfé-
rer leurs capitaux ». « L'Algérie garantit les intérêts de la
France et des droits acquis des personnes physiques et
morales », renchérit la déclaration sur la coopération économique et financière, conçue comme un échange de
bons procédés : la France apportera au pays « une contri-
bution privilégiée que justifie l'importance des intérêts
français existant en Algérie ». L'aide au développement
compense le respect des intérêts de l'ancienne puissance
coloniale et de ses ressortissants par une Algérie émanci-
pée de sa tutelle. La France conserve en outre la mise en
valeur des richesses du sous-sol saharien et bénéficie
d'une priorité « en matière de permis de recherche et
d'exploitation ». Au plan militaire, enfin, la base de Mers
el-Kébir est concédée par bail pour quinze ans, et l'usage
des installations sahariennes, vouées aux essais nucléaires,
est accordé pour cinq ans. Les effectifs de l'armée française sur le sol algérien doivent être ramenés à quatre-
vingt mille hommes, dans un délai d'un an, à compter
de l'autodétermination.

La « déclaration générale », composant la troisième partie du texte, synthétise l'ensemble. Elle fixe le cessez-le-feu au 19 mars 1962 à 12 heures et réitère les garanties accordées aux Français d'Algérie dont « les droits de propriété seront respectés » et à l'égard desquels « aucune mesure de dépossession ne sera prise [...] sans l'octroi d'une indemnité équitable préalablement fixée ». Après l'autodétermination, « si la solution d'indépendance et de coopération est adoptée », l'Exécutif provisoire disposera de trois semaines pour organiser des élections, donnant naissance à la première Assemblée nationale algérienne.

Le cessez-le-feu marque la fin de la guerre pour les autorités officielles des deux pays, Ve République et GPRA, qui en ont décidé ainsi. La situation de violence, qui perdure au-delà, n'est pas de leur fait et, pour cette raison, il serait difficile aujourd'hui, pour les pouvoirs publics français, d'admettre une autre date que celle du 19 mars pour célébrer officiellement la fin du conflit [9]. Cette conjoncture postérieure au cessez-le-feu, créée par les jusqu'au-boutistes de l'Algérie française, explique en grande partie pourquoi les accords d'Évian sont restés lettre morte pour les Français d'Algérie, contraints, dans leur immense majorité, à un départ précipité, sans retour ultérieur. Au printemps 1962, l'Algérie plonge dans une anarchie que révèle le degré de violence extrême déployée. L'absence d'ordre public caractérise alors le pays.

Un processus de paix en danger

Leurs fonctions n'ayant plus lieu d'être, Jean Morin quitte le pays le 20 mars et le général Ailleret le 25 avril.

Le commandement des forces françaises est repris par le général Fourquet qui doit gérer leur redéploiement et leur retrait, consécutifs au cessez-le-feu. Entré en fonction le 29 mars 1962, installé sur le promontoire du Rocher-Noir – aujourd'hui Boumerdes –, à une trentaine de kilomètres à l'est d'Alger, l'Exécutif provisoire, dirigé par Abderrahmane Farès, ancien président de l'Assemblée algérienne, personnalité de compromis, partage la responsabilité du maintien de l'ordre avec le haut-commissaire représentant la France, Christian Fouchet.

Les accords d'Évian ont prévu la constitution d'une force locale, composée des « auxiliaires de la gendarmerie et groupes mobiles de sécurité actuellement existants », des « unités constituées par des appelés d'Algérie et, éventuellement, par des cadres pris dans les disponibles [10] ». Mais les Algériens ainsi armés rejoignent les unités de l'ALN qui, de fait, assurent, comme les forces françaises, patrouilles et contrôles de véhicules ou de papiers aux barrages. Progressivement, la future capitale algérienne est laissée aux hommes du commandant Azzedine, envoyé par le GPRA pour reconstituer la Zone autonome d'Alger, et dont l'adjoint, Omar Oussedik, souffle à l'Exécutif provisoire des mesures de lutte contre l'OAS. À Oran, en revanche, c'est l'armée française, sous les ordres du général Katz, qui est chargée du maintien de l'ordre. Des auxiliaires sont également embauchés dans les villes, sous l'appellation d'attachés temporaires occasionnels (ATO).

L'OAS, qui a anticipé le cessez-le-feu en redoublant de violence, s'engouffre dans la brèche. Elle recrute, par contacts suivant des réseaux de sociabilité divers – famille, amis, voisinage, habitués d'un café –, dans la jeunesse masculine des villes à forte concentration française, Alger et Oran, plus particulièrement. À la lisière d'une criminalité de droit commun, ses membres maquillent des 403 volées, dépouillent des gardiens de la paix de leurs armes, se procurent des faux papiers et trouvent refuge chez des particuliers complices, qui tiennent appartement, maison, garage… à leur disposition. En son nom, des commandos de trois ou quatre hommes mitraillent des passants depuis leur voiture, et des jeunes gens, qui ont reçu une arme après un contact, suivi de quelques rencontres, avec un membre de l'Organisation, prennent des Algériens pour cible dans les rues, au hasard [11]. L'OAS dispose aussi d'obus de mortier, tirés sur la place du Gouvernement général, à Alger, le 22 mars, et dans Oran trois jours plus tard. Aux plasticages, spectaculairement mis en scène par l'opération « Rock and Roll », dans la nuit du 5 au 6 mars, avec cent vingt explosions en deux heures, elle ajoute les attentats à la voiture piégée, qui font 25 morts à Oran, le 28 février, et 62 morts, le 2 mai, à Alger. Enfin, elle programme des journées de tueries aveugles, prenant des cibles au hasard, des préparateurs en pharmacie, le 17 mars, ou des femmes de ménage, le 5 mai. Ses commandos deltas procèdent à des assassinats, comme celui, le 15 mars, de six inspecteurs de l'Éducation nationale, dirigeant les Centres sociaux éducatifs, dont Mouloud Feraoun [12].

Cette violence, cependant, n'est pas une fuite en avant désespérée. Elle relève d'une stratégie : torpiller la sortie de guerre prévue, en tentant de provoquer, par les assassinats d'Algériens, une réaction de leur part, propre à rallumer la mèche – ce qui n'aboutit pas, la conscience de l'enjeu et la perspective de l'indépendance l'emportant sur d'éventuelles pulsions vengeresses. Le vocabulaire de l'instruction 29 de Raoul Salan, le 23 février, est significatif de cette stratégie : c'est « l'irréversible » qui « est sur le point d'être commis » ; c'est « l'irréversible », par conséquent, qu'il faut empêcher. Dans cet esprit, l'ex-colonel Gardes tente de constituer un maquis dans l'Ouarsenis, avec l'aide des hommes du bachaga Boualam, mais les maigres troupes activistes sont vite anéanties par les soldats français.

Le chef de l'OAS prévoit aussi le déclenchement d'une insurrection des Français d'Algérie. Le 22 mars, des groupes armés s'installent dans le quartier populaire de Bab-el-Oued, voisin de la Casbah à majorité algérienne, à l'ouest d'Alger. Ils tuent 5 jeunes du contingent en patrouille, provoquant l'encerclement du quartier par les forces françaises, qui l'investissent, faisant 35 morts et 150 blessés, et le coupent de l'extérieur. Le 26 mars, l'OAS appelle les Français d'Algérie en renfort. Venus des quartiers de l'Alger coloniale, à l'est, rassemblés rue Michelet, les manifestants empruntent la rue d'Isly pour rejoindre Bab-el-Oued. Mais ils se heurtent en chemin à un barrage confié à des tirailleurs, qui font feu. Le bilan – de 46 à 62 morts, selon les sources – traumatise les Européens, désormais certains d'avoir perdu, et dont 20 % ont déjà fui au moment des accords d'Évian. L'OAS peut bien interdire les départs, synonymes d'abandon, ceux-ci se multiplient : les Français sont 46 030 à gagner la métropole en avril, 101 250 en mai, 354 914 en juin et 121 020 en juillet, 95 578 en août… Rares sont ceux qui reviennent ou ceux qui restent : en 1963, l'Algérie indépendante ne compte plus que 180 000 Français sur son sol [13].

Ces départs obligent l'OAS à revenir sur son interdiction ; l'Organisation est définitivement affaiblie, privée qu'elle est de son vivier de recrutement. Maquis et insurrection ont échoué. Fragilisée, elle est d'autant mieux infiltrée, puis décapitée par les services spécialement voués à son éradication : Edmond Jouhaud est arrêté à

Oran le 25 mars, Roger Degueldre, chef des commandos deltas, le 6 avril, puis Raoul Salan le 30 avril. Jean-Jacques Susini et Jean-Claude Pérez portent alors l'Organisation à bout de bras, tandis que dans les rues d'Alger les hommes du commandant Azzedine font la démonstration de leur force. C'est à ce moment que les irréductibles se lancent dans la politique de la terre brûlée, incendiant mairies, écoles et autres bâtiments publics. La bibliothèque de l'université d'Alger brûle ainsi le 7 juin. Mais, à cette date, Jean-Jacques Susini a déjà pris contact avec Abderrahmane Farès, par l'intermédiaire de Jacques Chevallier, pour conclure un accord. Le 17 juin 1962, celui-ci est passé avec le Dr Chawki Mostefaï, membre de l'Exécutif provisoire agréé par le GPRA, même si ce dernier dément avoir cautionné de tels contacts. En échange de l'arrêt des violences, Jean-Jacques Susini a obtenu l'amnistie pour les membres de l'OAS, qui, en fait, quittent le pays, et l'engagement de Français d'Algérie dans la force locale, projet que l'imminence du référendum réduit à néant.

Les attentats cessent alors à Alger puis, progressivement, à Oran, après le baroud d'honneur du 25 juin, lorsque les fumées de l'incendie de dix millions de tonnes de carburant dans le port obscurcissent la ville. Les dirigeants de l'OAS encore en liberté se réfugient en Espagne ou en Italie, où ils retrouvent leurs homologues métropolitains, qui ont subi la même déconfiture. Des réseaux pro-Algérie française survivent dans l'Hexagone sortira encore, tout de même, l'attentat contre le général de Gaulle, au Petit-Clamart, le 22 août 1962. Son initiateur, Jean-Marie Bastien-Thiry, condamné à mort, est fusillé le 11 mars 1963. Roger Degueldre, lui, a été exécuté le 6 juillet 1962, Edmond Jouhaud a été gracié. Raoul Salan a échappé à la peine de mort.

S'ils fuient le climat de violence créé par l'OAS, les Français d'Algérie partent aussi par peur des réactions algériennes. Ils craignent les vengeances, enlèvements et torture, de la part de groupes armés qui agissent en se parant de la lutte contre l'OAS. Leurs actes, cependant, n'atteignent pas l'ampleur de ceux de l'Organisation. À Alger, le 14 mai, lorsque le commandant Azzedine envoie ses hommes, en petits commandos, exercer des représailles dans les quartiers européens, ils font 17 morts, au hasard. Et le bilan officiel, du 19 au 31 décembre 1962, comptabilise 3 018 Français d'Algérie enlevés, dont 1 245 ont été retrouvés, 1 165 sont décédés, et 608 sont restés disparus [14].

Que s'est-il passé ? Après le cessez-le-feu, les rangs de l'ALN grossissent de combattants de la dernière heure, dont des hommes venus de la force locale, appelés les « marsiens ». Auraient-ils cherché, par des excès de zèle, à racheter un engagement tardif ? Toutes les exactions ne leur sont pas imputables. En réalité, les hommes de l'ALN, ceux qui prennent les armes après le cessez-le-feu comme les autres, sont mus par leur propre interprétation de l'accession à l'indépendance : cette perspective signifie pour eux une réappropriation du pays, synonyme d'un départ des Français et de la possibilité de prendre une revanche sur 132 ans de tutelle coloniale. Outre des violences sur les Français d'Algérie, elle se concrétise, sur le terrain, par la pénétration des quartiers européens, par la prise de possession des boutiques et l'occupation de logements abandonnés. Ils sont loin des accords d'Évian, rédigés par des hommes d'État – ou qui se considéraient comme tels – dont la mission était d'encadrer la marche vers l'indépendance, par un accord bilatéral prévoyant un statut pour les Français d'Algérie restant y vivre, et fixant les conditions de la liquidation de leur patrimoine, pour ceux qui partiraient. Mais le GPRA ne contrôle pas l'ALN intérieure. Et le gouvernement français maintient une ligne de non-intervention, après le cessez-le-feu ; ce serait prendre le risque de le violer et de rallumer la guerre. Cette attitude reste cependant au centre des polémiques sur les responsabilités françaises dans les violences postérieures au cessez-le-feu, voire à l'indépendance.

Le 1er juillet, en effet, à la question « Voulez-vous que l'Algérie devienne un État indépendant, coopérant avec la France, dans les conditions définies par la déclaration du 19 mars 1962 ? », 99,72 % des votants ont répondu « oui ». Après la reconnaissance de l'indépendance par le général de Gaulle, le GPRA choisit le 5 juillet pour la célébrer. Ce 5 juillet en chasse un autre : c'est ce jour-là, en effet, qu'en 1830, le dey d'Alger a signé l'acte de capitulation conduisant à la conquête française. Mais pour symbolique qu'ils soient, la date et l'événement ne pouvaient enrayer des mécanismes de violences enracinés dans les profondeurs de la société coloniale, dont le dernier accès se produit dans la liesse même des manifestations de la première fête nationale algérienne.

Français, juifs et Algériens, par-delà l'indépendance

Le 5 juillet 1962, alors que la foule crie sa joie dans les rues de la ville, comme partout ailleurs en Algérie, à Oran, des coups de feu d'origine indéterminée éclatent. Leur imputation à l'OAS, longtemps invoquée, reste à prouver. Quoi qu'il en soit, ces tirs entraînent un déluge de feu : « tout le monde tirait : les militaires de l'ALN avec leurs armes automatiques, les civils du FLN et les ATO avec leurs pistolets. Les militaires français avec leurs

mitraillettes, puis leurs mitraillettes lourdes [15] ». Pendant
tout l'après-midi, le centre-ville et plusieurs quartiers
sont livrés aux pillages et aux violences de groupes armés
incontrôlés. Les forces françaises n'interviennent pour
rétablir l'ordre que dans l'après-midi. Le retour progressif
au calme est consolidé par l'interposition des soldats de
l'ALN, secondés par les Algériens de la force locale, d'un
côté, et par celle des gendarmes mobiles, de l'autre. Le
directeur de l'hôpital recense 101 morts, 76 Algériens et
25 Français d'Algérie [16]. Selon Jean-Jacques Jordi, qui a
repris le dossier avec de nouvelles archives, le bilan des
violences visant les Européens, dans le grand Oran, sur
une période plus large, du 26 juin au 10 juillet 1962,
est de 353 personnes disparues et 326 personnes
décédées [17].

Ce bilan meurtrier pose la question du surgissement
de la violence entre populations algérienne et française.
L'explication est à rechercher au cœur de leurs relations,
dans l'Algérie coloniale ; des relations qu'il ne s'agit pas
de saisir au plan individuel, où l'amitié et le partage ont
pu exister, mais au plan collectif, pour comprendre
comment de telles violences peuvent éclater. Dans le cas
d'Oran, les analyses de Fouad Soufi élargissent la focale
à l'ensemble des premiers mois de l'année 1962. S'atta-
chant à décrire ce qu'il appelle alors « la bataille
d'Oran », il montre comment le rapport de forces démographique et la ségrégation des communautés dans
l'espace urbain les ont installées dans la crainte et la
défiance, créant les conditions d'un embrasement à
l'heure des engagements radicalisés. Alors que les Français d'Algérie sont longtemps restés majoritaires à Oran,
ils sont rattrapés par la population algérienne, qui
devient supérieure en nombre en 1961 ; de là leur sentiment de recul et leur engagement dans des violences

visant la sauvegarde de leur prépondérance, qu'ils savent
menacée. La ségrégation spatiale, par ailleurs, s'opère
pour des raisons économiques, telles que le prix des
loyers, mais aussi, pendant la guerre elle-même, par
l'installation de la peur. Les Algériens refluent à la péri-
phérie de la ville, quittant les quartiers mixtes autour du
centre-ville, tandis que les Français, au contraire, s'y
concentrent.

Au-delà du cas d'Oran, la société coloniale présente en
elle-même un concentré de violences qui se manifestent
concrètement et quotidiennement. La multiplicité des
inégalités – politiques, économiques, sociales – scinde
cette société en deux, entre colons et colonisés. Ces
inégalités placent la majorité démographique – celle des
Algériens – en situation d'infériorité, tandis que la minorité française jouit des positions prééminentes, dans tous
les domaines. Cette division binaire fondamentale se
teinte, en outre, d'une « coloration raciale [18] », aggravant
encore l'opposition des groupes. Sur ce fondement, les
violences explosent au fur et à mesure que la fin de la
guerre approche, et plus encore après les accords d'Évian
qui consacrent la marche à l'indépendance. Pendant la
guerre, les morts ont séparé irréductiblement les uns des
autres et l'échéance finale oblige chacun à prendre position et à agir – ou à réagir.

En dehors des Européens et des Algériens, qui se distinguent aisément, même s'ils ne forment pas des
groupes homogènes, les juifs d'Algérie restent un point
aveugle. Entre l'assimilation permise par le décret Crémieux et la permanence de traditions nées dans l'acculturation avec les Arabes, remontant aux origines lointaines
de leur présence sur le sol de la future Algérie, où se
situent-ils pendant la guerre ? Peuvent-ils envisager de
vivre dans une Algérie indépendante ? Si certains d'entre

eux, comme les militants communistes Lucien Hanoun ou Daniel Timsitt, se sont engagés auprès du FLN, le nationalisme panarabe de Nasser et la participation de Tsahal à l'expédition de Suez ont éloigné les juifs d'Algérie du combat pour l'indépendance du pays[19]. Le 22 juin 1961, l'assassinat de Cheikh Raymond, incarnant le style musical métissé du malouf, très populaire, témoigne du fait que le FLN prit des juifs pour cible, en tant que tels – à Constantine aujourd'hui, cependant, on invoque son implication chez les ultras. Quoi qu'il en soit, en quoi la réaction des juifs diffère-t-elle de celle des Européens ? Ils suivent le mouvement des départs et certains s'engagent à l'OAS, malgré l'antisémitisme présent en son sein – le 20 novembre 1961, l'assassinat de William Lévy le vise autant comme juif que comme secrétaire général de la SFIO d'Alger. À Oran, encore, un commando de l'OAS recrute dans le vivier des quartiers juifs, ce qui lui confère une tonalité communautaire.

L'analyse des relations entre populations permettrait-elle aussi de comprendre les violences exercées sur les supplétifs ? Car celles-ci relèvent également du rejet de tout ce qui rappelle la tutelle française, incarnée par ses partisans ou présumés tels, qui accompagne la perspective de l'indépendance. Or, chez les supplétifs aussi l'évolution vers le règlement du conflit était connue. L'année 1961 a été marquée par une baisse générale des effectifs : 122 690 au 1er janvier 1961, 97 100 un an plus tard, dont 46 224 harkis *stricto sensu*[20]. Ils ont atteint leur maximum en février 1961, avec 61 600 hommes, avant de connaître une baisse constante, les ramenant au nombre de 41 383 au 1er mars 1962 et à 24 915 au 1er avril. Les GAD ont été progressivement réduits, leur attitude – désertions, vols d'armes – devenant de plus en plus suspecte, tandis que leur efficacité était sujette à caution, et les *mokhaznis* disparaissent avec les SAS, qui sont dissoutes en février 1962.

Les conditions du licenciement des supplétifs ont été fixées par le ministère d'État aux Affaires algériennes, le 15 janvier 1961, et les licenciements sont devenus massifs à partir de juillet 1961. Et lorsque, enfin, les harkis ont été dotés d'un statut par l'armée française, le 7 novembre 1961, il s'agissait à la fois de pourvoir ces auxiliaires journaliers d'un contrat et de préparer une fin de guerre synonyme de la fin de leur engagement [21]. Le cessez-le-feu a été préparé par un désarmement des supplétifs, pour éviter de grossir le contingent incontrôlable d'armes en circulation, et, le 20 mars 1962, un décret a proposé aux harkis d'intégrer régulièrement l'armée française, de rejoindre la force locale ou de retourner à la vie civile, avec une prime – 80 % d'entre eux choisirent cette dernière solution [22].

Ne se sentaient-ils pas menacés ? Ils ont pourtant participé à la lutte contre l'ALN et les réseaux du *nizam*, avec les violences de toutes sortes qui l'accompagnaient. Les nationalistes, en outre, ont soufflé le chaud et le froid à leur égard, appels à la désertion et au double jeu coexistant avec les menaces et accusations de traîtrise – il n'y avait pas plus de ligne claire à leur endroit, au FLN, que sur tous les autres sujets. Et ils se sont heurtés, avant même le cessez-le-feu, à une vindicte populaire qui faisait planer la menace de représailles ultérieures. Mais leurs comportements équivoques, étroitement surveillés par la Sécurité militaire, leur détachement des troupes françaises, que ce soit par désertion, démission ou licenciement, accentué à l'approche du règlement du conflit, brouillaient la perception qu'ils avaient d'eux-mêmes. Ils ne sentaient pas – et n'avaient pas été – d'indéfectibles collaborateurs de la cause française.

Les officiers français qui les encadraient, instruits par le précédent indochinois, où les supplétifs ont été laissés sur place, ont été profondément affectés par le sort que leur réservaient les autorités françaises : pas de venue en France en dehors du plan général prévu pour les rapatriements d'Algérie. En mai 1962, Louis Joxe en informe Christian Fouchet dans une note appelée à faire scandale en métropole, où la presse la reproduit : il lui demande de « faire rechercher », dans l'administration et l'armée, les « promoteurs et les complices » de rapatriements « prématurés » et de « prendre les sanctions appropriées ». Il l'avertit que les supplétifs ainsi arrivés en métropole « seront, en principe, renvoyés en Algérie [...], avant qu'il soit statué sur leur destination définitive ». Et il recommande la plus grande discrétion pour protéger le gouvernement de l'accusation du « refus d'assurer l'avenir de ceux qui nous sont restés fidèles ».

À cette époque, en effet, la question des supplétifs est en passe de devenir l'ultime combat des partisans de l'Algérie française. Dans l'armée, elle s'ajoute à l'autodétermination, au cessez-le-feu et à la perspective de l'indépendance, pour entretenir un climat de défiance envers le pouvoir politique, et plus particulièrement envers la personne du général de Gaulle. En métropole, elle est instrumentée par des parlementaires et des organes de presse qui ont cautionné l'OAS. C'est de ces milieux que sortent les premières dénonciations des assassinats ou sévices dont les supplétifs commençaient à être victimes, au printemps 1962 [23]. Cette exploitation politique, cependant, n'enlève rien à la réalité des horreurs subies par les supplétifs restés sur place – des hommes forcés d'avaler leurs décorations militaires ou brûlés dans des drapeaux français [24] – ni au drame de conscience qu'ont connu les officiers contraints de désobéir ou de partir en laissant leurs hommes.

Les responsables français ont sous-estimé l'ampleur des représailles qui attendaient les supplétifs et qui d'ailleurs restent encore mal connues. Chronologiquement, d'après les renseignements reçus du côté français – l'armée, en Algérie, voyait venir à elle des réfugiés, qu'elle recueillait –, elles se seraient déroulées en deux grandes vagues : la première après l'indépendance, à partir de la mi-juillet, la seconde à partir du mois d'octobre [25]. Les wilayas 1, 3 et 6 auraient été les plus touchées. Leurs auteurs, incontrôlés ou encadrés par l'armée algérienne et l'administration locale, s'en sont pris aux supplétifs et à tous ceux désignés comme des traîtres partisans de la France, sur des critères tels que la qualité d'ancien élu ou d'appelé, ou d'autres plus précaires encore. Ainsi, les autorités françaises n'auraient pas pu organiser la protection de toutes les victimes : comment définir, rationnellement et à l'avance, le champ des Algériens qui seraient visés [26] ?

Le nombre de morts reste indéterminé. Les évaluations de 100 000 morts ou plus tiennent de la propagande. Elles se fondent sur un rapport du sous-préfet d'Akbou, en mai 1963, commandé par le Conseil d'État à la demande de l'Association nationale des familles et amis des parachutistes coloniaux. Le sous-préfet indique que les représailles ont fait un millier de morts dans son arrondissement, et, estimant qu'il pouvait y en avoir eu 2 000 à 3 000 ailleurs, propose une moyenne de 1 000 à 1 500. L'Algérie comptant 72 arrondissements, la multiplication restait à faire et le total pouvait être gonflé en retenant des moyennes encore plus élevées, pour aboutir au chiffre de 150 000 morts, lequel justifierait l'accusation de génocide[27]. Le résultat ne vaut pas plus qu'une moyenne arbitrairement fixée et tout aussi arbitrairement extrapolée à l'ensemble d'un territoire aux réalités locales très différenciées.

Le problème reste que les historiens sont démunis pour proposer une autre méthode et un résultat alternatif. Le nombre même des supplétifs, pendant la guerre, reste discuté, car, si l'armée les comptait à dates régulières, il est difficile de connaître le mouvement des arrivées et des départs, pour pouvoir estimer combien d'hommes ont servi, sur toute la durée du conflit. Y parvenir, d'ailleurs, ne résoudrait pas le problème, car les supplétifs n'ont pas été les seuls visés, une fois l'indépendance acquise, et une partie d'entre eux, 25 000 environ, y compris leurs familles, d'après les récapitulatifs de l'armée de terre, sont venus en France. Où se situe, alors, la réalité ? Combien au-dessus des 10 000 morts cités par Jean Lacouture, de source militaire, le 12 novembre 1962, ou des 25 000 cités dans un rapport remis au Conseil économique et social, en janvier 1963[28] ?

Aucune clause des accords d'Évian ne concernait particulièrement les supplétifs. Si elle avait existé, les aurait-elle pour autant protégés ? Car, outre la conjoncture violente suivant le cessez-le-feu, la prise de pouvoir par l'EMG et ses partisans a obéré l'application des accords. Une fois au pouvoir, ils ont sciemment revendiqué leur non-respect.

Quels dirigeants pour l'Algérie souveraine ?

L'histoire du camp algérien, en 1961 et 1962, est celle de la prise du pouvoir par l'EMG, emmené par Houari Boumediene. Ce dernier travaille à saper l'autorité du

GPRA et à nouer des alliances dans la perspective de l'indépendance. Fin juin 1961, après l'échec des premiers pourparlers d'Évian, l'EMG affronte directement le GPRA à l'occasion de la capture d'un pilote français par l'armée algérienne. Les autorités tunisiennes, en effet, soutenues par le GPRA, réclament qu'il leur soit remis, et Houari Boumediene ne cède que sous la pression de mesures de rétorsion et sous la menace d'une intervention armée tunisienne. Il défie cependant le GPRA en lui remettant la démission collective de l'EMG, remplacé par un organe intérimaire dirigé par un homme de confiance, Abdelaziz Bouteflika. L'EMG espère obtenir, par la crise, une réunion du CNRA qui, organisée en août 1961, après l'échec de la rencontre de Lugrin, finalement, ne lui profite pas [29].

C'est à l'occasion de ce CNRA et dans son prolongement que l'EMG trouve les soutiens qui resteront les siens au moment de l'affrontement final avec le GPRA. Réfugié un temps en Allemagne, à l'été 1961, il obtient le ralliement d'une partie de la fédération de France, qui relaie son mot d'ordre de mobilisation des étudiants et médecins, en en envoyant des dizaines dans l'armée des frontières. Les ministres emprisonnés, consultés sur les négociations et qui ne s'y opposent pas, sont aussi sondés, pour Houari Boumediene, par Abdelaziz Bouteflika, à la fin de l'année 1961. Or, par sa légitimité de chef historique, Ahmed Ben Bella accepte de cautionner les ambitions de l'EMG qui, en échange, lui assure les forces nécessaires à une éventuelle prise du pouvoir. L'élimination des anciens de l'UDMA au CNRA d'août 1961, en outre, permet à l'EMG de les retrouver à ses côtés contre un GPRA formé sur leur mise à l'écart. Créant ainsi les conditions d'une contestation forte de l'autorité du GPRA qui, pendant ce temps, négocie,

l'EMG trouve un argument supplémentaire pour s'y
opposer : la nécessité de résoudre la crise interne du
mouvement, avant de conclure la paix avec l'adversaire.

Mais le CNRA, réuni pour la troisième fois à Tripoli,
entre les deux derniers rounds de discussions, aux
Rousses et à Évian, du 22 au 28 février 1962, approuve
l'avancement des pourparlers et les conditions de règlement du conflit qui se dessinent. L'EMG prépare son
alternative. En janvier 1962, elle se dote d'un service
d'information, portant sa parole à l'extérieur, reconnaît
le régime cubain de Fidel Castro, que le GPRA ignorait
par ménagement envers les États-Unis, et se pare d'un
programme révolutionnaire qui, fondé sur les thèses de
Frantz Fanon, fait de la paysannerie le fer de lance de
l'irréversible transformation de l'Algérie, où l'indépendance irait de pair avec une révolution économique et
sociale, pour l'avènement d'un pays neuf.

Or, l'absence de programme, au contraire, est le point
faible du GPRA. Au plus fort de la crise de 1959,
Benyoucef Ben Khedda a bien conçu une solution com-
portant la définition d'un projet politique. Il a proposé
que le GPRA, instance représentative des Algériens,
rentre dans le pays, et que le FLN soit organisé séparément, comme parti politique, avec une direction propre
et un programme. Sa proposition a entraîné la formation
de deux commissions, chargées l'une du programme et
l'autre des statuts du FLN, dont les travaux ont été enté-
rinés par le CNRA lors de sa première réunion à Tripoli,
du 16 janvier 1959 au 18 janvier 1960. Programme et
statuts se sont cependant perdus dans les limbes d'une
histoire dominée par les affrontements au sommet et la
montée en puissance du commandement contre les
politiques.

La libération des chefs historiques emprisonnés, au moment du cessez-le-feu, accélère les recompositions. Accueillis par le GPRA à Rabat, ils entament une tournée parmi l'armée des frontières, au cours de laquelle la popularité d'Ahmed Ben Bella, qui réaffirme sa conception d'une Algérie à l'identité arabo-islamique prédominante, se confirme. C'est encore l'ALN intérieure qui détient les clés de l'accession au pouvoir : de son opposition à un déploiement de l'armée des frontières dépend la réussite ou l'échec de l'EMG et d'Ahmed Ben Bella. Pour cette raison, le GPRA tente de consolider ses appuis en Algérie : la reconstitution de la Zone autonome d'Alger sous la direction du commandant Azzedine participait ainsi de l'objectif de tenir, au moins, la capitale. Le partage des wilayas entre GPRA et EMG repose sur des facteurs aussi divers que les clientèles personnelles et les convergences politiques, autour du programme et de la conception de la nation véhiculés par l'EMG et Ahmed Ben Bella, soutenus par les wilayas 1, 5 et 6. La wilaya 2 étant divisée, seules les wilayas 3 et 4 sont fidèles au GPRA. Cette configuration reste celle de l'été 1962, au moment où les parties en présence en arrivent au combat militaire.

En attendant, la légitimité passant aussi par le soutien des institutions en place, le CNRA est de nouveau réuni, pour la quatrième fois à Tripoli, du 28 mai au 7 juin 1962. Il adopte un programme de gouvernement préparé par Mohammed Harbi, Redha Malek et Mostefa Lacheraf, où, après une dénonciation de la bureaucratie et de la militarisation du pouvoir, les auteurs prônent l'étatisme et un système de parti unique. L'Algérie deviendrait une République démocratique et sociale – d'aucuns auraient voulu ajouter « islamique ». Adopté à l'unanimité, ce texte n'est pas au centre des discordes, car il

s'agit surtout de recomposer la direction du camp algérien à l'approche de l'indépendance. Or, aucun compromis n'étant possible, Benyoucef Ben Khedda décide de
rentrer à Tunis, en compagnie de sept ministres. Le
GPRA a explosé. Le départ de Benyoucef Ben Khedda
lui sera opposé comme un manquement au respect de la
légalité, car il a, de fait, interrompu la réunion du
CNRA. La signature de l'accord entre Chawki Mostefaï
et Jean-Jacques Susini est également utilisée contre lui :
il aurait pactisé avec le diable.

Le 24 juin 1962, les chefs de wilaya sont invités à
se réunir, à l'initiative de la wilaya 3, hostile à l'EMG.
Répondent les wilayas 2 et 4, la fédération de France et le
commandant Azzedine, qui envoie des délégués. C'était
l'ultime tentative de l'intérieur pour sauver le GPRA. Le
30 juin, Benyoucef Ben Khedda destitue l'EMG et, le
3 juillet, il entre dans Alger. Mais Ahmed Ben Bella et
Mohammed Khider, qui a pris son parti, s'installent à
Tlemcen, avec Ferhat Abbas, Ahmed Boumendjel et
Houari Boumediene, où ils forment un Bureau politique. À Tizi-Ouzou s'organise un Comité de défense et
de liaison de la République (CDLR), sous la houlette de
Krim Belkacem, Mohammed Boudiaf et Mohand Oul
Hadj, le chef de la wilaya 3. Les troupes de la wilaya 4,
de leur côté, entrent dans Alger. Le 2 août, cependant,
les deux groupes s'accordent sur une date d'élections, le
28 août, et donnent mandat au Bureau politique pour
les préparer. C'est avec lui que travaille l'Exécutif provisoire, qui aurait dû organiser les élections dans un délai
de trois semaines après l'autodétermination. Le GPRA
est définitivement hors jeu.

Le Bureau politique s'installe à Alger le 4 août et
demande aux wilayas de préparer des listes de candidats.
Il peut avaliser les propositions des wilayas 1, 5 et 6, qui

ont soutenu la coalition formée par Ahmed Ben Bella et
Houari Boumediene, mais l'affrontement devient inévi-
table dans les wilayas 2, 3 et 4. Constantine et Alger
connaissent alors de nouveau les combats, les arrestations, les pillages… Les élections sont reportées au
20 septembre et un plan de marche sur Alger, regroupant
les forces de la wilaya 2, soumise, des wilayas 1, 5 et 6,
et de l'armée des frontières est déterminé. Cette fusion
des forces de l'intérieur et de l'extérieur marque alors la
naissance de l'Armée nationale populaire (ANP), procla-
mée par Houari Boumediene le 30 août. Elle sort victorieuse après une dizaine de jours de combats meurtriers.
« Sept ans, ça suffit » scandent les Algériens.

C'est dans ces conditions que l'Exécutif provisoire
passe le pouvoir à l'Assemblée algérienne, élue sur des
listes ne comprenant que des partisans du groupe de
Tlemcen, et qui se réunit pour la première fois le 25 septembre 1962. Présidée par Ferhat Abbas, elle désigne
Ahmed Ben Bella chef du gouvernement. Rabah Bitat,
Houari Boumediene, Abdelaziz Bouteflika, Ahmed Boumendjel, Ahmed Francis, Tawfiq el-Madani, entre autres,
en font partie. Ils ont atteint leur but : l'Algérie est indépendante.

BILAN

L'INCALCULABLE ET LE SYMBOLIQUE

À la fin de l'année 1962, l'Algérie française n'est plus : elle a emporté avec elle l'ossature économique et administrative du pays, qui perd ses fonctionnaires, ses employés et ses cadres de niveaux divers. Néanmoins, la coopération prévue à Évian et réglée par des accords bilatéraux postérieurs amortit le choc de la transition vers la constitution d'une administration nouvelle. Des fonctionnaires français restent en Algérie – parfois contraints par un recasement professionnel retardé en France – pour former leurs homologues algériens et assurer la pérennité de l'action publique. C'est le cas de certains magistrats qui, pendant deux ans, ont continué d'instruire ou de siéger dans les tribunaux de l'Algérie indépendante, et qui ont participé à la formation accélérée d'anciens greffiers qui accédaient alors à la magistrature.

Il ne pouvait en être de même du secteur économique, brutalement désorganisé par le départ des capitaux et de son personnel de direction et d'encadrement. Le plan de Constantine, fondé sur un encouragement et diverses aides publiques aux investissements en Algérie, a profité à la grande industrie française qui a pu, ainsi, prendre pied dans le pays alors même que son indépendance se profilait. Mais les créations d'emplois sont restées minimes : quatorze mille au grand maximum [1]. La promotion des Algériens par l'enseignement et la formation professionnelle représente dès lors un enjeu crucial pour les nouvelles autorités.

Les campagnes souffrent quant à elles d'une déstructuration irréversible qu'enregistrent très tôt Abdelamalek Sayad et Pierre Bourdieu[2]. C'est que les deux millions d'Algériens vivant dans les camps de regroupement constituent une proportion impressionnante de la population : plus de 50 % dans dix-neuf arrondissements, de 20 à 50 % dans trente et un autres et moins de 20 % dans dix arrondissements seulement[3]. Or, l'indépendance ne suscite pas un exode massif, qui aurait vidé les camps : leur habitat détruit, leur cheptel anéanti, les Algériens contraints d'y vivre n'ont plus aucun moyen de subsistance et sont devenus dépendants de l'assistance pour survivre. Les autorités algériennes ont alors réaménagé des camps existants, allant jusqu'à faire passer certains d'entre eux pour des « cités nouvelles » construites après 1962[4].

Plombée par ces handicaps, l'Algérie allait s'enfermer dans le sous-développement, dont les choix postérieurs de ses gouvernements – étatisation et mise exclusive sur les exportations d'hydrocarbures – ne lui ont pas permis de s'extraire. Il faut dire aussi que le contexte mondial ne s'y est guère prêté.

La victoire est amère et les ressentiments qu'elle suscite profitent aux surévaluations du nombre de morts, censé témoigner, aux yeux du monde, du calvaire subi par les Algériens. Dès 1959, *El Moudjahid* proclame le chiffre de un million de morts et la Constitution algérienne, en 1963, retient celui de un million et demi[5]. Sur quel fondement ? Sans être indiscutables, les calculs démographiques situent le total des victimes algériennes autour de trois cent à quatre cent mille, ce qui représente tout de même 3 % d'une population arrondie à neuf millions ; un pourcentage comparable aux pertes françaises de la Première Guerre mondiale [6].

L'armée française fournit logiquement les données les plus précises pour ses propres troupes : 24 614 hommes, dont 15 583 morts au combat ou dans des attentats, 7 917 dans des accidents et 1 144 de maladie [7]. Près d'un millier de soldats, par ailleurs, restaient prisonniers ou disparus en 1962. Dans l'autre camp, l'armée française indique avoir tué 141 000 « rebelles », rejoignant ainsi les évaluations algériennes qui comptabilisent 132 290 morts parmi les seuls soldats de l'ALN [8].

Les pertes civiles sont en revanche plus difficiles à évaluer. Louis Joxe, répondant en 1962 à une question écrite déposée à l'Assemblée nationale, fournit un bilan du terrorisme nationaliste qui s'élève à 19 166 tués, dont 2 788 Français et 16 378 Algériens, 21 151 blessés, dont 7 541 Français et 13 610 Algériens. Sont également mises sur le compte du « terrorisme » 13 671 disparitions, concernant 375 Français et… 13 296 Algériens [9]. Ce décompte, vraisemblablement de source militaire, est fragile : outre que la définition du « terrorisme » n'est pas donnée et que l'armée pouvait lui imputer, en surplus, des morts et, surtout, des disparitions, il s'arrête au 19 mars 1962. Quant aux victimes de l'OAS, en Algérie uniquement, elles ont été recensées par la Sûreté nationale d'une part, et par le général Fourquet, d'autre part : la première source fait état de 1 622 morts, dont 239 Français, jusqu'au 20 avril 1962 ; la seconde donne 1 658 morts entre le 19 mars et le 19 mai 1962 [10].

L'évaluation du tribut globalement payé par les Algériens à leur indépendance repose sur des comparaisons entre le recensement de 1954 et celui de 1966. L'enjeu des calculs, par extrapolation à partir de 1954 et régression à partir de 1966, est d'estimer le nombre d'habitants à la date intermédiaire de 1962. Inférieur à celui de 1954, il permettrait d'obtenir, par soustraction, le déficit lié à la guerre. Xavier Yacono et, à sa suite, Charles-Robert Ageron, donnent ainsi une fourchette de 250 000 à 300 000 morts, admise et reprise par tous les auteurs [11]. Problème, cependant : la validité de la méthode est aujourd'hui contestée par le démographe Kamel Kateb. Outre les imprécisions liées aux conditions des deux recensements, l'usage de cette méthode était déjà remis en cause par l'absence de connaissance fiable du nombre des émigrés. Surtout, Kamel Kateb critique la façon dont sont effectuées l'extrapolation à partir de 1954 et la régression à partir de 1962. Proposant une correction, il obtient un total de 430 000 morts environ. Et il fait remarquer qu'une simple variation de 0,2 point du taux de croissance estimé et utilisé dans les calculs aboutit à modifier très largement ce résultat, en le portant à 578 000. Sa conclusion, pour être frustrante, n'en est pas moins lucide : « Il est évident que personne, dans l'état actuel des documents fournis aux chercheurs, ne peut avancer un chiffre qui soit proche de la réalité des pertes et échappe aux manipulations politiques [12]. »

Il semble qu'il faille s'y résigner. Comment espérer trouver de nouveaux documents, donnant des informations infaillibles ? Les archives ne sont que les papiers produits par les administrations, ministères, armée... et il n'a jamais existé de service spécifiquement chargé de centraliser, à partir de toutes les sources possibles, les morts du fait de la guerre. Les morts n'ont pas tous laissé leur trace dans les archives. Il est vain, ainsi, de tenter de connaître le nombre de victimes qu'ont fait la torture et les exécutions sommaires des forces françaises. À l'époque même, les autorités, soucieuses de s'informer, n'ont pu obtenir de conclusion tangible. En 1960, en effet, Maurice Patin, président de la Commission de sauvegarde, s'est rendu en Algérie pour enquêter sur la portée de l'action gouvernementale. Les exécutions sommaires pouvant être déclarées, en gendarmerie, comme « fuyards abattus », il a compté les procès-verbaux établis pour ce motif, et a conclu à leur « nette régression [13] » : de 300 en janvier 1959 à une centaine en novembre de la même année, des variations de 132 à 171 pendant les six premiers mois de 1960, puis 80, seulement, en juillet 1960 et 61 en août 1960. Mais il en connaissait lui-même les limites. Il pouvait y avoir, parmi les procès-verbaux, de véritables tentatives de fuite et, à l'inverse, toutes les exécutions sommaires n'étaient pas couvertes de cette manière. Il est possible, par ailleurs, que les militaires, connaissant la volonté gouvernementale, aient diminué le recours à ce camouflage, entraînant la baisse constatée. La « nette régression », finalement, reste discutable, et l'ampleur des exécutions sommaires ainsi que leur évolution, inconnues. C'est l'impasse.

Ce déficit documentaire pourrait alimenter une argumentation de type négationniste qui, se fondant sur l'absence de traces écrites, contesterait l'ampleur de telles pratiques. C'est pour cette raison que des travaux se sont attachés à la description du système d'arrestation, d'interrogatoire et de détention. Une fine connaissance des modalités mêmes de la répression permet de mesurer à quel point un tel système était susceptible de produire, massivement, de la torture, des exécutions sommaires et des disparitions. Mais est-il possible de faire le deuil de l'évaluation quantitative ? Symboliquement, ce sont la reconnaissance de souffrances humaines profondes et la stigmatisation d'un camp, celui qui aurait été le plus meurtrier, qui sont en jeu.

Des querelles aux tenants et aboutissants qui dépassent les seuls calculs et qui, de ce fait, sont loin d'être éteintes. Le contexte de la politique commémorative, en outre, envenime les tensions. Les initiatives de commémoration se présentent comme éclatées, en réponse à des revendications partielles, favorisant les uns ou les autres. Moins qu'une connaissance historique approfondie, aujourd'hui largement entamée, il manque à cette histoire une véritable reconnaissance politique. Si elle est d'évidence délicate, elle reste à imaginer.

NOTES

INTRODUCTION

1. Pour une analyse de la polémique, voir Tramor Quemeneur : « La mémoire mise à la question : le débat sur les tortures dans la guerre d'Algérie, juin 2000-septembre 2001 », *Regards sur l'actualité*, n° 276, décembre 2001, p. 29-40.

2. Éditions Contretemps, 2002.

3. Voir Romain Bertrand, *Mémoires d'empire. La controverse autour du « fait colonial »*, Broissieux, Éditions du Croquant, coll. « Savoir agir », 2006.

4. Gilles Manceron et Hassan Remaoun, *D'une rive à l'autre. La guerre d'Algérie de la mémoire à l'histoire*, Paris, Syros, 1993.

5. Aujourd'hui intégré au Service historique de la Défense (SHD), qui regroupe tous les services historiques des Armées.

6. Raphaëlle Branche, *La Guerre d'Algérie : une histoire apaisée ?*, Seuil, coll. « Points », 2005.

7. Voir Jean-Charles Jauffret et Maurice Vaïsse (dir.), *Militaires et guérilla dans la guerre d'Algérie*, Bruxelles, Complexe, 2001, ainsi que, plus récent mais non exclusivement réservé aux questions militaires : Jean-Charles Jauffret (dir.), *Des hommes et des femmes en guerre d'Algérie*, Autrement, n° 97, 2003.

8. Fayard, 2002.

9. Cité par Daniel Rivet, « Notes sur le fait colonial », *Colonialisme et post-colonialisme en Méditerranée*, Rencontres d'Averroès, n° 10, éditions Parenthèses, 2004, p. 43.

10. C'est le cas de Jim House et Neil MacMaster, *Paris 1961. Les Algériens, la terreur d'État et la mémoire*, Tallandier, 2008 ; Todd Shepard, *1962 : comment l'indépendance algérienne a transformé la France*, Payot, 2008 ; Matthew Connelly, *L'Arme secrète du FLN. Comment de Gaulle a perdu la guerre d'Algérie*, Payot, 2011.

1. L'ALGÉRIE FRANÇAISE,
UNE OCCASION MANQUÉE ?

1. L'expression est d'Yves Courrière, *La Guerre d'Algérie*, t. I, *Les Fils de la Toussaint*, Fayard, 1972 (nombreuses rééditions).

2. Le tome II de *La Guerre d'Algérie par les documents* s'intitule ainsi *Les Portes de la guerre : des occasions manquées à l'insurrection. 10 mars 1946-31 décembre 1954*, Jean-Charles Jauffret (dir.), Vincennes, Service historique de l'armée de terre (SHD section Terre), 1998.

3. Article 6 de la Constitution du 22 août 1795, cité par Gilles Manceron, *Marianne et les colonies. Une introduction à l'histoire coloniale de la France*, La Découverte, 2003, p. 57 *sq.*

4. Charles-Robert Ageron, *Histoire de l'Algérie contemporaine, 1830-1999*, Paris, PUF, coll. « Que sais-je ? », rééd. 1999, p. 25.

5. Tous les textes relatifs à la nationalité des colonisés en Algérie figurent en annexe du livre de Kamel Kateb, *Européens, « indigènes » et juifs en Algérie (1830-1962). Représentations et réalités des populations*, INED, 2001, p. 338-346.

6. Voir *Juger en Algérie, 1944-1962*, actes du colloque de l'École nationale de la magistrature de Bordeaux, *Le Genre humain*, n° 32, septembre 1997.

7. Pour reprendre l'expression de Patrick Weil, *Qu'est-ce qu'un Français ? Histoire de la nationalité française depuis la Révolution*, Grasset, 2002, p. 225.

8. Sur ce sujet, voir Laure Blévis, « Les avatars de la citoyenneté en Algérie coloniale ou les paradoxes d'une catégorisation », *Droit et société*, n° 48, 2001, p. 557-580.

9. Sylvie Thénault, *Violence ordinaire dans l'Algérie coloniale. Camps, internements, assignations à résidence*, Odile Jacob, 2012.

10. D'après Patrick Weil, *op. cit.*, p. 336, note 197.

11. Annie Rey-Goldzeiguer, *Aux origines de la guerre d'Algérie, 1940-1945, de Mers el-Kébir aux massacres du Nord-Constantinois*, La Découverte, 2002 ; ainsi que Jacques Cantier, *L'Algérie sous le régime de Vichy*, Odile Jacob, 2002.

12. Kamel Kateb, *op. cit.*, p. 172.

13. Charles-Robert Ageron, *Histoire de l'Algérie contemporaine*, t. II, *1871-1954*, PUF, 1979, p. 118.

14. Cité par Benjamin Stora et Zakya Daoud, *Ferhat Abbas, une utopie algérienne*, Denoël, 1995, p. 73.

15. Gilbert Meynier, « Problématique de la nation algérienne », *Naqd*, n° 14-15, automne-hiver 2001, p. 40.

16. Charles-Robert Ageron, *Histoire de l'Algérie contemporaine*, t. II, *op. cit.*, p. 602.

17. D'après Gilbert Meynier, *Histoire intérieure du FLN, op. cit.*, p. 91, qui renvoie à Mohammed Harbi, *Aux origines du FLN*, Christian Bourgois, 1975, p. 25.

18. Mohammed Harbi, *Une vie debout. Mémoires politiques*, t. I, 1945-1962, La Découverte, 2001, p. 10.

19. Voir Gilbert Meynier, *L'Algérie révélée. La guerre de 1914-1918 et le premier quart du XXe siècle*, Genève, Librairie Droz, 1981.

20. Kamel Kateb, *op. cit.*, p. 155.

21. James McDougall, *History and the culture of nationalism in Algeria* Cambridge, Cambridge University Press, 2006.

22. Sur la Régence d'Alger en 1830, Jacques Frémeaux, *La France et l'Algérie en guerre, 1830-1870, 1954-1962*, Economica/ISG, 2002, p. 13-22.

23. Dans la lignée des travaux de Robert Montagne, cette théorie a été développée par Ernest Gellner, *Les Saints de l'Atlas* [1969], Bouchène, 2003.

24. Gilbert Meynier, *L'Algérie révélée, op. cit.*

25. Voir Giulia Fabbiano, « "Pour moi, l'Algérie, c'est les Beni Boudouane, le reste, j'en sais rien." Construction, narrations et représentations coloniales en Algérie française », *Le Mouvement social*, 2011/3, n° 236, p. 47-60.

26. Voir Omar Carlier, *Entre nation et djihad. Histoire sociale des radicalismes algériens*, Presses de Sciences-Po, 1995.

27. Gilbert Meynier, « Problématique de la nation algérienne », art. cité.

28. Voir l'hagiographie de Michèle Barbier, au titre révélateur : *Le Mythe Borgeaud. Henri Borgeaud, 1895-1964. Trente ans d'histoire de l'Algérie française à travers un symbole*, Châteauneuf-les-Martigues, Wallada, 1995.

29. Annie Rey-Goldzeiguer, *op. cit.*, p. 76. Pour une révision de cette notion : Emmanuel Blanchard et Sylvie Thénault, « La société du contact en Algérie coloniale », *Le Mouvement social*, 2011/3, n° 236.

30. Sylvie Thénault, « Mouloud Feraoun, un écrivain dans la guerre d'Algérie », *Vingtième Siècle*, n° 63, juillet-septembre 1999, p. 65-74.

31. Daniel Rivet, *Le Maghreb à l'épreuve de la colonisation*, Hachette Littératures, 2002, p. 42.

32. Mohammed Harbi, *1954, la guerre commence en Algérie*, Bruxelles, Complexe, 1998, p. 90, et Daniel Lefeuvre, « Les pieds-noirs », in Mohammed Harbi et Benjamin Stora (dir.), *La Guerre d'Algérie, 1954-2004, la fin de l'amnésie*, Robert Laffont, 2004, p. 273-274.

33. Voir l'étude des niveaux de vie réalisée par le Groupe d'études des relations financières entre la métropole et l'Algérie, dit « rapport Maspétiol », en juin 1955, p. 69, citée par Daniel Lefeuvre, dans *Chère Algérie, la France et sa colonie, 1930-1962*, rééd. Flammarion, 2005, p. 86.

34. Dans un texte datant de 1957 et publié en 1972 au Seuil dans *L'Anniversaire*.

35. Pour tous ces aspects, se reporter à Kamel Kateb, *op. cit.*

36. *Ibid.*, p. 143.

37. Annie Rey-Goldzeiguer, *op. cit.*, compare cette société à l'Apartheid et Benjamin Stora parle d'un « sudisme à la française » dans *Le Transfert d'une mémoire. De l'« Algérie française » au racisme anti-arabe*, La Découverte, 1999.

2. 1945-1955 : DIX ANS D'ENTRÉE EN GUERRE ?

1. Voir Jean-Charles Jauffret (dir.), *La Guerre d'Algérie par les documents*, t. II, *L'Avertissement, 1943-1946*, Vincennes, SHAT, 1990.

2. Extrait d'un poème traduit par Kahina et Garmia Naït Abdallah.

3. Pour reprendre le titre du livre d'Annie Rey-Goldzeiguer, *op. cit.*

4. Proclamation intégralement reproduite par Mohamed Harbi dans *Les Archives de la révolution algérienne*, Jeune Afrique, 1981, p. 101-103.

5. Gilbert Meynier, *Histoire intérieure du FLN, op. cit.*, p. 275.

6. Voir le récit détaillé de Boucif Mekhaled, *Chroniques d'un massacre. 8 mai 1945. Sétif, Guelma, Kherrata*, Syros/Au nom de la mémoire, 1995.

7. Jean-Louis Planche, « La répression civile du soulèvement Nord-Constantinois », *La Guerre d'Algérie au miroir des décolonisations françaises*, actes du colloque en l'honneur de Charles-Robert Ageron, SFHOM, 2000, p. 118.

8. Boucif Mekhaled, *op. cit.*, p. 137.

NOTES

9. Jean-Pierre Peyroulou, *Guelma, 1945. Une subversion française dans l'Algérie coloniale*, La Découverte, 2009.

10. Boucif Mekhaled, *op. cit.*, p. 204-209.

11. Jean-Pierre Peyroulou, *op. cit.*

12. Samya El Machat, *Les États-Unis et l'Algérie. De la méconnaissance à la reconnaissance. 1945-1962*, L'Harmattan, 1996, p. 10.

13. Charles-Robert Ageron, « Mai 1945 en Algérie. Enjeu de mémoire et histoire », *Matériaux pour l'histoire de notre temps*, n° 39/40, juillet-décembre 1995, p. 52-56.

14. Jean-Louis Planche, *op. cit.*, p. 119.

15. Daniel Lefeuvre, « Les trois replis de l'Algérie française », *Des hommes et des femmes en guerre d'Algérie*, *op. cit.*, p. 56-72.

16. *Ibid.*, p. 57.

17. Jean-Pierre Peyroulou, « Rétablir et maintenir l'ordre colonial : la police française et les Algériens en Algérie française de 1945 à 1962 », *La Guerre d'Algérie, 1954-2004*, *op. cit.*, p. 112.

18. *Ibid.*, p. 114.

19. Gilbert Meynier, *Histoire intérieure du FLN*, *op. cit.*, p. 94-104.

20. *Ibid.*, p. 104-137.

21. Annie Rey-Goldzeiguer, *op. cit.*, p. 191.

22. Gilbert Meynier, *Histoire intérieure du FLN*, *op. cit.*, p. 61.

23. *Ibid.*, p. 125.

24. Voir la mise au point de Gilbert Meynier, *ibid.*, p. 28.

25. Archives du ministère de l'Intérieur, Centre historique des Archives nationales (CHAN), F1A 4811 (sous dérogation).

26. « Aurès : bilan de six mois », *Le Monde* du 7 mai 1955, p. 1.

27. Sur l'état d'urgence, voir *infra*, chapitre 3, p. 64.

28. Le bilan a été revu par Claire Mauss-Copeaux, *Algérie, 20 août 1955. Insurrection, répression, massacres*, Payot, 2011.

29. Dans *Services spéciaux, Algérie, 1955-1957*, Perrin, 2001. Gisèle Halimi, qui a défendu des Algériens accusés des tueries d'El Halia, s'appuie sur ce récit pour demander une révision du procès de ses anciens clients, le récit du général prouvant, selon elle, qu'il ne restait « plus aucun responsable vivant du carnage du 20 août 1955 ». *Avocate irrespectueuse*, Plon, 2002, p. 50.

30. Notes de service conservées au SHD section Terre, 1H 1240/1.

31. Claire Mauss-Copeaux, *Algérie, 20 août 1955*, *op. cit.*

32. Mahfoud Kaddache, « Les tournants de la guerre de libération au niveau des masses populaires », in Charles-Robert Ageron (dir.), *La Guerre d'Algérie et les Algériens*, Armand Colin/IHTP, 1997, p. 52.

33. Déclaration remise au ministre de l'Intérieur le 27 septembre 1955, conservée dans ses archives au CHAN, F1A 4806 (sous dérogation).

34. Jacques Soustelle, *Aimée et souffrante Algérie*, Plon, 1956, p. 125.

3. LES IDÉES FIXES DE LA IVe RÉPUBLIQUE

1. Sur tous ces aspects et sur la répression légale des nationalistes, voir Sylvie Thénault, *Une drôle de justice. Les magistrats dans la guerre d'Algérie*, rééd. La Découverte, 2004.

2. Rapport réalisé par le Groupe d'études des relations financières entre la métropole et l'Algérie, dit « rapport Maspétiol », en juin 1955. Cité par *Le Monde* du 3 septembre 1955, p. 2.

3. Voir Jean-Philippe Ould Aoudia, *L'Assassinat de Château-Royal, Alger : 15 mars 1962*, Tirésias/Michel Reynaud, 1992.

4. La comparaison est menée par Todd Shepard, *op. cit.*

5. Daniel Lefeuvre, *Chère Algérie…*, *op. cit.*, p. 376.

6. *Ibid.*, p. 373-375.

7. *Ibid.*, p. 350.

4. AU CŒUR DU CAMP ALGÉRIEN

1. Mohammed Harbi, *Le FLN, mirage et réalité*, Jeune Afrique, 1980, p. 172.

2. Voir Gilbert Meynier, *Histoire intérieure du FLN, op. cit.*, p. 11.

3. Renseignements biographiques tirés notamment de Louis Blin, Nourredîne Abdi, Ramdane Redjala et Benjamin Stora, *Algérie, 200 hommes de pouvoir*, Indigo publications, 1992.

4. Voir le témoignage de Mohammed Harbi dans ses Mémoires, *Une vie debout, op. cit.*

5. La composition et les décisions du congrès sont connues grâce au procès-verbal publié par Mohammed Harbi dans *Les Archives de la révolution algérienne, op. cit.*, p. 160-167, et à son analyse dans *Le FLN, mirage et réalité, op. cit.*, p. 180-184.

6. Sur cette plate-forme, voir Mohammed Harbi, *Le FLN, mirage et réalité, op. cit.*, p. 178-179.

7. Procès-verbal du congrès de la Soummam, in Mohammed Harbi, *Les Archives de la révolution algérienne, op. cit.*, p. 165.

8. Mohammed Harbi, *Le FLN, mirage et réalité, op. cit.*, p. 182.

9. Voir Gilbert Meynier, *Histoire intérieure du FLN, op. cit.*, p. 258-262.

10. Tableaux présentés par Mohammed Harbi, *Le FLN, mirage et réalité, op. cit.*, p. 177.

11. Voir Gilbert Meynier, *Histoire intérieure du FLN, op. cit.*, p. 195-196.

12. Cité par Gilbert Meynier, *ibid.*, p. 349.

13. Gilles Manceron et Hassan Remaoun, *D'une rive à l'autre. La guerre d'Algérie de la mémoire à l'histoire*, Syros, 1993, p. 59.

14. Pour cette étude, ainsi que celle des *djoundi*, voir Gilbert Meynier, *Histoire intérieure du FLN, op. cit.*, p. 137-149 et 153-157.

15. *Ibid.*, p. 138.

16. Djamila Amrane, *Les Femmes algériennes dans la guerre*, Plon, 1991, p. 82-83.

17. Khaoula Taleb Ibrahimi, « Les femmes algériennes et la guerre de libération nationale. L'émergence des femmes dans l'espace public et politique au cours de la guerre et l'après-guerre », in Mohammed Harbi et Benjamin Stora (dir.), *La Guerre d'Algérie, 1954-2004, op. cit.*, p. 215.

18. Djamila Amrane, *op. cit.*, p. 90-91.

19. Voir Sylvie Thénault, *Une drôle de justice, op. cit.*, p. 88-89.

20. Le général Hanoteau le décrit ainsi dès 1873. Cité par Jacques Frémeaux, *La France et l'Algérie en guerre, op. cit.*, p. 68.

21. *Ibid.*, p. 69.

22. Gilbert Meynier, *Histoire intérieure du FLN, op. cit.*, p. 221.

23. *Ibid.*, p. 227.

24. Omar Carlier, « Violence(s) », in Mohammed Harbi et Benjamin Stora (dir.), *La Guerre d'Algérie, 1954-2004, op. cit.*, p. 347-379.

25. *Ibid.*, p. 379.

26. Charles-Robert Ageron, « Complots et purges dans l'ALN (1958-1961) », *Vingtième Siècle*, n° 59, juillet-septembre 1998, p. 17.

27. *Ibid.*, p. 19.

28. D'après Charles-Robert Ageron, *ibid.*

29. Moula Bouaziz et Alain Mahé, « La grande Kabylie dans la guerre d'indépendance algérienne », in Mohammed Harbi et Benjamin Stora (dir.), *La Guerre d'Algérie, 1954-2004, op. cit.*, p. 253.

30. Lettre du 29 février 1956, dont un extrait est publié par Mohammed Harbi et Gilbert Meynier dans *Le FLN, documents et histoire, 1954-1962*, Fayard, 2004, p. 207-208.

31. Mohammed Harbi, *Le FLN, mirage et réalité, op. cit.*, p. 8.

32. Moula Bouaziz et Alain Mahé, « La grande Kabylie dans la guerre d'indépendance algérienne », art. cité, p. 251.

33. Raphaëlle Branche, « La torture pendant la guerre d'Algérie », in Mohammed Harbi et Benjamin Stora (dir.), *La Guerre d'Algérie, 1954-2004, op. cit.*, p. 390.

34. Procès-verbal in Mohammed Harbi, *Les Archives de la révolution algérienne, op. cit.*, p. 166.

35. Dans son *Journal*, le Seuil, 1962 (publication posthume), p. 76.

36. « Littérature algérienne », texte de 1957, p. 58, *L'Anniversaire, op. cit.*

5. L'ARMÉE FRANÇAISE AU COMBAT

1. Conférence du colonel Lacheroy au Centre d'instruction, de pacification et de contre-guérilla (CIPCG), SHD section Terre, 1H 2524*bis*/1.

2. « De la pacification à la répression. Le dossier Jean Müller », *Cahiers du témoignage chrétien*, n° 38, février 1957, p. 10.

3. Voir Daniel Rivet, *Le Maghreb à l'épreuve de la colonisation, op. cit.*, p. 236-240.

4. Pour la carrière de ces militaires, voir Michel Hardy, Hervé Lemoine et Thierry Sarmant, *Pouvoir politique et autorité militaire en Algérie française. Hommes, textes, institutions*, SHAT/L'Harmattan, 2002.

5. Jacques Frémeaux, *La France et l'Algérie en guerre, op. cit.*, p. 204.

6. Daniel Rivet, *Lyautey et l'institution du protectorat français au Maroc, 1912-1925*, t. II, L'Harmattan, 1988.

7. Jacques Soustelle, *op. cit.*, p. 96.

8. Jacques Frémeaux, *Les Bureaux arabes de la conquête*, Denoël, 1993, p. 56.

NOTES   313

9. Paul Villatoux, « Le colonel Lacheroy, théoricien de l'action psychologique », *Des hommes et des femmes en guerre d'Algérie, op. cit.*, p. 494-508.

10. « La stratégie révolutionnaire du Vietminh », article en deux volets dans *Le Monde*, 3 et 4 août 1954.

11. Charles-Robert Ageron, « Les supplétifs algériens dans l'armée française », *Vingtième Siècle*, n° 48, octobre-décembre 1995, p. 5.

12. Voir son témoignage : Jean Servier, *Dans l'Aurès, sur les pas des rebelles*, France Empire, 1955.

13. D'après Charles-Robert Ageron, qui compte les effectifs soldés et non les effectifs théoriques. « Les supplétifs algériens dans l'armée française », art. cité, p. 12.

14. *Ibid.*, p. 8.

15. *Ibid.*

16. Noara Omouri, « Les sections administratives spécialisées et les sciences sociales », *Militaires et guérilla dans la guerre d'Algérie, op. cit.*, p. 385.

17. Voir Grégor Mathias, *Les Sections administratives spécialisées, entre idéal et réalité (1955-1962)*, L'Harmattan/IHCC, 1998.

18. Michel Cornaton, *Les Camps de regroupement de la guerre d'Algérie*, rééd. L'Harmattan, 1998, p. 64-65.

19. Charles-Robert Ageron, « Une dimension de la guerre d'Algérie : les "regroupements de populations" », *Militaires et guérilla dans la guerre d'Algérie, op. cit.*, p. 359.

20. Cité par Charles-Robert Ageron, *ibid.*, p. 354, note 3.

21. Voir Yves Courrière, *La Guerre d'Algérie*, t. II, *Le Temps des léopards*, Fayard, 1972, p. 108.

22. Instruction du 7 novembre 1955, SHD section Terre, 1H 2579/1.

23. Instruction interministérielle du général Koenig, ministre de la Défense, et de Maurice Bourgès-Maunoury, ministre de l'Intérieur à cette date. Sur sa genèse, voir Claire Mauss-Copeaux, *Appelés en Algérie. La parole confisquée*, Hachette Littératures, 1998, p. 170-171.

24. Rapport du 18 juin 1956, SHD section Terre, 1H 4415/6 (communication sous dérogation).

25. Raphaëlle Branche, *La Torture et l'armée pendant la guerre d'Algérie*, Gallimard, 2001, p. 425.

26. Comité Maurice Audin, *Sans commentaire*, Minuit, 1961, p. 34. Voir aussi *Le Monde* du 24 décembre 1963.

314 HISTOIRE DE LA GUERRE D'INDÉPENDANCE

27. Voir Raphaëlle Branche, *La Torture et l'armée…, op. cit.*, p. 283-289.

28. Instruction du 30 avril 1957, SHD section Terre, 1H 1377/8.

29. Directive du général Allard, 22 mars 1957, SHD section Terre, 1H 2576/2.

30. Statistiques de l'armée, SHD section Terre, 1H 1100/1.

31. Statistiques des procureurs généraux, conservées au Centre des archives contemporaines (CAC), 800543 art. 103 et 104 (communication sous dérogation). Voir Sylvie Thénault, *Une drôle de justice, op. cit.*

32. Instruction du 30 avril 1957, citée.

33. Note de service du 11 mars 1957, SHD section Terre 1H 2460/1.

34. Gérard Bélorgey, *Bulles d'histoire et autres contes vrais. Carnets d'étape d'un préfet nomade. 1940-2000*, Ivry-sur-Seine, Phénix Éditions, 2001, p. 75.

35. Raphaëlle Branche, *La Torture et l'armée…, op. cit.*, p. 175-198.

36. *Ibid.*, p. 199-215.

37. Voir Jean-Charles Jauffret, *Soldats en Algérie 1954-1962. Expériences contrastées des hommes du contingent*, Autrement, 2000, p. 135-162.

38. Ugo Iannucci, *Soldat dans les gorges de Palestro*, Lyon, Aléas éditeurs, 2001, p. 29-30.

39. Note agrafée à une fiche datée du 20 décembre 1957, SHD section Terre, 1H 3799/2.

40. Jean-Charles Jauffret, *Soldats en Algérie 1954-1962, op. cit.*, p. 84.

41. Voir Claire Mauss-Copeaux, *Appelés en Algérie…, op. cit.*, p. 17.

42. Jean-Charles Jauffret, *Soldats en Algérie 1954-1962, op. cit.*, p. 80.

43. *Ibid.*, p. 85.

44. Stéphanie Chauvin, « Des appelés pas comme les autres ? Les conscrits "français de souche nord-africaine" pendant la guerre d'Algérie », *Vingtième Siècle*, n° 48, octobre-décembre 1995, p. 21-30.

45. Stéphanie Chauvin, *ibid.*, p. 28.

46. Charles-Robert Ageron « L'opinion française à travers les sondages », in Jean-Pierre Rioux (dir.), *La Guerre d'Algérie et les Français*, Fayard, 1990, p. 29.

47. Voir Jean-Charles Jauffret, *Soldats en Algérie 1954-1962, op. cit.*, p. 32-43, et Tramor Quemeneur, « Les manifestations de "rappelés" contre la guerre d'Algérie (1955-1956) ou contestation et obéissance », *Revue française d'histoire d'outre-mer*, n° 332-333, 2001, p. 407-427.

48. Jean Debernard, *Simples Soldats*, Actes Sud, 2001, p. 23.

49. Voir Raphaëlle Branche "La sexualité des appelés en guerre d'Algérie", *Des hommes et des femmes en guerre d'Algérie, op. cit.*, p. 402-415.

50. Pour le quotidien du groupe militaire, voir Jean-Charles Jauffret, *Soldats en Algérie 1954-1962, op. cit.*

51. Ugo Iannucci, *op. cit.*, p. 22.

52. Voir Claire Mauss-Copeaux, *Appelés en Algérie..., op. cit.*, p. 265-268.

53. Raphaëlle Branche, *L'Embuscade de Palestro. Algérie, 1956*, Paris, Armand Colin, 2010.

54. Claire Mauss-Copeaux, *op. cit.*, p. 143.

55. Ugo Iannucci, *op. cit.*, p. 22.

56. Éditée par le Comité de résistance spirituelle. Elle sort fin mars 1957.

57. « De la pacification à la répression. Le dossier Jean Müller », art. cité.

6. UNE GUERRE EN PLUSIEURS VERSIONS

1. Déclaration du bureau politique du PCA, reproduite par Jean-Luc Einaudi dans *Un Algérien, Maurice Laban*, Le Cherche-Midi éditeur, 1999, p. 136.

2. Voir Gilbert Meynier, *Histoire intérieure du FLN, op. cit.*, p. 445-459.

3. Plate-forme de la Soummam, citée par Benjamin Stora, *Messali Hadj, 1898-1974*, Le Sycomore, 1982, p. 260.

4. Benjamin Stora, *ibid.*, p. 243.

5. Voir Jean-Luc Einaudi, *Un Algérien, op. cit.*

6. Boualem Khalfa, Henri Alleg, Abdelhamid Benzine, *La Grande Aventure d'Alger Républicain*, Messidor, 1987.

7. Voir Gilbert Meynier, *Histoire intérieure du FLN, op. cit.*, p. 184.

8. Voir Henri Alleg (dir.), *La Guerre d'Algérie*, 3 t., Temps Actuels, 1981.

9. Voir Jean-Luc Einaudi, *Pour l'exemple, l'affaire Fernand Iveton*, L'Harmattan, 1986.

10. *Le Figaro* du 20 décembre 1955 et du 30 janvier 1956.

11. *Le Monde* du 8 février 1956.

12. *Le Monde* du 8 février 1956.

13. *France-Soir* du 8 février 1956.

14. *Le Monde* du 11 février 1956.

15. Sur l'ORAF, voir Rémi Kauffer, *OAS, histoire d'une guerre franco-française*, Seuil, 2002, p. 62-69.

16. Voir Gilbert Meynier, *Histoire intérieure du FLN, op. cit.*, p. 322-323.

17. Claire Mauss-Copeaux, *Algérie, 20 août 1955, op. cit.*

18. *Le Monde* du 1er janvier 1957.

19. Dans « Votre Gestapo d'Algérie », *France-Observateur*, 13 janvier 1955.

20. D'après les informations données par *L'Espoir-Algérie*, numéro spécial hors-série, avril 1957. Sur les Libéraux, voir Lahcène Zeghdar, « Les Libéraux européens d'Algérie et la guerre de libération nationale », dans Abderrahmane Bouchene, Jean-Pierre Peyroulou, Ouanassa Siari-Tengour et Sylvie Thénault (dir.), *Histoire de l'Algérie à la période coloniale, 1830-1962*, Paris/Alger, La Découverte/Barzakh, 2012.

21. *L'Espoir-Algérie*, numéro spécial hors-série, avril 1957.

22. *Le Monde* du 1er janvier 1957.

23. Rémi Kauffer, *op. cit.*, p. 65-69.

24. Voir Daniel Lefeuvre, « Les pieds-noirs », in Mohammed Harbi et Benjamin Stora (dir.), *La Guerre d'Algérie, 1954-2004, op. cit.*, p. 276-277.

25. Jean Planchais, *Le Malaise de l'armée*, Plon, 1958, p. 90.

26. Décret n° 56-274 du 17 mars 1956.

27. Pierre Vidal-Naquet, *L'Affaire Audin*, Minuit, 1958 (pour la première édition).

28. Note manuscrite, CAC, 800543 art. 106 (communication sous dérogation). « Provisoire » est souligné par l'auteur de la note.

29. Il livre cette déposition au juge d'instruction de Rennes chargé de l'affaire Audin, le 4 octobre 1960. Cité par Pierre Vidal-Naquet dans *La Raison d'État*, rééd. La Découverte, 2002, p. 282.

30. Voir Paul Villatoux, « Le colonel Lacheroy, théoricien de l'action psychologique », art. cité.

31. Sur cette école, voir Raphaëlle Branche, *La Torture et l'armée…, op. cit.*, p. 217.

32. Un fidèle de Marcel Bigeard l'a confirmé à Marie-Monique Robin, *Escadrons de la mort, l'école française*, La Découverte, 2004, p. 134-135. Voir les fac-similés de préparation de ses cours, en hors-texte, p. 5. L'article, signé par Robert Barrat, est reproduit dans Pierre-Vidal Naquet, *Les Crimes de l'armée française*, rééd. La Découverte, 2001, p. 115-118.

33. Jean Reliquet a livré un témoignage indirect en contribuant au DEA de sa petite-fille, Sandrine Reliquet, *L'Exercice de la magistrature en Algérie d'octobre 1956 à octobre 1958. Le cas du parquet général d'Alger*, IEP de Paris, 1989.

34. Entretien avec Sylvie Thénault, le 29 janvier 1996. Retranscription disponible dans le volume d'annexes de ma thèse : *La Justice dans la guerre d'Algérie*, Paris X, 1999, p. 854-860.

35. Circulaire du procureur général de Constantine aux juges d'instruction et aux juges de paix, 22 octobre 1957, CAC, 800293 art. 9 (communication sous dérogation).

36. Lettre au ministre de la Justice, François Mitterrand, le 16 avril 1957, publiée par Sandrine Reliquet, *op. cit.*, p. 137-144.

37. Voir le dossier de la revue *Administration*, n° 196, décembre 2002, p. 65-78.

38. Jean-Pierre Peyroulou « Maurice Papon, administrateur colonial (1945-1958) », in Samia El Mechat (dir.), *Les Administrations coloniales, esquisse d'une histoire comparée, XIXᵉ-XXᵉ siècles*, Rennes, PUR, 2009, p. 69-80.

39. Georges Audebert, *Au cœur du drame franco-algérien. Sous-préfet dans l'Algérie en guerre*, Ivry-sur-Seine, Phénix Éditions, 2001, p. 72-74.

40. Le rapport de Roger Wuillaume, du 2 mars 1955, a été publié par Pierre Vidal-Naquet dans *La Raison d'État, op. cit.*, p. 63-76. Jean Mairey a rédigé trois rapports, le 20 mars 1955, le 13 décembre 1955 et le 2 janvier 1957. Ils sont tous disponibles dans les archives de Mᵉ Maurice Garçon (CAC, 304 AP 701 art. 1, communication sous dérogation), et les deux derniers ont été publiés dans *La Raison d'État*, p. 78-100 et 104-113.

41. Rapport de Roger Wuillaume, *ibid.*, p. 70.

42. Rapport du 13 décembre 1955, *ibid.*, p. 90.

43. *Ibid.*, p. 95-96.

44. Il en fait état dans son introduction à Pierre Nora, *Les Français d'Algérie*, Julliard, 1961, p. 21-22.

45. Conservée au SHD section Terre, 1H 1094/2 et publiée par Jean-Charles Jauffret dans *La Guerre d'Algérie par les documents*, t. II, *Les Portes de la guerre, des occasions manquées à l'insurrection, avril 1946-décembre 1954*, Vincennes, SHAT, 1997, p. 296-297.

46. Intervention à l'Assemblée nationale, le 29 juillet 1955.

47. *La Torture dans la République*, Minuit, 1972. Traduit en français à cette date, l'ouvrage a d'abord été édité en Angleterre et en Italie, dès 1963.

7. LA RÉVÉLATION DE LA TORTURE

1. C'est ce que propose logiquement Gilbert Meynier, puisqu'il étudie l'histoire intérieure du FLN (*Histoire intérieure du FLN, op. cit.*, p. 322).

2. Gilbert Meynier recense toutes ces versions, *Histoire intérieure du FLN, op. cit.*, p. 328.

3. Cité par *Le Monde* du 27 mars 1957.

4. Communiqué officiel du gouvernement du 5 avril 1957, reproduit dans le rapport de synthèse de la Commission de sauvegarde publié par *Le Monde* du 14 décembre 1957.

5. Les rapports de Maurice Garçon et de Robert Delavignette ont été publiés par Pierre Vidal-Naquet dès 1962 dans *La Raison d'État, op. cit.*, p. 137-192. Les autres rapports sont disponibles dans les archives de Maurice Garçon, conservées au CAC, 304 AP 702 (communication sous dérogation). Pour une synthèse sur la Commission de sauvegarde, voir Raphaëlle Branche « La Commission de sauvegarde pendant la guerre d'Algérie », *Vingtième Siècle,* n° 61, janvier-mars 1999, p. 14-29.

6. Pierre Vidal-Naquet, *L'Affaire Audin*, rééd. Minuit, 1989, p. 36. Voir aussi ses *Mémoires*, t. II, *Le Trouble et la lumière. 1955-1998*, Seuil/La Découverte, 1998.

7. Pierre Vidal-Naquet, *L'Affaire Audin, op. cit.*, p. 35.

8. *Le Monde* du 3 octobre 1957.

9. *L'Express* du 15 janvier 1955.

10. *Le Monde* du 5 janvier 1956.

11. Dans le tome II de ses *Mémoires, op. cit.*, p. 53.

12. Cité par *Le Monde* du 1er mars 1957.

13. Cité par *Le Monde* du 15 mars 1957.

14. Cité par *Le Monde* du 14 mai 1957.

15. Cité par *Le Monde* des 15-16 décembre 1957.

16. Voir Sylvie Thénault, *Une drôle de justice, op. cit.,* p. 135-138.

17. Conservé dans les archives du ministère de l'Intérieur, CAC, 770 101 art. 7 (communication sous dérogation).

18. Dans *Contre la torture*, rééd. Seuil, 1999, p. 98.

19. Cité par Benjamin Stora, « Une censure de guerre qui ne dit pas son nom », *Censures*, BPI, 1987, p. 46-54.

20. Martin Harrison, « Government and Press in France During the Algerian War », *The American Political Science Review*, juin 1964, p. 273-285.

21. Voir Robert Barrat, *Un journaliste au cœur de la guerre d'Algérie*, (rééd.) Éditions de l'Aube, 2001.

22. *Mémoires*, t. II, *op. cit.*, p. 29-32.

23. Voir Marie-Pierre Ulloa, *Un intellectuel en dissidence, de la Résistance à la guerre d'Algérie, Francis Jeanson*, Berg international éditeurs, 2001, p. 132 *sq.*

24. Cité in Henri Alleg (dir.), *La Guerre d'Algérie*, t. II, *op. cit.*, p. 488.

25. Cité in Hervé Hamon et Patrick Rotman, *Les Porteurs de valise*, rééd. Seuil, 2001, p. 55.

8. D'UNE RÉPUBLIQUE À L'AUTRE

1. Voir *supra*, chapitre 2, p. 58.

2. Voir Samya El Machat, *Les États-Unis et la Tunisie. De l'ambiguïté à l'entente. 1945-1959*, L'Harmattan, 1996, p. 157 *sq.*

3. Voir Samya El Machat, *Les États-Unis et l'Algérie, op. cit.*, p. 62 *sq.*

4. *Ibid.*, p. 89.

5. *Ibid.*, p. 181.

6. Maurice Vaïsse, « La guerre perdue à l'ONU ? », *La Guerre d'Algérie et les Français, op. cit.*, p. 451-462.

7. Selon les termes de la proclamation diffusée le 1er novembre (Mohammed Harbi, *Les Archives de la révolution algérienne, op. cit.*, p. 101-103).

8. Matthew Connelly, *op. cit.*

9. Voir la liste donnée par Gilbert Meynier en annexe de son *Histoire intérieure du FLN, op. cit.*, p. 741-742.

10. Samya El Mechat, *Les États-Unis et l'Algérie, op. cit.*, p. 45.

11. Gilbert Meynier, *Histoire intérieure du FLN, op. cit.*, p. 566.

12. Voir Samya El Mechat, *Les États-Unis et l'Algérie, op. cit.*, p. 209.

13. Voir Gilbert Meynier, *Histoire intérieure du FLN, op. cit.*, p. 353.

14. Déclarations rapportées par *Le Monde* des 11-12 mai 1958.

15. Télégramme du 9 mai 1958, reproduit par Raoul Salan dans ses *Mémoires*, t. III, *Fin d'un empire*, Presses de la Cité, 1972, p. 285.

16. Cité par *France-Soir* du 12 mai 1958 et par *Le Monde* dans son édition des 11-12 mai.

17. Communiqué reproduit notamment par *Le Figaro* des 10-11 mai 1958.

18. Sur les exécutions de combattants, voir *supra*, chapitre 5, p. 122.

19. « Bloc-notes » dans *L'Express* du 25 juin 1958.

20. Compte rendu de cette conférence de presse dans *Le Monde* du 26 juin 1958.

21. *Dossier sur la torture et la répression en Algérie. Nous accusons...* publié par la Ligue des droits de l'homme, le Comité Maurice Audin, le Comité de résistance spirituelle, le Comité de vigilance universitaire, le Comité d'information et de coordination pour la défense des libertés et de la paix. Sur son élaboration et sa publication, voir Pierre Vidal-Naquet, *Mémoires*, t. II, *op. cit.*, p. 91 *sq*.

22. Neil MacMaster, *Burning the Veil. The Algerian war and the « emancipation » of Muslim women, 1954-62*, Manchester University Press, Manchester, 2009.

23. Mahfoud Kaddache cite notamment Guy Mollet, Jean Amrouche, Christian Pineau et le prince Moulay Hassan, futur Hassan II, dans « De Gaulle et les nationalistes algériens », *De Gaulle en son siècle*, t. VI, *Liberté et dignité des peuples*, colloque organisé par l'Institut Charles-de-Gaulle, Plon/La Documentation française, 1992, p. 100.

24. Cité par Jean Lacouture dans *De Gaulle*, t. II, *Le Politique*, Seuil, 1985, p. 511.

25. *Discours et messages*, t. II, *Dans l'attente, février 1946-avril 1958*, Plon, 1970, p. 666-667.

26. *Ibid.*, t. III, *Avec le renouveau, 1958-1962*, Plon, 1970, p. 17-18.

27. Graphique des « effectifs des centres d'hébergement et des centres de triage et de transit », SHD section Terre 1 H 1100/1.

28. Au total, trois cent neuf condamnés à mort ont été graciés au cours de l'année 1959. Les sources ne permettent pas de dire combien de personnes la grâce collective de janvier 1959 a concernées à elle seule. Voir Sylvie Thénault, *Une drôle de justice, op. cit.*, p. 173.

29. Entretien avec le directeur de *L'Écho d'Oran*, reproduit par *Le Monde* du 2 mai 1959.

30. Cité par *Le Monde* du 17 janvier 1959, p. 6.

31. Cité par *Le Monde* des 18-19 janvier 1959, p. 3.

32. *Discours et messages*, t. III, *op. cit.*, p. 54.

33. *Ibid.*, p. 60.

34. Voir Daniel Lefeuvre, *Chère Algérie…*, *op. cit.*, p. 367.

35. *Ibid.*, p. 138.

36. Voir les télégrammes et lettres au général Salan de juin à décembre 1958 dans Charles de Gaulle, *Lettres, notes et carnets, juin 1958-décembre 1960*, Plon, 1985.

37. Ordre de mission du 27 octobre 1958, signé par le général de Gaulle, en annexe du livre de Roselyne Chenu, *Paul Delouvrier ou la Passion d'agir*, Seuil, 1994.

38. Voir Sylvie Thénault, *Une drôle de justice, op. cit.*, p. 183 *sq.*

9. UNE VICTOIRE MILITAIRE TRAHIE ?

1. Maurice Challe, *Notre révolte*, Presses de la Cité, 1968, p. 32.

2. *Ibid.*, p. 43.

3. Voir Marie-Catherine et Paul Villatoux, « Le 5ᵉ Bureau en Algérie », *Militaires et guérilla dans la guerre d'Algérie, op. cit.*, p. 399-419.

4. Note de service du 19 mars 1958, citée par Sylvie Thénault, *Une drôle de justice, op. cit.*, p. 180.

5. Voir *supra*, chapitre 5, p. 122.

6. Courbe des effectifs d'internés, SHD section Terre, 1H 1100/1.

7. Raphaëlle Branche, *La Torture et l'armée…*, *op. cit.*, p. 268.

8. Sur l'évolution des DOP et des CRA : *ibid.*, p. 255-277.

9. Jacques Vernet, « Les barrages dans la guerre d'Algérie », in *Militaires et guérilla dans la guerre d'Algérie, op. cit.*, p. 253-268.

10. L'expression est de Maurice Challe, *op. cit.*, p. 38.

11. Directive de l'état-major de la wilaya 3, zone 3, région 3, 11 mai 1959, in Mohammed Harbi et Gilbert Meynier, *Le FLN, documents et histoire, op. cit.*, p. 97-98.

12. Maurice Challe, *op. cit.*, p. 41.

13. *Ibid.*, p. 42.

14. Rapports de 1960, cités par Charles-Robert Ageron, « Une dimension de la guerre d'Algérie : les "regroupements de populations" », art. cité, p. 345.

15. Directive n° 1 du 22 décembre 1958, in Maurice Challe, *op. cit.*, p. 99.

16. Ces effectifs sont les effectifs soldés, donc réalisés, et non les effectifs théoriques. Voir Charles-Robert Ageron, « Les supplétifs algériens dans l'armée française pendant la guerre d'Algérie », art. cité ; et François-Xavier Hautreux, *Les Harkis dans la guerre d'Algérie. L'armée française et ses auxiliaires algériens (1954-1962)*, Perrin, 2012.

17. François-Xavier Hautreux, *ibid.*

18. *Ibid.* et Charles-Robert Ageron, « Les supplétifs algériens dans l'armée française », art. cité.

19. Mohand Hamoumou crée ainsi une catégorie très large de « musulmans profrançais menacés » incluant les militaires de carrière, les soldats du contingent, les harkis, les *moghazni*, les GMS, les GAD, les anciens combattants, élus et fonctionnaires, aboutissant au total de 260 000. *Et ils sont devenus harkis*, Fayard, 1993, p. 222-223.

20. Abdelkader Rahmani, *L'Affaire des officiers algériens*, Seuil, 1959, p. 42. Sur les officiers « DAF », voir Gilbert Meynier, *Histoire intérieure du FLN, op. cit.*, p. 151.

21. Abdelkader Rahmani, *op. cit.*, p. 128.

22. D'après Jacques Frémeaux, *La France et l'Algérie en guerre, op. cit.*, p. 142.

23. Voir *supra*, chapitre 5, p. 117.

24. Directive de l'état-major de la wilaya III zone 3, région 3, 11 mai 1959, in Mohammed Harbi et Gilbert Meynier, *Le FLN, documents et histoire, op. cit.*

25. Synthèse de renseignements citée par Sylvie Thénault, « L'organisation judiciaire du FLN », in Charles-Robert Ageron (dir.), *La Guerre d'Algérie et les Algériens, op. cit.*, p. 144-145.

26. Voir *supra*, chapitre 4, p. 99.

27. Pour une analyse détaillée des révoltes, des complots, et de la crise du GPRA, voir Mohammed Harbi, *Le FLN, mirage et réalité, op. cit.*, ainsi que Gilbert Meynier, *Histoire intérieure du FLN, op. cit.*

28. Cité par Mohammed Harbi, *ibid.*, p. 240.

29. D'après Louis Blin *et alii*, *Algérie, 200 hommes de pouvoir, op. cit.*

30. Mohammed Harbi, « Le complot Lamouri », in Charles-Robert Ageron (dir.), *La Guerre d'Algérie et les Algériens, op. cit.*, p. 151-179.

31. Jacques Vernet, « Les barrages dans la guerre d'Algérie », art. cité, p. 256.

32. *Discours et messages*, t. III, *Avec le renouveau, 1958-1962*, Plon, 1970, p. 121.

33. Voir Redha Malek, *L'Algérie à Évian. Histoire des négociations secrètes. 1956-1962*, Seuil, 1995.

34. Cité par Gilbert Meynier, *Histoire intérieure du FLN, op. cit.*, p. 426.

10. L'ALGÉRIE FRANÇAISE EN DISSIDENCE

1. L'expression est de Serge Berstein, « La peau de chagrin de "l'Algérie française" », *La Guerre d'Algérie et les Français, op. cit.*, p. 202.

2. Inspecteur général de l'administration en mission extra-ordinaire.

3. Michel Hardy, Hervé Lemoine et Thierry Sarmant, *Pouvoir politique et autorité militaire en Algérie française, hommes, textes, institutions, op. cit.*, p. 84-88.

4. Circulaire publiée dans *Le Monde* du 14 avril 1959. Sur la publication des rapports : voir *infra*, chapitre 11, p. 258-260.

5. Voir Michel Cornaton, *Les Camps de regroupement de la guerre d'Algérie, op. cit.*, p. 68-79, ainsi que Charles-Robert Ageron, « Une dimension de la guerre d'Algérie : les "regroupements de populations" », art. cité.

6. Voir *infra*, chapitre 12, p. 275.

7. Citée par Michel Cornaton, *op. cit.*, p. 126.

8. Les données de Charles-Robert Ageron et de Michel Cornaton concordent.

9. Sur le contrôle de l'internement, voir Sylvie Thénault, *Une drôle de justice, op. cit.*, p. 240-246.

10. Roselyne Chenu, *op. cit.*, p. 189.

11. Courbe des effectifs, SHD section Terre, 1H 1100/1.

12. Roselyne Chenu, *op. cit.*, p. 186.

13. *Ibid.*, p. 205.

14. Cité par Raphaëlle Branche, *La Torture et l'armée…, op. cit.*, p. 245.

15. Dans son rapport de septembre 1958, cité par Sylvie Thénault, *Une drôle de justice, op. cit.*, p. 183.

16. *Ibid.*, p. 212-213.

17. *Ibid.*, p. 264.

18. Marie Dumont, « Les unités territoriales », in *Militaires et guérilla dans la guerre d'Algérie, op. cit.*, p. 525.

19. *Ibid.*

20. Bilan donné par *Le Monde* du 2 février 1960.

21. *Le Monde* du 31 janvier 1960 reproduit le texte diffusé à la presse, en signalant les variantes avec le discours prononcé. Le général de Gaulle a dit « rébellion » et non « insurrection ».

22. Marie-Catherine et Paul Villatoux, « Le 5e Bureau en Algérie », art. cité, p. 415.

23. Voir Rémi Kauffer, *op. cit.*, p. 79-80.

24. Raphaëlle Branche, *La Torture et l'armée…, op. cit.* p. 370.

25. *Ibid.*, p. 362-373.

26. Jean Morin, *De Gaulle et l'Algérie*, Albin Michel, 1999, p. 22-24.

27. Anne-Marie Duranton-Crabol, *Le Temps de l'OAS*, Bruxelles, Complexe, 1995, p. 45-46.

28. Jean Morin, *op. cit.*, p. 67.

29. Amar Belkhodja, *L'Affaire Hamdani Adda*, Tiaret, éditions Mekkloufi, s.d.

30. Proclamation reproduite par Maurice Vaïsse dans *Alger, le putsch*, Bruxelles, Complexe, 1983, p. 166.

31. *Ibid.*, p. 40.

32. *Ibid.*, p. 134-140.

33. Jean Morin, *op. cit.*, p. 138.

34. *Ibid.*, p. 135.

35. Charles Ailleret, *Général du contingent*, Grasset, 1998, p. 386.

36. *Ibid.*, p. 17.

37. *Ibid.*, p. 385.

38. Voir Rémi Kauffer, *op. cit.*, p. 128.

39. Anne-Marie Duranton-Crabol, *op. cit.*, p. 74.

40. Voir Rémi Kauffer, *op. cit.*, p. 129 et 132.

41. Anne-Marie Duranton-Crabol, *op. cit.*, p. 145.

42. *Ibid.*, p. 83.

43. Guy Pervillé, « L'Algérie dans la mémoire des droites », in Jean-François Sirinelli (dir.), *L'Histoire des droites en France*, t. II, *Cultures*, Gallimard, 1992, p. 621-644.

44. Anne-Marie Duranton-Crabol, *op. cit.*, p. 103-106.

45. Manifeste cité par Serge Berstein, « La peau de chagrin de "l'Algérie française" », art. cité, p. 215.

11. QUAND LA GUERRE GAGNE LA MÉTROPOLE

1. Benjamin Stora, *Ils venaient d'Algérie. L'immigration algérienne en France 2912-1962*, Fayard, 1992.

2. Voir *supra*, chapitre 2, p. 50.

3. Ali Haroun, *La 7ᵉ wilaya. La guerre du FLN en France, 1954-1962*, Seuil, 1986, p. 16.

4. Danielle Tartakowsky, « Les manifestations de rue », *La Guerre d'Algérie et les Français, op. cit.*, p. 131-132.

5. Mohammed Harbi, *Une vie debout, op. cit.*

6. Ali Haroun, *op. cit.*, p. 43. Il donne aussi la liste des Comités fédéraux, p. 440.

7. Benjamin Stora, *Ils venaient d'Algérie, op. cit.*, p. 206-207.

8. Mohammed Harbi, *Une vie debout, op. cit.*, p. 158-163.

9. Benjamin Stora, *Messali Hadj, op. cit.*

10. Cité par Mohammed Harbi, *Une vie debout, op. cit.*, p. 206.

11. Benjamin Stora, *Ils venaient d'Algérie, op. cit.*, p. 290.

12. Voir le récit détaillé d'Ali Haroun, *op. cit.*

13. *Ibid.*, p. 92-111.

14. Linda Amiri a décortiqué ce dispositif parisien dans *La Bataille de France. La guerre d'Algérie en métropole*, Robert Laffont, 2004.

15. Emmanuel Blanchard, *La Police parisienne et les Algériens (1944-1962)*, Paris, Nouveau Monde éditions, 2011.

16. Sur l'association de l'action sociale et de l'action répressive, voir « Répression, contrôle et encadrement dans le monde colonial au XXᵉ siècle », *Bulletin de l'IHTP*, n° 83, premier semestre 2004.

17. Voir Sylvie Thénault (dir.), « L'internement en France pendant la guerre d'indépendance algérienne. Vadenay, Saint-Maurice l'Ardoise, Thol, le Larzac », *Matériaux pour l'histoire de notre temps*, n° 92, octobre-décembre 2008.

18. Linda Amiri, *op. cit.*, p. 88.

19. Benjamin Stora, *Ils venaient d'Algérie, op. cit.*, p. 207.

20. Linda Amiri, *op. cit.*, p. 91.

21. *Ibid.*, p. 81.

22. Michel Crouzet, « La bataille des intellectuels », *La Nef*, n° 12-13, octobre 1962-janvier 1963, p. 47-65.

23. Voir *Le Monde* du 22 janvier 1959.

24. Interview du 11 avril 1959. Rapport publié, avec celui de Michel Rocard, dans *Témoignages et documents*, n° 12 et 14.

25. Voir Charles-Robert Ageron, « Une dimension de la guerre d'Algérie : les "regroupements de populations", art. cité ; et Claire Andrieu, « Servir l'État en régime d'exception », in Michel Rocard, *Rapport sur les camps de regroupement*, Mille et une nuits, 2003, p. 239-281.

26. Roselyne Chenu, *op. cit.*, p. 200.

27. Les deux cahiers publiés par *Les Temps modernes* en octobre et novembre 1959, ainsi que le texte de Pierre Vidal-Naquet, paru dans *Témoignages et documents*, n° 17, ont été réunis sous le titre *Les Disparus*, édité par La Cité à Lausanne. Sur le centre Jeanne d'Arc, voir *supra*, chapitre 6, p. 144-145.

28. Simone de Beauvoir et Gisèle Halimi, *Djamila Boupacha*, Gallimard, 1962.

29. Henri Alleg, *Prisonniers de guerre*, Minuit, 1961. Christian Buono, beau-frère de Maurice Audin et coïnculpé d'Henri Alleg, a témoigné de son histoire personnelle dans *L'Olivier de Makouda*, Éditions Tiresias/Michel Reynaud, 1991.

30. Hervé Hamon et Patrick Rotman, *Les Porteurs de valise, op. cit.* ; et Marie-Pierre Ulloa, *op. cit.*.

31. Hervé Hamon et Patrick Rotman, *op. cit.*, p. 297.

32. *Ibid.*, p. 304-305.

33. Dans *Le Monde* du 1er octobre 1960.

34. Voir Danielle Tartakowsky, « Les manifestations de rue », art. cité.

35. Laure Pitti, « Renault, "la forteresse ouvrière" à l'épreuve de la guerre d'Algérie », *Vingtième Siècle*, n° 83, juillet-septembre 2004, p. 135.

36. L'information est rapportée par la presse, notamment *Libération*, le 12 octobre 1961.

37. Voir les témoignages rassemblés par l'union régionale parisienne de la CFTC dans *Face à la répression*, brochure de 30 pages éditée le 30 octobre 1961.

38. Communiqué dans *Le Monde* du 6 octobre 1961.

39. Jim House et Neil MacMaster, *op. cit.*

40. Maurice Papon, *Les Chevaux du pouvoir*, Plon, 1988, p. 210.

41. Tous les quotidiens signalent le repêchage de corps.

42. Jean-Paul Brunet, *Police contre FLN, le drame d'octobre 1961*, Flammarion, 1999, p. 138.

43. Le premier bilan vient de Jean-Paul Brunet, *op. cit.*, et le second de Jean-Luc Einaudi, *La Bataille de Paris*, Seuil, 1991.

44. Cité par Linda Amiri, *op. cit.*, p. 126-127.

45. Jean-Paul Brunet, *op. cit.*, p. 133-134.

46. Anne-Marie Duranton-Crabol, *op. cit.*, p. 109.

47. Publication reprise dans *Face à la raison d'État*, La Découverte, 1989, p. 170-186.

48. Anne-Marie Duranton-Crabol, *op. cit.*, p. 180.

49. *L'Humanité* du 17 septembre 1959.

50. Charles-Robert Ageron, « L'opinion française à travers les sondages », art. cité, p. 35.

51. Voir Alain Dewerpe, *Charonne, 8 février 1962. Anthropologie historique d'un massacre d'État*, Paris, Gallimard, coll. « Folio », 2006.

12. SORTIR DE LA GUERRE

1. La réédition de ses articles compose *Faut-il partager l'Algérie ?*, Plon, 1962.

2. Cité par Redha Malek, *op. cit.*, p. 141.

3. *Ibid.*, p. 94.

4. Jean Morin, *op. cit.*, p. 152-153.

5. Gilbert Meynier, *Histoire intérieure du FLN, op. cit.*, p. 372-375 et 626.

6. *Ibid.*, p. 614.

7. Redha Malek, *op. cit.*, p. 119.

8. Le texte intégral figure en annexe du livre de Redah Malek, *ibid.*, p. 313-365.

9. Voir tous les débats à ce sujet, à l'Assemblée nationale, les 15 et 22 janvier 2002.

10. Redha Malek, *op. cit.*, p. 326.

11. Sylvie Thénault, « L'OAS à Alger en 1962. Histoire d'une violence terroriste et de ses agents », *Les Annales. Histoire, sciences sociales*, 2008, n° 5, p. 977-1001.

12. Pour tous les événements du printemps 1962, voir Rémi Kauffer, *op. cit.*

13. Daniel Lefeuvre, « Les pieds-noirs », in Mohammed Harbi et Benjamin Stora (dir.), *La Guerre d'Algérie, 1954-2004, op. cit.*, p. 277-278.

14. Cité par Daniel Lefeuvre, *ibid.*, p. 279.

15. *Le Monde* du 7 juillet 1962, cité par Fouad Soufi, « Oran, 28 février 1962, 5 juillet 1962. Deux événements pour l'histoire, deux événements pour la mémoire », in *La Guerre d'Algérie au miroir des décolonisations françaises, op. cit.*, p. 669.

16. Fouad Soufi, *ibid.*, p. 669.

17. Jean-Jacques Jordi, *Un silence d'État. Les disparus civils européens de la guerre d'Algérie*, Paris, Soteca, 2011, p. 96.

18. Selon l'expression de Georges Balandier dans « La situation coloniale : approche théorique », *Cahiers internationaux de sociologie*, 1951, vol. 11, p. 44-79.

19. Benjamin Stora, « L'impossible neutralité des Juifs d'Algérie », in Mohammed Harbi et Benjamin Stora (dir.), *La Guerre d'Algérie, 1954-2004, op. cit.*, p. 287-316.

20. Charles-Robert Ageron, « Les supplétifs algériens dans l'armée française pendant la guerre d'Algérie », art. cité, p. 12.

21. Sur le statut et les licenciements, voir Mohand Hamoumou, *Et ils sont devenus harkis, op. cit.*, p. 116 et 268.

22. Charles-Robert Ageron, « Le "drame des harkis". Mémoire ou histoire ? », *Vingtième Siècle*, n° 68, octobre-décembre 2000, p. 4.

23. *Ibid.*, p. 8-9.

24. Mohand Hamoumou, *op. cit.*, p. 46.

25. Charles-Robert Ageron, « Le "drame des harkis". Mémoire ou histoire ? », art. cité, p. 9 et 12.

26. Pour Mohand Hamoumou, il aurait fallu prévoir le rapatriement de « deux millions de personnes », *op. cit.*, p. 269.

27. Reprise par Mohand Hamoumou, *ibid.*, notamment p. 233.

28. Charles-Robert Ageron, « Le "drame des harkis". Mémoire ou histoire ? », art. cité, p. 10-11.

29. Sur cette dernière période, les auteurs de référence restent Mohammed Harbi, *Le FLN, mirage et réalités, op. cit.* ; et Gilbert Meynier, *Histoire intérieure du FLN, op. cit.*

13. Bilan

1. Daniel Lefeuvre, *Chère Algérie..., op. cit.*, p. 410.

2. *Le Déracinement*, Minuit, 1964.

3. Kamel Kateb, *op. cit.*, p. 316.

4. Michel Cornaton, *op. cit.*, p. 135-136.

5. Charles-Robert Ageron, « Les pertes humaines de la guerre d'Algérie », in Laurent Gervereau, Jean-Pierre Rioux et Benjamin Stora (dir.), *La France en guerre d'Algérie*, Nanterre, BDIC, 1992, p. 171.

6. 1,3 million de morts sur 40 millions d'habitants en 1914, soit 3,25 %, d'après Charles-Robert Ageron, *ibid.*, p. 175.

7. *Ibid.*, p. 170.

8. *Ibid.*, p. 172.

9. Cité par Guy Pervillé, *Pour une histoire de la guerre d'Algérie*, Picard, 2002, p. 242.

10. *Ibid.*

11. Sur cette méthode, voir Charles-Robert Ageron, « Les pertes humaines de la guerre d'Algérie », art. cité.

12. Kamel Kateb, *op. cit.*, p. 313.

13. Rapport du 19 octobre 1960, cité par Sylvie Thénault, *Une drôle de justice*, *op. cit.*, p. 261.

CHRONOLOGIE

1830

5 juillet : capitulation du dey d'Alger

1847

23 décembre : reddition d'Abd el-Kader

1848

4 novembre : découpage de l'Algérie en départements

1865

14 juillet : sénatus-consulte de Napoléon III faisant des « musulmans » et des « juifs » d'Algérie des sujets français

1870

24 octobre : décret Crémieux

1871

16 mars : début de l'insurrection d'El Mokrani

1881

28 juin : vote d'une loi accordant les pouvoirs disciplinaires aux administrateurs de communes mixtes

1889

26 juin : loi sur la nationalité française, concernant les Européens d'Algérie

1910-1911

Exode de Tlemcen

1919

4 février : loi sur la « naturalisation » des « Français musulmans d'Algérie »

1926

15 mai : première réunion de l'Étoile nord-africaine (ENA)
2 juillet : Messali Hadj secrétaire général de l'ENA

1936

30 décembre : parution du projet Blum-Viollette au *Journal officiel*

1937

26 janvier : dissolution de l'ENA
11 mars : création du Parti du peuple algérien (PPA)

1940

7 octobre : abolition du décret Crémieux

1943

26 mai : Manifeste du peuple algérien de Ferhat Abbas
20 octobre : rétablissement du décret Crémieux

1944

7 mars : ordonnance abolissant les mesures d'exception envers les « Français musulmans d'Algérie »

14 mars : création des Amis du manifeste et de la liberté
   (AML) par Ferhat Abbas

1945

1er mai : premières manifestations en Algérie
8 mai : manifestations, révoltes et répression dans le Constantinois

1946

2 juin : participation de l'Union démocratique du Manifeste
   algérien (UDMA), de Ferhat Abbas, aux élections à la
   deuxième Constituante
10 novembre : participation du Mouvement pour le triomphe
   des libertés démocratiques (MTLD), couverture du PPA,
   aux élections législatives

1947

20 septembre : statut de l'Algérie

1949

Crise berbériste au MTLD
21 octobre : circulaire du gouverneur général Marcel-Edmond
   Naegelen, contre les sévices infligés par les services de
   police

1950

Démantèlement de l'Organisation spéciale du MTLD

1951

6 décembre : « Y a-t-il une Gestapo en Algérie ? », de Claude
   Bourdet, dans *France-Observateur*

1953

14 juillet : 7 morts, dont 6 militants algériens, tués par la police, dans le cortège parisien du MTLD

1954

Juin : création d'un Comité des 22 par des activistes du MTLD

Nuit du 31 octobre au 1er novembre : série d'attentats organisés par le FLN

1er novembre : proclamation du FLN

6 novembre : dissolution du MTLD

Décembre : création du Mouvement national algérien (MNA) par Messali Hadj

1955

6 janvier : annonce d'un plan de réformes par François Mitterrand, ministre de l'Intérieur

13 janvier : « Votre Gestapo d'Algérie » de Claude Bourdet, dans *France-Observateur*

15 janvier : « La question » de François Mauriac, dans *L'Express*

19 janvier : début de grandes opérations militaires dans les Aurès

26 janvier : Jacques Soustelle est nommé gouverneur général, en remplacement de Roger Léonard

6 février : chute du gouvernement de Pierre Mendès France, remplacé par Edgar Faure

2 mars : rapport de Roger Wuillaume, préconisant la réglementation des sévices

20 mars : premier rapport de Jean Mairey, directeur de la Sûreté nationale

1er avril : appel d'Abbane Ramdane à l'unité des Algériens dans le FLN

3 avril : vote de l'état d'urgence, progressivement appliqué ; ouverture des premiers « centres d'hébergement »

1er mai : le général Parlange est nommé commandant civil et militaire des zones sous état d'urgence

13 mai : télégramme du général Cherrière préconisant des représailles collectives

19 mai : décision de procéder aux premiers rappels

16 juin : approbation du plan de réformes de Jacques Soustelle, par le gouvernement d'Edgar Faure ; nomination du général Lorillot, en remplacement du général Cherrière

1er juillet : instruction interministérielle sur « la lutte au sol »

8 au 14 juillet : congrès fondateur de l'UGEMA en métropole

20 août : soulèvement dans le Nord-Constantinois

22 août : extension de l'état d'urgence à tout le pays

12 septembre : dissolution du PCA

15 septembre : « Un journaliste chez les hors-la-loi », de Robert Barrat, dans *France-Observateur*

26 septembre : motion des 61 ; création d'un Service des affaires algériennes, gérant les SAS

30 septembre : première discussion à l'ONU de la question algérienne

Octobre : parution de *L'Algérie hors la loi* de Francis et Colette Jeanson, aux éditions du Seuil

6 au 8 octobre : révolte de soldats français à la caserne de Richepanse

27 octobre : création des Centres sociaux éducatifs

30 novembre : dissolution de l'Assemblée nationale par le gouvernement d'Edgar Faure ; abrogation de l'état d'urgence

Décembre : premiers camps de regroupement dans les Aurès

22 décembre : démission des élus algériens, à l'appel du FLN

29 décembre : début de l'affaire d'Aïn Abid

1956

2 janvier : victoire du Front républicain aux élections législatives

7 janvier : assemblée générale des oulémas, annonçant leur ralliement au FLN

11 janvier : annonce, par Ferhat Abbas, de son ralliement au FLN, dans le journal tunisien *L'Action*

29 janvier : conférence d'Albert Camus à Alger, pour une trêve civile

1er février : entrée en fonction du gouvernement de Guy Mollet

6 février : « journée des tomates »

10 février : Robert Lacoste est nommé ministre résidant

16 février : création de l'USTA par le MNA

24 février : création de l'UGTA par le FLN

9 mars : manifestation du MNA, à Paris, contre la discussion des pouvoirs spéciaux

16 mars : vote des pouvoirs spéciaux

17 mars : décret autorisant la délégation des pouvoirs civils aux militaires

Avril : réglementation des *harka* par Robert Lacoste

10 avril : premiers contacts franco-algériens

1er juin : création du service dont dépendent les DOP

5 juin : mort de Maurice Laban et Henri Maillot dans la liquidation du « maquis rouge »

19 juin : premières exécutions capitales à Alger

1er juillet : le PCA dissout ses groupes combattants (CDL)

2 juillet : refus d'Alban Liechti de prendre les armes

26 juillet : nouveaux contacts franco-algériens

10 août : attentat activiste rue de Thèbes

17 août : contacts franco-algériens à Rome

20 août : congrès de la Soummam

22 septembre : contacts franco-algériens à Belgrade

27 septembre : début de l'affaire des « torturés d'Oran »

30 septembre : attentat du FLN au Milk Bar et à la Cafétéria

22 octobre : arraisonnement de l'avion des dirigeants extérieurs du FLN, avec Mostefa Lacheraf

5 novembre : début de l'expédition de Suez

13 novembre : nomination du général Salan, en remplacement du général Lorillot

29 décembre : ratonnades aux obsèques d'Amédée Froger, tué par le FLN

1957

7 janvier : délégation des pouvoirs de police au général Massu à Alger

16 janvier : attentat activiste au bazooka contre le général Salan

26 janvier : attentats du ELN à l'Otomatic, à la Cafétéria et au Coq Hardi

28 janvier : début de la grève générale appelée par le FLN

5 février : réception, par Guy Mollet, d'une délégation d'officiers algériens de l'armée française, auteurs d'une lettre au président René Coty

10 février : attentats du FLN au stade d'El Biar et au stade municipal d'Alger

23 février : présentation à la presse de Larbi Ben M'Hidi, arrêté par les parachutistes ; publication du *Dossier Jean Müller* par *Témoignage chrétien*

4 mars : annonce du « suicide » de Larbi Ben M'Hidi

8 et 15 mars : parution de « Lieutenant en Algérie », dans *L'Express*

13 mars : parution de *Contre la torture*, de Pierre-Henri Simon, aux éditions du Seuil

16 mars : rapport Provo sur les « torturés d'Oran », contesté

24 mars : lettre de démission de Paul Teitgen, secrétaire général de la préfecture de police d'Alger

26 mars : annonce du « suicide » d'Ali Boumendjel

29 mars : annonce de la demande du général Pâris de Bollardière d'être relevé de son commandement

Avril : diffusion de *Des rappelés témoignent*, par le Comité de résistance spirituelle ; parution de « La paix des Nementchas », de Robert Bonnaud, dans *Esprit*

4 avril : publication de la lettre du doyen Peyrega, dans *France-Observateur*

5 avril : annonce de la création d'une Commission de sauvegarde des droits et libertés individuels

11 avril : légalisation des centres de triage et de transit

10 mai : première réunion de la Commission de sauvegarde

Nuit du 28 au 29 mai : massacre dit « de Melouza »

9 juin : attentat du FLN au casino de la Corniche

11 juin : arrestation de Maurice Audin à Alger

12 juin : arrestation d'Henri Alleg à Alger

13 juin : entrée en fonction du gouvernement de Maurice Bourgès-Maunoury, après la chute de Guy Mollet

26 juin : directive d'André Morice sur l'aménagement des barrages frontaliers

2 juillet : déclaration du sénateur John Kennedy en faveur de l'indépendance de l'Algérie

8 juillet : contacts franco-algériens à Tunis

20-27 août : réunion du CNRA au Caire

24 septembre : arrestation de Yacef Saadi

30 septembre : chute du gouvernement de Maurice Bourgès-Maunoury, remplacé par Félix Gaillard

8 octobre : Ali La Pointe tué par les parachutistes à Alger

2 décembre : soutenance de thèse, *in absentia*, de Maurice Audin, à la Sorbonne

14 décembre : publication du rapport de la Commission de sauvegarde et d'extraits d'*Aspects véritables de la rébellion algérienne* dans *Le Monde*

27 décembre : assassinat d'Abbane Ramdane par Abdelhafid Boussouf, au Maroc

1958

29 janvier : approbation d'un droit de suite des Algériens en Tunisie par le gouvernement de Félix Gaillard

Février : parution de *La Question*, d'Henri Alleg, aux Éditions de Minuit

5 février : loi-cadre, incluant le droit de vote des Algériennes

8 février : bombardement de Sakiet Sidi Youssef

19 février : officialisation de la proposition anglo-américaine de « bons offices »

Mars : début de la « bleuïte » en wilaya 3

14 mars : Maurice Papon est nommé préfet de police de Paris

Avril : création du COM-est et du COM-ouest par Krim Belkacem

15 avril : chute du gouvernement de Félix Gaillard

24 avril : exécution d'Abderrahmane Taleb, et de six autres condamnés à mort

27 au 30 avril : conférence de Tanger, entre les trois pays du Maghreb

Mai : parution de *L'Affaire Audin*, de Pierre Vidal-Naquet, aux Éditions de Minuit

10 mai : communiqué du FLN annonçant l'exécution de trois soldats français

13 mai : manifestation et prise du Gouvernement général à Alger, formation d'un Comité de salut public, investiture de Pierre Pflimlin à Paris

15 mai : appel de Raoul Salan au général de Gaulle

28 mai : manifestation de vigilance républicaine à Paris

1er juin : investiture de Charles de Gaulle, président du Conseil

4 juin : annonce du collège unique par le général de Gaulle, à Alger

17 juin : les généraux Massu, Olié et Rethoré préfets IGAME en Algérie

Juillet : ouverture des Centres militaires d'internés

14 juillet : liquidation de Mohammed Bellounis par l'armée française

Nuit du 24 au 25 août : série d'attentats en métropole

Septembre : dissolution du COM-est

19 septembre : proclamation du GPRA au Caire

28 septembre : référendum approuvant la Constitution de la Ve République

Octobre : début de la mutinerie d'Ali Hambli en Tunisie

3 octobre : annonce du plan de Constantine

13 octobre : ordre de retrait des militaires des Comités de salut public

23 octobre : appel à la « paix des braves »

12 novembre : arrestation, par la Garde tunisienne, des conjurés du complot Lamouri

30 novembre : premières élections législatives de la
Ve République

6 au 12 décembre : réunion interwilayas à l'initiative du colonel Amirouche

19 décembre : prise de fonctions de Paul Delouvrier, délégué
général, et de Maurice Challe, commandant en chef

21 décembre : le général de Gaulle, premier président de la
Ve République

1959

8 janvier : gouvernement de Michel Debré

15 janvier : grâce collective des condamnés à mort algériens ;
Messali Hadj libre de toute assignation à résidence

21 janvier : ouverture du Centre d'identification de Vincennes

Février : début du plan Challe

29 mars : mort du colonel Amirouche dans une embuscade
française

31 mars : circulaire de Paul Delouvrier interdisant de nouveaux regroupements

11 avril : interview de Mgr Rodhain sur les regroupements,
dans *La Croix*

18 avril : publication du rapport de Michel Rocard, stagiaire
de l'ENA, sur les regroupements, dans *Le Monde*

18 juin-1er juillet : grève de la faim des détenus algériens dans
les prisons métropolitaines

4 juillet : rétablissement des préfets IGAME en Algérie

17 juillet : début d'une nouvelle grève de la faim dans les
prisons métropolitaines

31 juillet : début de l'affaire « Aïssat Idir »

4 août : circulaire d'Edmond Michelet, ministre de la Justice,
accordant aux détenus algériens en métropole un régime de
détention assoupli

11 août au 16 décembre : réunion des colonels, créant un
nouveau CNRA

14-16 septembre : réunion lançant le mouvement des « officiers libres » en wilaya 3

16 septembre : annonce de l'autodétermination

10 novembre : appel du général de Gaulle pour des négociations

20 novembre : désignation des ministres algériens emprisonnés comme interlocuteurs, par le GPRA

25 novembre : création d'une Inspection générale des regroupements de population

30 novembre : création d'une force supplétive à Paris

Décembre : début de la révolte du capitaine Zoubir, au Maroc ; parution de *La Gangrène* aux Éditions de Minuit

16 décembre : début de la réunion du nouveau CNRA à Tripoli

1960

1er janvier : création d'une Inspection générale des centres d'internement

5 janvier : publication du rapport de la Croix-Rouge sur les camps d'internement

18 janvier : fin de la réunion du CNRA. Deuxième GPRA, création de l'EMG

20 janvier : rappel du général Massu à Paris

24 janvier-1er février : insurrection des Barricades

11 février : dissolution du 5e Bureau de l'armée française

12 février : décret créant des procureurs militaires

24 février : premières arrestations de membres du « réseau Jeanson »

1er mars : transformation des Unités territoriales en Unités de réserve

Avril : *Le Déserteur* paraît aux Éditions de Minuit, et *Le Refus* aux éditions Maspero

23 avril : remplacement du général Challe par le général Crépin

10 mai : transformation des DOP en UOR

17 mai : circulaire de Michel Debré, interdisant les sévices

2 juin : tribune de Simone de Beauvoir en soutien à Djamila Boupacha, dans *Le Monde*

7 juin : publication du témoignage de Paul Teitgen au procès du Comité Audin contre *La Voix du Nord* dans *Le Monde*

10 juin : Si Salah, Si Mohammed et Si Lakhdar à l'Élysée

14 juin : nouvel appel du général de Gaulle pour des discussions

26-29 juin : rencontre franco-algérienne à Melun

18 juillet : instruction de Pierre Messmer, ministre de la Défense, sur les « fuyards abattus »

5 septembre au 1er octobre : procès du réseau Jeanson à Paris

6 septembre : publication du *Manifeste des 121*, auquel répond un *Manifeste des 185*

27 octobre : grande manifestation pour la paix

22 novembre : Louis Joxe nommé ministre des Affaires algériennes

24 novembre : remplacement de Paul Delouvrier par Jean Morin

1er décembre : dernière exécution capitale en Algérie

9 au 14 décembre : dernier voyage du général de Gaulle en Algérie. Manifestations de Français et d'Algériens, émeutes et répression meurtrières

16 décembre : transformation de l'Inspection générale des centres d'internement en Commission d'inspection des centres de détention administrative

1961

Janvier : création de l'OAS à Madrid

8 janvier : référendum approuvant l'autodétermination

25 janvier : assassinat de l'avocat libéral Me Popie, par des activistes

1er février : remplacement du général Crépin par le général Gambiez

31 mars : assassinat du maire d'Évian, Camille Blanc, par des activistes

22-24 avril : tentative de putsch, à Alger

Mi-mai : refondation de l'OAS, en Algérie

20 mai au 13 juin : négociations à Évian

20 mai-12 août : interruption des opérations offensives

29 mai : circulaire de Jean Morin et du général Gambiez préconisant le « dégroupement »

31 mai : assassinat du commissaire Gavoury par l'OAS

7 juin : succession officielle du général Ailleret au général Gambiez

22 juin : assassinat de Cheikh Raymond par le FLN

6 juillet : début de l'affaire de Bizerte

20 au 28 juillet : négociations à Lugrin

9 au 27 août : deuxième réunion du CNRA à Tripoli, formation d'un troisième GPRA

5 septembre : reconnaissance de la souveraineté algérienne sur le Sahara par le général de Gaulle

8 septembre : attentat contre le général de Gaulle, à Pont-sur-Seine

23 septembre : journée des casseroles en Algérie, à l'appel de l'OAS

5 octobre : couvre-feu contre les Algériens, dans Paris et sa région

17 octobre : manifestation et répression des Algériens à Paris

23 octobre : début d'une série de manifestations françaises contre la guerre, à Paris

1er novembre : début de la deuxième grève de la faim des détenus algériens dans les prisons métropolitaines

7 novembre : définition d'un statut des harkis

20 novembre : assassinat de William Lévy, par l'OAS

22 novembre : dissolution du Comité de Vincennes

1962

Février : dissolution des SAS

8 février : 8 morts au métro Charonne dans la répression d'une manifestation française

11 au 18 février : négociations aux Rousses

13 février : 500 000 Français suivent les obsèques des morts de Charonne

22 au 28 février : troisième réunion du CNRA à Tripoli

23 février : instruction n° 29 de Raoul Salan

28 février : attentat de l'OAS à la voiture piégée, à Oran

Nuit du 5 au 6 mars : opération « Rock and Roll », de l'OAS, en Algérie

7 au 18 mars : négociations à Évian

15 mars : assassinat de Mouloud Feraoun et de cinq de ses collègues des centres sociaux par l'OAS

17 mars : « journée des préparateurs en pharmacie », cibles de l'OAS

18 mars : signature des accords d'Évian

19 mars : cessez-le-feu

20 mars : décret proposant trois choix d'avenir aux harkis

22 mars : tentative d'insurrection de Bab-el-Oued par l'OAS

26 mars : fusillade de la rue d'Isly

29 mars : installation de l'Exécutif provisoire, à Rocher-Noir

5 avril : dissolution des UOR

8 avril : référendum en métropole, approuvant les accords d'Évian

30 avril : arrestation de Raoul Salan, chef de l'OAS

2 mai : attentat de l'OAS à la voiture piégée, à Alger

5 mai : « journée des femmes de ménage », cibles de l'OAS

24 mai : publication de la note de Louis Joxe interdisant la venue des harkis en France par *Combat* et *La Nation française*

28 mai au 7 juin : quatrième réunion du CNRA à Tripoli

7 juin : incendie de la bibliothèque universitaire d'Alger, par l'OAS

17 juin : accord Jean-Jacques Susini - Chawki Mostefaï

24 juin : réunion des wilayas de l'intérieur, pour soutenir le GPRA contre l'EMG

25 juin : incendie de carburant dans le port d'Oran, par l'OAS

30 juin : destitution de l'EMG par le président du GPRA, Benyoucef Ben Khedda

1er juillet : référendum d'autodétermination en Algérie

3 juillet : reconnaissance de l'indépendance par le général de Gaulle, arrivée et discours de Benyoucef Ben Khedda à Alger

5 juillet : première fête nationale algérienne ; manifestations et affrontements à Oran

22 juillet : création du Bureau politique par le « groupe de Tlemcen », rassemblant les partisans d'Ahmed Ben Bella et d'Houari Boumediene, entraînant la création d'un Comité de défense et liaison de la République par leurs opposants du « groupe de Tizi-Ouzou »

29 juillet : occupation d'Alger par les troupes de la wilaya 4

2 août : accords des deux parties algériennes sur l'organisation d'élections législatives

4 août : installation du Bureau politique à Alger

22 août : attentat contre le général de Gaulle, au Petit-Clamart

30 août : proclamation de l'Armée nationale populaire (ANP) par Houari Boumediene

31 août : marche de l'armée des frontières et de troupes intérieures sur Alger

25 septembre : première réunion de l'Assemblée algérienne

BIBLIOGRAPHIE

Les témoignages et les Mémoires sont intégrés aux rubriques thématiques. En raison de leur abondance, ne sont retenues que les références citées dans ce livre.

POUR REPLACER LA GUERRE
DANS LA LONGUE DURÉE

Généralités

Charles-Robert Ageron, *Histoire de l'Algérie contemporaine*, t. II, *1871-1954*, PUF, 1979.

Charles-Robert Ageron, *Histoire de l'Algérie contemporaine, 1830-1999*, Paris, PUF, coll. « Que sais-je ? », rééd. 1999.

Charles-Robert Ageron, « Mai 1945 en Algérie. Enjeu de mémoire et histoire », *Matériaux pour l'histoire de notre temps*, n° 39/40, juillet-décembre 1995, p. 52-56.

Georges Balandier, « La situation coloniale : approche théorique », *Cahiers internationaux de sociologie*, 1951, vol. 11, p. 44-79.

Hélène Blais, Claire Fredj et Emmanuelle Saada (dir), « L'Algérie au XIXe siècle », *Revue d'histoire du XIXe siècle*, 2010, 2e semestre, n° 41.

Abderrahmane Bouchene, Jean-Pierre Peyroulou, Ouanassa Siari-Tengour et Sylvie Thénault (dir.), *Histoire de l'Algérie à la période coloniale 1830-1962*, Paris/Alger, La Découverte/Barzakh, 2012.

Raphaëlle Branche, Anne-Marie Pathé et Sylvie Thénault, « Répression, contrôle et encadrement dans le monde colonial », *Bulletin de l'IHTP*, n° 83, 1er semestre 2004.

Jacques Cantier, *L'Algérie sous le régime de Vichy*, Odile Jacob, 2002.

Martin Evans et John Phillips, *Algeria, anger of dispossessed*, New Haven / London, Yale University Press, 2007.

Jacques Frémeaux, *Les Bureaux arabes dans l'Algérie de la conquête*, Denoël, 1993.

Jacques Frémeaux, *La France et l'Algérie en guerre, 1830-1870, 1954-1962*, Economica / Institut de stratégie comparée, 2002.

René Gallissot, *La République française et les indigènes. Algérie colonisée, Algérie algérienne (1870-1962)*, Éditions de l'Atelier, 2006.

Ernest Gellner, *Les Saints de l'Atlas* [1969], Bouchène, 2003.

Mohammed Harbi, *1954, la guerre commence en Algérie*, Bruxelles, Complexe, 1998.

Jean-Charles Jauffret (dir.), *La Guerre d'Algérie par les documents*, t. I, *L'Avertissement, 1943-1946*, t. II, *Les Portes de la guerre : des occasions manquées à l'insurrection. 10 mars 1946-31 décembre 1954*, Vincennes, SHAT, 1990-1998.

Charles-André Julien, *Histoire de l'Algérie contemporaine*, t. I, *1827-1871*, PUF, 1964.

Daniel Lefeuvre, *Chère Algérie, 1930-1962*, rééd. Flammarion, 2005.

Alain Mahé, *Histoire de la Grande Kabylie, XIXe-XXe siècles*, Bouchène, 2001.

Gilles Manceron, *Marianne et les colonies. Une introduction à l'histoire coloniale de la France*, La Découverte, 2003.

Boucif Mekhaled, *Chroniques d'un massacre. 8 mai 1945. Sétif, Guelma, Kherrata*, Syros/Au nom de la mémoire, 1995.

Gilbert Meynier, *L'Algérie révélée. La guerre de 1914-1918 et le premier quart du XXe siècle*, Genève, Librairie Droz, 1981.

Jean-Pierre Peyroulou, *Guelma, 1945, Une subversion française dans l'Algérie coloniale*, La Découverte, 2009.

Annie Rey-Goldzeiguer, *Aux origines de la guerre d'Algérie, 1940-1945, de Mers el-Kébir aux massacres du Nord-Constantinois*, La Découverte, 2002.

Daniel Rivet, *Lyautey et l'institution du protectorat français au Maroc, 1912-1925*, t. II, L'Harmattan, 1988.

Daniel Rivet, *Le Maghreb à l'épreuve de la colonisation*, Hachette Littératures, 2002.

Benjamin Stora, *Histoire de l'Algérie coloniale*, La Découverte, 2004.

L'Algérie française : fondements juridiques et populations

Michèle Barbier, *Le Mythe Borgeaud. Henri Borgeaud, 1895-1964. Trente ans d'histoire de l'Algérie française à travers un symbole*, Châteauneuf-les-Martigues, Wallada, 1995.

Emmanuel Blanchard et Sylvie Thénault, « La société du contact en Algérie coloniale », *Le Mouvement social*, 2011/3, n°236.

Laure Blévis, « Les avatars de la citoyenneté en Algérie coloniale ou les paradoxes d'une catégorisation », *Droit et société*, n° 48, 2001, p. 557-580.

Claude Collot, *Les Institutions de l'Algérie pendant la période coloniale*, Paris/Alger, CNRS/OPU, 1987.

Joëlle Hureau, *La Mémoire des pieds-noirs*, Perrin, 2001.

Jean-Jacques Jordi, *Espagnols en Oranie, histoire d'une migration, 1830-1914*, Nice, Gandini, 1996.

Jean-Jacques Jordi, *1962, l'arrivée des pieds-noirs*, Autrement, 1995.

Jean-Jacques Jordi, *Un silence d'État. Les disparus civils européens de la guerre d'Algérie*, Paris, Soteca, 2011.

Juger en Algérie, 1944-1962, actes du colloque de l'École nationale de la magistrature de Bordeaux, *Le Genre humain*, n° 32, septembre 1997.

La Justice en Algérie, 1830-1962, actes du colloque tenu à la BNF les 22 et 23 octobre 2002, La Documentation française, 2004.

Kamel Kateb, *Européens, « indigènes » et juifs en Algérie (1830-1962). Représentations et réalités des populations*, INED, 2001.

Claire Mauss-Copeaux, *Algérie, 20 août 1955. Insurrection, répression, massacres*, Payot, 2011.

Pierre Nora, *Les Français d'Algérie*, Julliard, 1961

Alain Peyrefitte, *Faut-il partager l'Algérie ?*, Plon, 1962.

Yann Scioldo-Zürcher, *Devenir métropolitain. Politique d'intégration et parcours de rapatriés d'Algérie en métropole, 1954-2005*, Éditions de l'EHESS, 2010.

Sylvie Thénault, *Violence ordinaire dans l'Algérie coloniale. Camps, internements, assignations à résidence*, Odile Jacob, 2012.

Jeannine Verdès-Leroux, *Les Français d'Algérie, de 1830 à aujourd'hui. Une page d'histoire déchirée*, Fayard, 2001.

Patrick Weil, *Qu'est-ce qu'un Français ? Histoire de la nationalité française depuis la Révolution*, Grasset, 2002.

SUR LA GUERRE D'INDÉPENDANCE

Généralités

Charles-Robert Ageron (dir.), *La Guerre d'Algérie et les Algériens*, Armand Colin/IHTP, 1997.

Henri Alleg (dir.), *La Guerre d'Algérie*, 3 t., Temps Actuels, 1981.

Raphaëlle Branche, *La Guerre d'Algérie : une histoire apaisée ?*, Seuil, coll. « Points », 2005.

Matthew Connelly, *L'Arme secrète du FLN. Comment de Gaulle a perdu la guerre d'Algérie*, Payot, 2011. Que complètent utilement : Samya El Mechat, *Les États-Unis et la Tunisie. De l'ambiguïté à l'entente. 1945-1959*, L'Harmattan, 1996 ; Samya El Mechat, *Les États-Unis et l'Algérie. De la méconnaissance à la reconnaissance. 1945-1962*, L'Harmattan, 1996.

Yves Courrière, *La Guerre d'Algérie*, 4 tomes, Fayard, 1972 (nombreuses rééditions).

Bernard Droz et Évelyne Lever, *Histoire de la guerre d'Algérie*, Seuil, 1982.

Hartmut Elsenhans, *La Guerre d'Algérie, 1954-1962. La transition d'une France à une autre. Le passage de la IVᵉ à la Vᵉ République*, Publisud, 1999.

Laurent Gervereau, Jean-Pierre Rioux et Benjamin Stora (dir.), *La France en guerre d'Algérie*, Nanterre, BDIC, 1992.

Mohammed Harbi et Benjamin Stora (dir.), *La Guerre d'Algérie, 1954-2004, la fin de l'amnésie*, Robert Laffont, 2004.

Jean-Charles Jauffret (dir.), *Des hommes et des femmes en guerre d'Algérie*, Autrement, 2004.

Jean-Charles Jauffret et Maurice Vaïsse (dir.), *Militaires et guérilla dans la guerre d'Algérie*, Bruxelles, Complexe, 2001.

Daniel Lefeuvre et Anne-Marie Pathé (dir.), *La Guerre d'Algérie au miroir des décolonisations françaises*, actes du colloque en l'honneur de Charles-Robert Ageron, SFHOM, 2000.

Gilles Manceron et Hassan Remaoun, *D'une rive à l'autre. La guerre d'Algérie de la mémoire à l'histoire*, Syros, 1993.

Guy Pervillé, *Pour une histoire de la guerre d'Algérie, 1954-1962*, Picard, 2002.

Jean-Pierre Rioux (dir.), *La Guerre d'Algérie et les Français*, Fayard, 1990.

Benjamin Stora, *Histoire de la guerre d'Algérie (1954-1962)*, rééd. La Découverte, 2002, que suit *Histoire de l'Algérie depuis l'indépendance*, La Découverte, 1994.

Sylvie Thénault, *Algérie : des « événements » à la guerre. Idées reçues sur la guerre d'indépendance algérienne*, Le Cavalier Bleu, 2012.

Les Algériens et le nationalisme

Charles-Robert Ageron, « Complots et purges dans l'ALN (1958-1961) », *Vingtième Siècle*, n° 59, juillet-septembre 1998, p. 15-27.

Djamila Amrane, *Les Femmes algériennes dans la guerre*, Plon, 1991.

Louis Blin, Nourredine Abdi, Ramdane Redjala et Benjamin Stora, *Algérie, 200 hommes de pouvoir*, Indigo Publications, 1992.

Omar Carlier, *Entre nation et djihad. Histoire sociale des radicalismes algériens*, Presses de Sciences Po, 1995.

Saad Dahlab, *Pour l'indépendance de l'Algérie, mission accomplie*, Alger, Dahlab, 1990.

Zakya Daoud et Benjamin Stora, *Ferhat Abbas, une utopie algérienne*, Denoël, 1995.

Jean-Luc Einaudi, *Un Algérien, Maurice Laban*, Le Cherche-Midi Éditeur, 1999.

Mouloud Feraoun, *Journal*, Seuil, 1962 ; et sur son assassinat : Jean-Philippe Ould Aoudia, *L'Assassinat de Château-Royal, Alger : 15 mars 1962*, Tirésias/Michel Reynaud, 1992.

Mohammed Harbi, *Aux origines du FLN*, Christian Bourgois, 1975.

Mohammed Harbi, *Le FLN, mirage et réalité*, Jeune Afrique, 1980.

Mohammed Harbi, *Les Archives de la révolution algérienne*, Jeune Afrique, 1981.

Mohammed Harbi, *Une vie debout. Mémoires politiques*, t. I, *1945-1962*, La Découverte, 2001.

Mohammed Harbi et Gilbert Meynier, *Le FLN, documents et histoire, 1954-1962*, Fayard, 2004.

Ali Haroun, *La 7e wilaya. La guerre du FLN en France, 1954-1962*, Seuil, 1986.

Redha Malek, *L'Algérie à Évian. Histoire des négociations secrètes. 1956-1962*, Seuil, 1995.

James McDougall, *History and the culture of nationalism in Algeria*, Cambridge, Cambridge University Press, 2006.

Gilbert Meynier, « Problématique de la nation algérienne », *Naqd*, n° 14/15, automne-hiver 2001, p. 25-51.

Gilbert Meynier, *Histoire intérieure du FLN (1954-1962)*, Fayard, 2002.

Malika Rahal, *Ali Boumendjel. Une affaire française, une histoire algérienne, biographie*, Les Belles Lettres, 2010.

Sylvie Thénault, « Mouloud Feraoun, un écrivain dans la guerre d'Algérie », *Vingtième Siècle*, n° 63, juillet-septembre 1999, p. 65-74.

Des protagonistes de la politique française en Algérie

Administration, n° 196, décembre 2002.

Georges Audebert, *Au cœur du drame franco-algérien. Sous-préfet dans l'Algérie en guerre*, Ivry-sur-Seine, Phénix Éditions, 2001.

Gérard Bélorgey, *Bulles d'histoire et autres contes vrais. Carnets d'étape d'un préfet nomade. 1940-2000*, Ivry-sur-Seine, Phénix Éditions, 2001.

Roselyne Chenu, *Paul Delouvrier ou la Passion d'agir*, Seuil, 1994.

Michèle Cointet, *De Gaulle et l'Algérie française, 1958-1962*, Perrin, 1995.

De Gaulle en son siècle, t. VI, *Liberté et dignité des peuples*, colloque organisé par l'Institut Charles-de-Gaulle, Plon / La Documentation française, 1992.

Jean Lacouture, *De Gaulle*, Seuil, 1985.

Jean Morin, *De Gaulle et l'Algérie*, Albin Michel, 1999.

Guillaume Mouralis, *Edmond Michelet, garde des Sceaux, ministre de la Justice (9 janvier 1959-24 août 1960)*, mémoire de maîtrise, Paris I, 1993-1994.

Jean-Pierre Peyroulou « Maurice Papon, administrateur colonial (1945-1958) », in Samia El Mechat (dir.), *Les Administrations coloniales, esquisse d'une histoire comparée, XIXe-XXe siècles*, Rennes, PUR, 2009, p. 69-80.

Sandrine Reliquet, *L'Exercice de la magistrature en Algérie d'octobre 1956 à octobre 1958. Le cas du parquet général d'Alger*, mémoire de DEA, IEP de Paris, 1989.

Jacques Soustelle, *Aimée et souffrante Algérie*, Plon, 1956.

L'armée française et ses personnels

Charles-Robert Ageron, « Les supplétifs algériens dans l'armée française », *Vingtième Siècle*, n° 48, octobre-décembre 1995, p. 3-20.

Charles-Robert Ageron, « Le "drame des harkis". Mémoire ou histoire ? », *Vingtième Siècle*, n° 68, octobre-décembre 2000, p. 3-16.

Charles Ailleret, *Général du contingent*, Grasset, 1998.

Paul Aussaresses, *Services spéciaux, Algérie, 1955-1957*, Perrin, 2001.

Raphaëlle Branche, *L'Embuscade de Palestro. Algérie, 1956*, Paris, Armand Colin, 2010.

Maurice Challe, *Notre révolte*, Presses de la Cité, 1968.

Stéphanie Chauvin, « Des appelés pas comme les autres ? Les conscrits "français de souche nord-africaine" pendant la guerre d'Algérie », *Vingtième Siècle*, n° 48, octobre-décembre 1995, p. 21-30.

Jean Debernard, *Simples Soldats*, Actes Sud, 2001.

Mohand Hamoumou, *Et ils sont devenus harkis*, Fayard, 1993 [rééd. 2001].

Michel Hardy, Hervé Lemoine et Thierry Sarmant, *Pouvoir politique et autorité militaire en Algérie française, hommes, textes, institutions*, SHAT/L'Harmattan, 2002.

François-Xavier Hautreux, *Les Harkis dans la guerre d'Algérie. L'armée française et ses auxiliaires algériens (1954-1962)*, Perrin, 2012.

Ugo Iannucci, *Soldat dans les gorges de Palestro*, Lyon, Aléas éditeurs, 2001.

Jean-Charles Jauffret, *Soldats en Algérie 1954-1962. Expériences contrastées des hommes du contingent*, Autrement, 2000.

Grégor Mathias, *Les Sections administratives spécialisées, entre idéal et réalité (1955-1962)*, L'Harmattan/IHCC, 1998.

Claire Mauss-Copeaux, *Appelés en Algérie. La parole confisquée*, Hachette Littératures, 1998.

Jean Planchais, *Le Malaise de l'armée*, Plon, 1958.

Tramor Quemeneur, « Les manifestations de "rappelés" contre la guerre d'Algérie (1955-1956) ou contestation et obéissance », *Revue française d'histoire d'outre-mer*, n° 332-333, 2001, p. 407-427.

Abdelkader Rahmani, *L'Affaire des officiers algériens*, Seuil, 1959.

Raoul Salan, *Mémoires*, t. III, *Fin d'un empire*, Presses de la Cité, 1972.

Jean Servier, *Dans l'Aurès, sur les pas des rebelles*, France Empire, 1955.

Maurice Vaïsse, *Alger, le putsch*, Bruxelles, Complexe, 1983.

Marie-Catherine Villatoux et Paul Villatoux, *La République et son armée face au « péril subversif »*, Les Indes Savantes, 2005.

Sur la répression

Henri Alleg, *La Question*, Minuit, 1958 (1re édition).

Henri Alleg, *Prisonniers de guerre*, Minuit, 1961.

Simone de Beauvoir et Gisèle Halimi, *Djamila Boupacha*, Gallimard, 1962.

Amar Belkhodja, *L'Affaire Hamdani Adda*, Tiaret, Éditions Mekkloufi, s.d.

Pierre Bourdieu et Abdelmalek Sayad, *Le Déracinement*, Minuit, 1964.

Raphaëlle Branche, « La Commission de sauvegarde pendant la guerre d'Algérie », *Vingtième Siècle*, n° 61, janvier-mars 1999, p. 14-29.

Raphaëlle Branche, *La Torture et l'armée pendant la guerre d'Algérie*, Gallimard, 2001.

Christian Buono, *L'Olivier de Makouda*, Tiresias/Michel Reynaud, 1991.

Michel Cornaton, *Les Camps de regroupement de la guerre d'Algérie*, rééd. L'Harmattan, 1998.

Jean-Luc Einaudi, *Pour l'exemple, l'affaire Fernand Iveton*, L'Harmattan, 1986.

Jean-Luc Einaudi, *La Ferme Améziane. Enquête sur un centre de torture pendant la guerre d'Algérie*, L'Harmattan, 1991.

Gisèle Halimi, *Avocate irrespectueuse*, Plon, 2002.

Louisette Ighilahriz et Anne Nivat, *Algérienne*, Fayard/Cal-mann-Lévy, 2001.

Neil MacMaster, *Burning the Veil. The Algerian war and the « emancipation » of Muslim women, 1954-1962*, Manchester University Press, Manchester, 2009.

Michel Rocard, *Rapport sur les camps de regroupement*, Mille et une nuits, 2003.

Pierre-Henri Simon, *Contre la torture*, Seuil, 1998 (1ʳᵉ édition).

Sylvie Thénault, *Une drôle de justice. Les magistrats dans la guerre d'Algérie*, rééd. La Découverte, 2004.

Pierre Vidal-Naquet, *L'Affaire Audin*, Minuit, 1958 (1ʳᵉ édition).

Pierre Vidal-Naquet, *La Raison d'État*, Minuit, 1962 (1ʳᵉ édition).

Pierre Vidal-Naquet, *La Torture dans la République*, Minuit, 1972 (1ʳᵉ édition en langue française).

Pierre-Vidal Naquet, *Les Crimes de l'armée française*, François Maspero, 1975 (1ʳᵉ édition).

Pierre Vidal-Naquet, *Face à la raison d'État*, La Découverte, 1989.

La guerre dans ses facettes métropolitaines

Linda Amiri, *La Bataille de France. La guerre d'Algérie en métropole*, Robert Laffont, 2004.

Emmanuel Blanchard, *La Police parisienne et les Algériens (1944-1962)*, Paris, Nouveau Monde éditions, 2011.

Raphaëlle Branche et Sylvie Thénault (dir.), *La France en guerre (1954-1962). Expériences métropolitaines de la guerre d'indépendance algérienne*, Autrement, 2008.

Jean-Paul Brunet, *Police contre FLN, le drame d'octobre 1961*, Flammarion, 1999.

Alain Dewerpe, *Charonne, 8 février 1962. Anthropologie historique d'un massacre d'État*, Paris, Gallimard, coll. « Folio », 2006.

Béatrice Dubell, Arthur Grosjean et Marianne Thivend, (dir.), *Récits d'engagements, des Lyonnais auprès des Algériens en guerre, 1954-1962*, Paris, Bouchène, 2012.

Jean-Luc Einaudi, *La Bataille de Paris*, Seuil, 1991.

Monique Hervo, *Chroniques du bidonville. Nanterre en guerre d'Algérie, 1959-1962*, Seuil, 2001.

Jim House et Neil MacMaster, *Paris 1961. Les Algériens, la terreur d'État et la mémoire*, Tallandier, 2008.

Maurice Papon, *Les Chevaux du pouvoir*, Plon, 1988.

Paulette Péju, *Les Harkis à Paris*, Maspero, 1961 (1re édition).

Paulette Péju, *Ratonnades d'octobre*, Maspero, 1961 (1re édition).

Benjamin Stora, *Messali Hadj, 1898-1974*, Le Sycomore, 1982.

Benjamin Stora, *Dictionnaire biographique de militants nationalistes algériens*, L'Harmattan, 1985.

Benjamin Stora, *Ils venaient d'Algérie. L'immigration algérienne en France 1912-1962*, Fayard, 1992.

Sylvie Thénault (dir.), « L'internement en France pendant la guerre d'indépendance algérienne. Vadenay, Saint-Maurice l'Ardoise, Thol, le Larzac », *Matériaux pour l'histoire de notre temps*, n° 92, octobre-décembre 2008.

Engagements et opinion

Robert Barrat, *Un journaliste au cœur de la guerre d'Algérie*, rééd. Éditions de l'Aube, 2001.

François Bédarida et Étienne Fouilloux (dir.), *La Guerre d'Algérie et les chrétiens, Cahiers de l'IHTP*, n° 9, octobre 1988.

Alexis Berchadsky, « *La Question* », d'Henri Alleg. Un « livre-événement » dans la France en guerre d'Algérie, Larousse/Sélection du Reader's Digest, 1994.

Jean-Claude Biondi et Gilles Morin, *Les Anticolonialistes*, Robert Laffont, 1992.

Michel Crouzet, « La bataille des intellectuels », *La Nef*, n° 12-13, octobre 1962-janvier 1963, p. 47-65.

Olivier Dard, *Voyage au cœur de l'OAS*, Perrin, rééd. 2005.

Sébastien Denis, *Cinéma et guerre d'Algérie. La propagande à l'écran (1945-1962)*, Nouveau Monde éditions, 2009.

Anne-Marie Duranton-Crabol, *Le Temps de l'OAS*, Bruxelles, Complexe, 1995.

Laurent Gervereau, Benjamin Stora (dir.), *Photographier la guerre d'Algérie*, Merval, 2004.

Hervé Hamon et Patrick Rotman, *Les Porteurs de valise*, rééd. Seuil, 2001.

Martin Harrison, « Government and Press in France During the Algerian War », *The American Political Science Review*, juin 1964, p. 273-285.

Rémi Kauffer, *OAS, histoire d'une guerre franco-française*, Seuil, 2002.

Boualem Khalfa, Henri Alleg et Abdelhamid Benzine, *La Grande Aventure d'Alger républicain*, Messidor, 1987.

Gilles Morin, *De l'opposition socialiste à la guerre d'Algérie au Parti socialiste autonome (1954-1960), un courant socialiste de la SFIO au PSU*, thèse dactylographiée, Paris I, 1992.

Guy Pervillé, « L'Algérie dans la mémoire des droites », in Jean-François Sirinelli (dir.), *L'Histoire des droites en France*, vol. 2, *Cultures*, Gallimard, 1992, p. 621-644.

Laure Pitti, « Renault, "la forteresse ouvrière" à l'épreuve de la guerre d'Algérie », *Vingtième Siècle*, n° 83, juillet-septembre 2004, p. 131-143.

Tramor Quemeneur, « La mémoire mise à la question : le débat sur les tortures dans la guerre d'Algérie. Juin 2000-septembre 2001 », *Regards sur l'actualité*, n° 276, décembre 2001, p. 29-40.

Jean-Pierre Rioux et Jean-François Sirinelli (dir.), *La Guerre d'Algérie et les intellectuels français*, Complexe, 1991.

Daniel Rivet (dir.), *Le Comité France-Maghreb : réseaux intellectuels et d'influence face à la crise marocaine*, *Cahiers de l'IHTP*, n° 38, 1997.

Benjamin Stora, « Une censure de guerre qui ne dit pas son nom », *Censures*, BPI, 1987, p. 46-54.

Sylvie Thénault, « La gauche et la décolonisation », in Gilles Candar et Jean-Jacques Becker (dir.), *Histoire des gauches en France*, t. II, *XXᵉ siècle, à l'épreuve de l'histoire*, La Découverte, 2004, p. 435-451.

Sylvie Thénault, « L'OAS à Alger en 1962. Histoire d'une violence terroriste et de ses agents », *Les Annales. Histoire, sciences sociales*, 2008, n° 5, p. 277-1001.

Marie-Pierre Ulloa, *Un intellectuel en dissidence, de la Résistance à la guerre d'Algérie, Francis Jeanson*, Berg international éditeurs, 2001.

Pierre Vidal-Naquet, *Mémoires*, t. II, *Le Trouble et la lumière 1955-1998*, Seuil/La Découverte, 1998.

Après la guerre : débats et héritages

Romain Bertrand, *Mémoires d'Empire. La controverse autour du « fait colonial »*, Broissieux, éd. du Croquant, coll. « Savoir agir », 2006.

Colonialisme et post-colonialisme en Méditerranée, Rencontres d'Averroès n° 10, Éditions Parenthèses, 2004.

René Gallissot (dir.), *Les Accords d'Évian en conjoncture et en longue durée*, Karthala, 1997.

Mario Ranalletti, « Une présence française fonctionnelle : les militaires français en Argentine après 1955 », *Matériaux pour l'histoire de notre temps*, n° 67, juillet-septembre 2002, p. 104-106.

Marie-Monique Robin, *Escadrons de la mort. L'école française*, La Découverte, 2004.

Todd Shepard, *1962 : comment l'indépendance algérienne a transformé la France*, Payot, 2008.

Éric Savarese, *Algérie, La guerre des mémoires*, Paris, Non Lieu, 2007.

Benjamin Stora, *Le Transfert d'une mémoire. De l'« Algérie française » au racisme anti-arabe*, La Découverte, 1999.

TABLE DES SIGLES ET ABRÉVIATIONS

AGEA	Association générale des étudiants d'Alger
AGTA	Amicale générale des travailleurs algériens
ALN	Armée de libération nationale
AML	Amis du manifeste et de la liberté
ANC	African National Congress
ANP	Armée nationale populaire
ATO	Attachés temporaires occasionnels
CAC	Centre des archives contemporaines
CAOM	Centre des archives d'outre-mer
CAPER	Caisse d'accession à la propriété et à l'exploitation rurale
CARNA	Comité d'action révolutionnaire nord-africain
CCE	Comité de coordination et d'exécution
CDL	Combattants de la libération
CDLR	Comité de défense et de liaison de la République
CDP	Compagnies de diffusion et de production
CECA	Communauté européenne du charbon et de l'acier
CFLN	Comité français de libération nationale
CFTC	Confédération française des travailleurs chrétiens
CGT	Confédération générale du travail
CH	Centre d'hébergement
CHAN	Centre historique des Archives nationales
CHTP	Compagnies de haut-parleurs et de tracts
CICDA	Commission d'inspection des centres de détention administrative
CIG	Comité interministériel de guerre
CISL	Conférence internationale des syndicats libres

CMI	Centre militaire d'internés
CNRA	Conseil national de la révolution algérienne
COM	Comité opérationnel militaire
CRA	Centre de renseignement et d'action
CSE	Centre social éducatif
CSICE	Commission spéciale d'investigation et de contre-espionnage
CTT	Centre de triage et de transit
DAF	Déserteurs de l'armée française
DOP	Détachement opérationnel de protection
DPU	Dispositif de protection urbain
EMG	État-major général
EMSI	Équipe médico-sociale itinérante
ENA	Étoile nord-africaine
FAAD	Front algérien d'action démocratique
FAF	Front Algérie française
FEN	Fédération générale de l'enseignement
FFL	Forces françaises libres
FLN	Front de libération nationale
FMA	Français musulman d'Algérie
FO	Force ouvrière
FSE	Français de souche européenne
FSNA	Français de souche nord-africaine
GAD	Groupes d'autodéfense
GG	Gouvernement général
GMPR	Groupes mobiles de police rurale
GMS	Groupes mobiles de sécurité
GPRA	Gouvernement provisoire de la République algérienne
GPRF	Gouvernement provisoire de la République française
IGAME	Inspecteur général de l'administration en mission extraordinaire
IGCI	Inspection générale des centres d'internement
IGRP	Inspection générale des regroupements de population
IOO	Interruption des opérations offensives
MALG	Ministère de l'Armement et des Liaisons générales
MNA	Mouvement national algérien

MP 13	Mouvement populaire du 13 mai
MRP	Mouvement républicain populaire
MTLD	Mouvement pour le triomphe des libertés démo-cratiques
OAS	Organisation année secrète
OLP	Organisation de libération de la Palestine
ONU	Organisation des Nations unies
OPA	Organisation politico-administrative (*nizam*)
ORAF	Organisation de résistance de l'Algérie française
OS	Organisation spéciale
PAM	Pris les armes à la main
PC	Parti communiste
PCA	Parti communiste algérien
PCF	Parti communiste français
PJ	Police judiciaire
PPA	Parti du peuple algérien
PRG	Police des renseignements généraux
PSU	Parti socialiste unifié
SAS	Section administrative spécialisée
SAT-FMA	Service d'assistance technique aux Français musul-mans d'Algérie
SFIO	Section française de l'internationale ouvrière
SHAT	Service historique de l'armée de terre
SHD	Service historique de la Défense
SNES	Syndicat national des enseignements du second degré
TPFA	Tribunal permanent des Forces armées
UDMA	Union démocratique du Manifeste algérien
UDSR	Union démocratique et socialiste de la Résistance
UGEMA	Union générale des étudiants musulmans algériens
UGTA	Union générale des travailleurs algériens
UNEF	Union nationale des étudiants de France
UNR	Union pour la nouvelle République
UOR	Unité opérationnelle de recherche
USTA	Union syndicale des travailleurs algériens
UT	Unité territoriale

INDEX DES NOMS

TABLE

IV
EN FINIR